CRIAR HIJOS CONFIADOS, MOTIVADOS Y SEGUROS

Hacia una paternidad responsable y feliz

ILUSTRACIONES: SOFÍA CHAS

MARITCHU SEITÚN

CRIAR HIJOS CONFIADOS, MOTIVADOS Y SEGUROS

Hacia una paternidad responsable y feliz

Grijalbo

Maritchu Seitún
    Criar hijos confiados, motivados y seguros : hacia una
paternidad responsable y feliz / María Nilda Seitún ; ilustrado por
Sofía Chas. - 5ª ed. - Buenos Aires : Grijalbo, 2011.
    368 p. : il. ; 22x15 cm. (Autoayuda y Superación Grijalbo)

    ISBN 978-950-28-0521-4

    1. Relaciones Interpersonales. I. Sofía Chas, il. II. Título
    CDD 158.2

Primera edición: marzo de 2011
Quinta edición: septiembre de 2011

IMPRESO EN LA ARGENTINA

Queda hecho el depósito
que previene la ley 11.723.
© 2011, Editorial Sudamericana S.A.®
Humberto I 555, Buenos Aires.

www.megustaleer.com.ar

ISBN: 978-950-28-0521-4

Publicado por Editorial Sudamericana S.A.® bajo el sello Grijalbo

Esta edición de 4.000 ejemplares se terminó de imprimir en Kalifón S.A.,
Humboldt 66, Ramos Mejía, Bs. As., en el mes de septiembre de 2011.

Agradecimientos

A mis padres, a mis hijos, a mi marido; a los pediatras con los que trabajo (hoy ya no podría concebir esta actividad de otro modo que no fuera en equipo con ellos); y a mis pacientes. Por lo que todos ellos se esforzaron en enseñarme y ayudarme a crecer.

A mis terapeutas, supervisores y profesores, especialmente a Martha Gonçalves Bórrega y José Valeros, quienes me acompañaron durante muchos años en mi camino como terapeuta y orientadora de padres.

A los padres que confiaron en mí y me plantearon sus inquietudes, dudas y dificultades. Aquellos con quienes fuimos desgranando ideas, respuestas; a veces sólo descubriendo emociones subyacentes, y ampliando juntos los modelos de decir o de hacer.

A las mamás-alumnas de los grupos de madres, quienes me ayudaron a pensar, me dieron ideas brillantes, que luego hice mías y enseñé a otros, y me hicieron preguntas que resultaron centrales para entender la paternidad e intentar explicarla.

Al programa TVcrecer y a su gente, que me invitó a idear 'mensajes para padres' y fortaleció mi deseo de escribir este libro.

A mi hija Sofía, quien logró convertir mis torpes dibujos en esquemas comprensibles y diseñó los canguritos que ilustran estas páginas.

Por último, a Ana Guillot, correctora, asesora, amiga, sin cuya ayuda este libro no hubiera sido posible.

AGRADECIMIENTOS

EL CAMINO

Los bebés llegan al mundo absolutamente indefensos. Al nacer, no pueden abastecerse por sí mismos y tampoco desplazarse. Las mamás, por otro lado, no tenemos un bolsillo como los canguros u otros marsupiales para cargarlos y cobijarlos, pero sí los tenemos muy cerquita de nosotras, y los atendemos dentro de nuestro propio 'marsupio' virtual, imaginario, durante muchos meses. Este período de total indefensión del bebé dura unos nueve meses. Como dice la especialista en el tema, Laura Gutman, este período es como un segundo embarazo, que culmina cuando el bebé empieza a desplazarse y puede alejarse de la madre y volver a acercarse cuando lo desea; en un primer momento, gateando; y, luego, caminando.

De todos modos, esta etapa mencionada no termina en ese momento, ya que nuestros cachorros humanos siguen dependiendo de sus padres por largos años. Es extenso el período en el que los adultos humanos nos ocupamos de las necesidades de supervivencia de nuestros hijos y ellos aprovechan esa moratoria para pasarla bien sin la responsabilidad de preocuparse por cuestiones de supervivencia. En esas condiciones, durante los años de infancia y adolescencia, los chicos pueden jugar, establecer relaciones, aprender y desplegar al máximo sus potencialidades. Son años en los que los padres[1] podemos y debemos, no sólo alimentarlos y atender sus necesidades básicas sino también acompañarlos en ese 'convertirse' en personas adultas, independientes, autoportantes, con una autoestima adecuada y con confianza y esperanza en el mundo, en la vida, en la gente.

En este libro me dedico al niño a partir de los nueve meses de vida. Desde el momento en que sale de al lado de su mamá, como el bebé canguro del marsupio, y descubre el mundo más allá de ella (de todos modos por muchos años volverá una y mil veces a su lado, a ese 'puerto seguro': el regazo de mamá). También me ocupo de los intentos de los padres por convertirlo en una persona 'civilizada', de modo que pueda adaptarse y vivir en un entorno humano. Analizaremos y nos centraremos en el tiempo de la infancia y la latencia, hasta llegar a los diez u once años. Con latencia me refiero al período entre el final de la etapa edípica y el comienzo de la pubertad, queda "latente" la sexualidad y la energía queda disponible para aprender, jugar, hacer amigos, el deporte, etc. En varias ocasiones me refiero, también, a etapas más tempranas, cuando lo que ocurre más adelante lo hace necesario. Pero, centralmente, éste es un libro acerca de niños; y no de bebés ni de adolescentes.

En la primera parte, "De padres e hijos", me centro en aquel lugar especial, aquella posición particular en que podemos ubicarnos los padres de modo de acompañar a los chicos en el desarrollo de la autoestima y de recursos ricos y variados para desenvolverse en la vida (sin desperdiciar energía en defensas), en el desarrollo de un yo fuerte, en el despliegue de su inteligencia, habilidades, motivaciones, etc. Para ello es necesario revisar teorías y cosmovisiones que traemos desde nuestra infancia y ampliar el modelo y los recursos (y a veces reconsiderar ciertos mitos) con los que los criamos.

En la segunda parte, "De hijos", destaco las distintas etapas por las que ellos van transitando y algunas dificultades propias de cada una.

En la tercera, "Límites", reviso las diferentes posturas en relación con la disciplina y, con ejemplos concretos, desgrano alternativas que nos facilitan la vida diaria y nos ayudan a enojarnos menos, a sonreír más, a ser más eficaces en nuestra puesta de límites, y, finalmente, a mejorar el clima emocional de la casa. La idea es educarlos sin doblegarlos y reforzar la imagen de sí mismos al mismo tiempo, con mucha firmeza y también mucho amor incondicional.

"La vida diaria", la cuarta parte, se ocupa de las cuestiones de todos los días: comida, sueño, control de esfínteres, hábitos, colegio, tareas, otras actividades, hermanos, el embarazo de mamá; y abre un espacio para repensar el estilo y el ritmo de vida que llevamos en este nuevo siglo.

En "El juego" (el trabajo de los niños, esencial para su desarrollo sano), incluyo varios artículos que nos permiten entenderlo mejor (por qué juegan y para qué lo hacen), y así darle lugar, favorecerlo, animarnos a jugar con ellos; también hablo de los amigos y del uso del tiempo libre (¡ay!, ¡la televisión, la computadora, los jueguitos!).

La última parte, "Otros temas", incluye artículos sobre asuntos muy variados, la mayoría de ellos son 'difíciles' de afrontar: la separación, la muerte de un ser querido, madres que trabajan; o cuestiones de los chicos, como enfermedades de algún hijo, miedos, vergüenza y timidez, mentiras y robos, etc. Ya que es imposible incluir todas las situaciones complicadas, elegí las que más veo en la consulta, y algunas otras que, aunque no son tan comunes, me parecen importantes.

Hace un tiempo, en la época en que empezaba a imaginar este libro, una amiga me habló del refrán "si el atajo fuera bueno, no existiría el camino". La frase me resultó una excelente síntesis de lo que me propongo presentar: un libro que hable del camino de la paternidad, que no siempre es corto ni fácil; y del atajo que nos tienta en cada esquina. Defino atajo como aquellas respuestas de los padres que terminan los temas sin que haya procesamiento adecuado, aquellas que elegimos para que los chicos no sufran, o no se enojen con nosotros, o por cansancio.

Esta propuesta es como el camino largo de Caperucita: en el corto, amenaza el lobo; el largo es trabajoso y, por momentos, cansador; pero más seguro para las identidades en construcción de nuestros hijos, para que tengan autoestimas sólidas, para que se respeten y puedan respetar a otros, para que integren dentro de ellos aquellas buenas cualidades o virtudes que anhelamos que tengan. Lo paradójico es que, a mediano plazo, el camino largo termina siendo más corto, se convierte en un verdadero atajo; aunque al principio, hasta que lo internalizamos, lleve más tiempo. A lo largo del libro iremos desgranando las razones por las cuales se hacen necesarios distintos caminos largos en muchos temas de padres e hijos. No hablaremos del único camino (hay muchos otros que seguramente también son buenos), sino de aquellos que fui descubriendo como mamá, como psicóloga de niños, y como orientadora de padres en treinta años de trabajo.

Cuando esperaba a mi primer hijo, y durante sus primeros meses de vida, no estaba interesada en los libros de crianza. Seguramente, en esa época, me regalaron libros que hablaban de la infancia; y quedaron en la biblioteca, sin leer. Una simbiosis normal (¿o anormal?) con mi hijo me hacía creer que yo podía con todo. Una sensación de omnipotencia (necesaria para que me animara a tener hijos) me protegía de cualquier duda que se me cruzara en esos primeros meses. Y también me sostenía la certeza de que yo, habiendo sido hija, entendía todo y 'sabía' lo que tenía que hacer para ser una buena mamá. En algunos temas, igual a la mía; en otros, muy distinta.

Al mismo tiempo, las urgencias y los problemas durante esos primeros meses me mantuvieron muy ocupada. No había terminado mi carrera; no tenía bien organizada la casa, ni el cuidado del bebé cuando me iba a la facultad.

Pasaron meses y años. Tuve otras dos hijas, me recibí de psicóloga, y empecé a trabajar con chicos. Un día descubrí un libro, olvidado por mí, en la biblioteca; y, después de leerlo, me pregunté azorada: "¿Cómo no leí esto antes?" Era *El niño feliz* (mal título elegido en castellano para *Your Child's Self-esteem*: La autoestima de su hijo) de Dorothy Corkille Briggs. Y lamenté no haberlo leído cuando mis hijos eran (más) chiquitos.

Por eso me propuse ayudar a otras mamás,[2] para que no les pasara lo mismo. Para que no descubrieran estos conceptos un poco más tarde de lo que les habría gustado. Finalmente, volqué el fruto de toda esta experiencia en mi desarrollo profesional, en el trabajo con padres, en los talleres para madres, en las charlas en colegios. Y, por último, en este libro.

NOTAS:

[1] Desde que empecé a escribir estos artículos busco una opción para nombrar a padres e hijos sin distinción de género, pero nuestra lengua castellana lo dificulta. En inglés y en francés existe la palabra *parent* como genérico de padre y madre; y *child* o *enfant* para hijo/a pequeño/a. ¡Tan simple! Dado que ésta es mi lengua madre, y no encuentro términos equivalentes, decidí usar padre o padres como genéricos (equivalente a *parent*); y papá o mamá cuando quiero hablar del progenitor varón o mujer. En el mismo sentido, elijo hijos, niños, chicos, o simplemente él, como genéricos (equivalentes a *child* o *enfant*), y varón y mujer cuando quiero aclarar el sexo.

[2] A lo largo del libro hago muchos comentarios, reflexiones y recomendaciones a las mamás, la mayoría de ellas son igualmente válidas para los papás (cuando ejercen una función que hace unos años habríamos llamado materna); al compartir hoy ambos padres la crianza, los psicólogos vamos a tener que revisar estos conceptos de función materna a paterna, aunque primero tienen que pasar unos cuantos años de este nuevo esquema de familia. Por el momento les pido disculpas a los papás y les pido que sepan que también les hablo a ellos en la mayoría de los casos en que digo mamá. Decidí dejarlo así porque sería muy repetitivo recordarlo en cada oportunidad.

15

Empezamos cantando...

Esos locos bajitos, de Joan Manuel Serrat

A menudo los hijos se nos parecen,
y así nos dan la primera satisfacción;
ésos que se menean con nuestros gestos,
echando mano a cuanto hay a su alrededor.

Esos locos bajitos que se incorporan
con los ojos abiertos de par en par,
sin respeto al horario ni a las costumbres;
y a los que, por su bien (dicen) hay que domesticar.

Niño, deja ya de joder con la pelota.
Niño, que eso no se dice,
que eso no se hace, que eso no se toca.

Cargan con nuestros dioses y nuestro idioma,
con nuestros rencores y nuestro porvenir.
Por eso nos parece que son de goma
y que les bastan nuestros cuentos para dormir.

Nos empeñamos en dirigir sus vidas
sin saber el oficio y sin vocación.
Les vamos trasmitiendo nuestras frustraciones
con la leche templada y en cada canción.

Nada ni nadie puede impedir que sufran,
que las agujas avancen en el reloj,
que decidan por ellos, que se equivoquen,
que crezcan y que un día nos digan adiós.

Niño, deja ya de joder con la pelota.
Niño, que eso no se dice,
que eso no se hace, que eso no se toca.

DE PADRES E HIJOS

La mirada (de los padres)

> *"El tiempo que perdiste con tu rosa
> hace que tu rosa sea tan importante."*
> *El Principito*, ANTOINE DE SAINT-EXUPÉRY

Los niños crecen en la mirada enamorada de su madre. Es una frase que confirmo cada día en mi trabajo con niños y adolescentes, en las consultas de padres que vienen a verme preocupados y, también, en la vida diaria con mis propios hijos y la gente que me rodea. Podría 'mejorarla' diciendo: mirada enamorada de la madre, del padre y personas significativas de su entorno durante la crianza.

Con esa mirada crece la imagen de sí mismo, la autoestima, su confianza de ser valioso y de que el mundo lo va a recibir amorosamente y lo va a aceptar. Crecen la fortaleza y riqueza de ese pequeño ser que va constituyéndose desde el primer día de vida sin necesidad de organizar defensas inadecuadas.

En este contexto, enamorada significa encantada, llena de amor incondicional, fascinación, aceptación. Es una frase fácil de repetir y de creer, pero no parece tan simple cuando llega el momento de sostener esa mirada.

Al nacer, el bebé no sabe que 'es'; y lo va descubriendo poco a poco a través de su entorno, que funciona como un espejo que lo refleja. Si predominan las experiencias en las que lo hacemos sentir valioso, digno de amor, querido, querible, único, él se sentirá exactamente así. Lo mismo ocurrirá si le mostramos que es molesto, ruidoso, insoportable, burro, demandante... Las palabras, el lenguaje corporal y las actitudes de los padres irán moldeando la imagen de sí mismo. Esto no significa que todas las experiencias tengan que ser de este tipo, pero sí que éstas predominen en la experiencia del niño.

Revisemos (para que esto no parezca una tarea imposible) nuestras expectativas de modo que sean razonables y realistas, tanto acerca del niño como de nosotros mismos. Pueden no serlo por muchas razones: que traslademos nuestra autoexigencia a nuestros hijos, que sea demasiado importante para nosotros la opinión de otros (padres, abuelos, amigos, etc.), que intentemos que nuestros hijos hagan lo mismo que hicimos nosotros, o lo que no pudimos hacer, nuestra falta de experiencia, nuestra dificultad para esperar que ellos maduren a su debido tiempo, nuestra propia autoestima baja que nos hace buscar seguridad en hijos 'perfectos'...

En primer lugar, revisemos nuestras expectativas en relación con ellos. Dice Dorothy Corkille Briggs en *El niño feliz* que a nadie se le ocurre tirar de la punta de una planta para que crezca más rápido. Confiamos en que, si le damos agua, aire, luz y nutrientes adecuados, ella va a saber crecer. Aunque parezca absurdo, muchas veces nos encontramos haciendo esto con nuestros hijos.

Veamos algunos ejemplos. La mamá dice: "Saludá, nene, a la abuela" (y piensa: "O ella va a decir que yo no sé educar a mis hijos"), "Dale un beso a tu maestra nueva" (a quien la chiquita acaba de conocer y mira con pánico), "Saludá al señor" (ahora el pánico es del papá porque el señor es su jefe en el trabajo).

Si le damos a un niño muchos besos sin esperar nada a cambio, sin forzarlo a nada, un día empezará a hacer lo mismo. Lleno de amor y de besos, y con el ejemplo que le dieron sus padres y abuelos, estará en condiciones de hacerlo. Solo, sin presiones, sin la obligación de complacer a mamá para que no se desilusione o lo deje de querer, o por miedo de hacer enojar a papá, o de entristecerlos, o de ofenderlos y que se alejen emocionalmente de él.

Nuestros hijos chiquitos nos necesitan, no pueden vivir sin nosotros; por eso les resulta terrible la posibilidad de desilusionarnos, o de correr el riesgo de perder nuestro amor y cuidados. Esto los puede llevar a aceptar por demás lo que los padres les pedimos; antes de estar realmente preparados para hacerlo. Y en ese camino pierden una parte de ellos mismos.

A diferencia de lo que nos ocurre con la planta (que sabemos que va a crecer), nuestra falta de confianza en nuestra capacidad de educar y de ser modelos adecuados para ellos nos lleva a 'empujarlos' hacia adelante, y perdemos la oportunidad de disfrutar sus logros. Al centrarnos en lo que falta, logramos exactamente lo contrario de lo que anhelamos: hijos con poca confianza en sí mismos.

Cuando el bebé empieza a caminar, le regalamos la 'zapatilla' (rodado sin pedales para mover con los pies). Logra dominarla a los dos años... y ya le estamos regalando el triciclo... Cuando a los tres puede pedalear y desplazarse cómodamente en su triciclo, le compramos la bicicleta con rueditas... Y a los cuatro, quizás encontremos un vecinito dotado motrizmente (que ya anda en bici sin rueditas) y empezamos a forzar a nuestro hijo a dejarlas. Éste es sólo un pequeño ejemplo de lo que ocurre con muchos temas en la infancia.

Disfrutemos cada momento evolutivo sabiendo que el próximo va a llegar y los veremos sonreír confiados y seguros de sí mismos. ¿No es eso lo que todos soñamos para ellos?

De la misma manera, observemos nuestras expectativas para con nosotros mismos (a fin de no pretender más de lo que realmente podemos): ser buenos padres, tener la casa perfecta, no fallar en el trabajo son presiones difíciles de sostener con hijos chiquitos; y, sin darnos cuenta, podemos hacerlos responsables de nuestros fallos en esas áreas.

Un ejemplo: los chiquitos tiran los vasos (especialmente los llenos) por mil razones. Porque son torpes y no tienen el esquema corporal consolidado, porque jugar es más importante para ellos que la alfombra, porque su capacidad de atención todavía es limitada, porque el enojo puede dominarlos hasta hacerlos tirar el vaso a propósito. Una mamá demasiado exigente (consigo misma y, en consecuencia, también con su hijo) se va a enojar mucho; y luego se va a volver a enojar con él porque, al tirar el vaso y hacerla enojar, la hace sentir una mala mamá. ¡Es demasiada responsabilidad para un solo niñito!, ¡y también para una sola mamá!

Los chicos crecen y, con seguridad, volveremos a tener la ropa impecable y los muebles perfectos. Mientras son pequeños, lo central es que tengan ese calorcito que sólo da la confianza de ser queridos tal cual son, de ser aceptados; de saber que sus padres están encantados con ellos.

¿Qué podemos hacer para no perder esa mirada? Esto no significa ser permisivos, sino encontrar un equilibrio entre las necesidades, las expectativas y las reales posibilidades tanto de los hijos como de los padres.

Nuevamente la fórmula es fácil de enunciar, pero no tan simple de ejecutar:

a) ponernos un ratito en su lugar para saber lo que sienten y piensan,

b) enseñar e insistir en hábitos y reglas claras y coherentes; aunque flexibles cuando sea necesario,

c) sostener con firmeza los límites; establecidos de acuerdo no sólo a la edad cronológica, sino también a cada niño, a la madurez de su yo, a la variedad de recursos con los que él cuente, al momento evolutivo o familiar que está viviendo, a las diferencias individuales, a su sensibilidad.

Aquí no se trata de leer muchos libros y convertirse en especialistas. Basta con tomarnos el tiempo para mirarlos, ponernos en su lugar por un instante, a fin de saber qué hacer.

Un último ejemplo: nuestros hijos tienen que aprender a lavarse los dientes tres veces por día. En la primera etapa nadie pretende que lo recuerden ni que lo hagan solos; pero demasiado pronto, porque nació un hermano, o porque 'decretamos' que es grande, decidimos que es su responsabilidad, y pasamos a retarlo y desilusionarnos cuando no lo hizo. Como con los besos y muchos otros temas en la educación, la maduración e incorporación de pautas se produce por un proceso de llenado: de tanto ver a mamá y papá lavarse los dientes, de tanto ser llevado por ellos a lavarse los dientes de buena manera, un día esa función queda incorporada en el hijo y se hace autónoma, independiente de que los padres se lo digan. El problema es que idealmente esto sucede a los cinco o seis años; pero la mayor parte de las veces lleva mucho más tiempo. El enojo, la desilusión, las amenazas ("se te van a caer los dientes", "no voy a pagar el dentista") sólo sirven para que el chiquito se sienta poco valioso a los ojos de sus padres; y éste es el motor para que las cosas empeoren en lugar de mejorar.

De todos modos, **padres verdaderamente buenos tendrán que acostumbrarse a ser vistos como malos por sus hijos** en aquellas ocasiones en las que los fuercen a 'portarse bien' contra sus deseos (a no bañarse en la pileta si hace frío, a irse a dormir temprano porque mañana hay que ir al colegio, a no tomar un helado antes de comer para que no pierdan el apetito; es decir, varias veces por día), ya que es tarea de los padres el estar contentos con sus hijos chiquitos. Los padres tienen un yo más fuerte, tienen recursos y saben más, están en las mejores condiciones de conducir a sus hijos para que cada noche lleguen a la cama contentos de ser ellos mismos, y tranquilos de que sus padres están encantados con ellos.

Entonces lentamente irán incorporando esas funciones en ellos mismos y nosotros iremos dejando en sus manos esas responsabilidades, ya tranquilos en cuanto que forman parte integral de sus personas.

Padres buenos son padres malos

> "Eres responsable para siempre
> de lo que has domesticado.
> Eres responsable de tu rosa."
> *El Principito*, ANTOINE DE SAINT-EXUPÉRY

¿Qué significa esta frase que suena tan extraña? Que una de nuestras tareas de buenos padres es poner límites; es decir, ser 'malos' (en realidad ser 'vistos' como malos). En líneas generales, los padres no tenemos dificultades para ser 'buenos' con nuestros hijos: mimarlos, comprarles helados, permitirles saltar en nuestra cama, jugar con barro y otras cosas que nos piden. Algunas, muy fáciles de aceptar, y otras, más complicadas. El problema comienza cuando decimos que no y entonces nos ven 'malos'.

23

Es central para ellos sentirse bien vistos (queridos, queribles y valiosos) en la mirada de los padres. Para que esto sea posible, tenemos que lograr que hagan las cosas bien.

Hasta hace poco tiempo, los padres educábamos utilizando la culpa como aliado fundamental para que obedecieran. Predominaban los 'hay que' o 'tenés que', que no se discutían. Además, todo el sistema educativo era coherente: las familias, los colegios y la sociedad tenían un esquema similar, que también colaboraba con los padres. La autoridad no se discutía y se respetaba. Y los chicos hacían lo que decían las personas mayores.

Hoy las cosas son más complicadas, pero mejores para el desarrollo de su identidad. **Seguimos educando y poniendo límites.** La diferencia está en que nosotros (malos, pero en realidad buenos) nos hacemos cargo, mientras nuestros hijos son chiquitos, de que no tengan otra alternativa que portarse bien. Con esto permitimos que aparezcan y florezcan sus potencialidades, y no los reprimimos ni doblegamos (con la amenaza tácita de que, si no responden a nuestras expectativas, nos desilusionan, o nos dañan, o podríamos dejar de quererlos).

De aquí se derivan dos grandes áreas para repensar: en primer lugar, ampliar al máximo el criterio de lo que es portarse bien y ser bueno, a fin de permitir la mayor cantidad posible de experiencias (aquéllas donde nadie salga perjudicado); en segundo lugar, impedir activamente la mala conducta: yo no le permito meterse a la pileta (lo que a veces implica impedir físicamente), porque hace frío; en lugar de hacer un largo discurso del que él debería sacar la conclusión de que no le conviene bañarse (porque se va a enfermar, o va a tener tos y no va a poder dormir, o se va a quedar sin ir al campamento, o de vacaciones, etc.). **Somos los adultos los que nos ocupamos de que no lo haga.**

En los primeros años, lo impedimos físicamente. Lo evitamos, metiendo el cuerpo, poniendo tapitas en los enchufes o cerrando con llave. Incluso hasta cerrando la heladera con alguna traba ingeniosa. Esta modalidad será habitual hasta los cuatro o cinco años; en realidad, hasta que el chico logre internalizar estos frenos externos y empiece a bastar con que digamos que no para que nos obedezcan; y esto es muy variable, no sólo de familia en familia, sino también de hijo en hijo. Para la autoestima de un hijo es mejor que la mamá lo lleve a bañarse contra su voluntad, y no que ella se enoje, se desilusione, esté herida por la desobediencia del hijo; ya que haría que él se sintiera culpable. Con lo que, en lugar de mejorar, su conducta empeoraría; pues, cuando uno se siente culpable, se porta peor para que lo castiguen.

Una vez establecido que a los padres se los obedece (es decir, han de ser obedecidos), y que tienen y muestran el poder suficiente para ello, ya empieza a bastar con la palabra. Es importante llegar a lograrlo, ya que es muy fácil hacer obedecer a un chico chiquito (por miedo, por la fuerza, a los gritos); pero, en cuanto crecen un poco y se dan cuenta de que ya no los podemos empujar más hasta el baño, la situación se complica.

Padres buenos son padres que, sin enojarse, logran ser obedecidos, mientras sus hijos sí se enojan con ellos. Ésta es la mejor ecuación para una autoestima sólida en los hijos.

Con chicos grandes, que ya saben que a los padres se los obedece, ante un estímulo muy atractivo, o un deseo muy fuerte, o una fiaca muy grande, puede que tengamos que volver a ocuparnos de que las cosas ocurran tal como queremos (como hacíamos cuando eran más chiquitos); más de una vez tuve que mandar a bañar a mis hijos por segunda vez. Habían entrado al baño, habían dejado correr la ducha y se habían mojado el pelo para hacerme creer que ya lo habían hecho, ¡pero seguían sin oler bien! (y se ofendían a muerte porque yo no les creía).

O, si un chico de diecisiete años acaba de sacar registro de conductor y los padres se van el fin de semana afuera y dejan el auto en casa, va a ser preferible que se lleven las llaves del vehículo si quieren estar seguros de que no lo va a usar en su ausencia. El **yo tiene cierta fortaleza, pero a veces no alcanza**; esto no ocurre con todos los chicos ni en todos los temas, pero estemos atentos a esa posibilidad. De hecho, recuerdo haber estado en penitencia cuando era chica, con prohibición de ver televisión. Bastaba que mamá saliera de casa para que la prendiera, y la apagaba apenas oía el auto. Conozco madres que, realistas en cuanto a la fortaleza

25

del yo de sus hijos, se llevan los controles remotos para impedir que ellos vean televisión o jueguen en la computadora cuando tienen que estudiar.

Desobedecer no convierte a ninguno de estos chicos (yo incluida) en malos; nos tentamos, incluso alguna vez nos salió bien. Somos los padres quienes tenemos que estar atentos a que estas cosas pueden pasar y ocuparnos de evitarlas; o a darnos cuenta de que ocurrieron, y sancionarlas. Es importante que no logren salirse con la suya muchas veces, que sepan que estamos un paso adelante de ellos, evitando; o un paso atrás, imponiendo consecuencias lógicas u observando las consecuencias naturales. Los adultos nos portamos bien porque tenemos una conciencia moral madura que nos rige... y porque sabemos que los hechos tienen consecuencias. Ambas cosas son aprendidas por nuestros hijos en casa, y con nosotros.

A veces me consultan matrimonios por algún hijo con reiterados problemas de conducta. Lo primero que vemos juntos es la probable complacencia de alguno de los padres ante esa conducta; un cierto orgullo de que se porte de esa manera, ya sea porque se parece al progenitor orgulloso ('hijo 'e tigre') o porque se anima a hacer cosas que ese progenitor no osó. Salvo que ese padre revise su postura, es muy difícil ayudar a ese chico a portarse mejor. En segundo lugar, revisamos el sistema de consecuencias de la casa. Con un sistema claro, consistente y coherente de consecuencias (no de castigos o penitencias), las cosas son más sencillas en los problemas de conducta. De todos modos, volveremos a hablar más concretamente de estos temas en el capítulo acerca de los límites.

El papá

Aquí me gustaría hablar (desde mi lugar de mujer, mamá y psicóloga) de la enorme importancia que tienen los papás varones en la vida de sus hijos; hecho que a veces las mismas madres olvidamos, por lo que me parece interesante revisarlo.

Cada hijo en particular es quien es a partir de la unión única e irrepetible de un hombre y una mujer, quienes, desde el momento de la concepción, se convierten en padres.

Una mujer que se sienta acompañada, sostenida, protegida, querida, vivirá su embarazo con una gran tranquilidad, que transmitirá también a su hijo. Esto no siempre es fácil ya que en las mujeres, durante el embarazo, suelen aumentar la sensibilidad, las inseguridades, los miedos. Además, en los primeros meses del embarazo se sienten mal, así que esta etapa puede ser una dura prueba para los papás; éstos, a su vez, probablemente también tengan dificultades frente a esa panza que crece; o a ese rival tan deseado y, a la vez, tan temido que se acerca. Así comienza una constante que (en el mejor de los casos) continuará durante muchos años: el padre sostiene a la madre; mientras ella sostiene a los hijos, o al hijo por nacer. Muchos me preguntan: ¿y quién sostiene al papá? El papá sigue teniendo su trabajo y una vida más allá de su casa, que lo sostienen. En cambio la mamá, quien en los primeros meses se queda en casa criando al bebé, puede sentirse muy sola; además, pierde un montón de recursos de sostén y valoración de sí misma que le ofrecía el mundo externo.

Tanto la preparación para el nacimiento como el mismo parto son oportunidades para que el papá vaya conectándose con ese bebé. Acompañar a la mamá durante el proceso, presenciar el parto, tomar al recién nacido en sus manos son experiencias que crean lazos muy fuertes desde el primer momento de vida del bebé. Esto es indispensable para el bebé, y maravillosamente enriquecedor para el papá.

¿Y CÓMO SIGUE?

Durante los primeros meses de vida hay dos cuestiones centrales:

En primer lugar, que la mamá se sienta amparada, comprendida, acompañada, querida para que pueda con tranquilidad sostener y atender a su bebé. Esto no implica, necesariamente, que los papás tengan que renunciar a su trabajo, o a dormir de noche; sino que sean capaces de hacer algunos ajustes en su rutina diaria.

En segundo lugar, hombres y mujeres somos diferentes. Nuestras cosmovisiones, los modos de encarar la vida, los problemas y también las soluciones que encontramos a esos problemas, los juegos, los intereses, los ideales, nuestros temores y preocupaciones son también distintos. Esto enriquece el mundo de nuestros hijos desde su nacimiento, ya que tener dos personas que lo atienden, que se ocupan y están disponibles como modelos amplía las posibilidades de aprender, imitar, identificarse; ofrece una gama de recursos mucho mayor al saber que hay más de un modo de vivir (de ser, de hacer, de sentir, de pensar). Los hijos tienen la opción no sólo de elegir una de las maneras que sus padres le muestran sino, también, de inventar nuevas. Por ello es que desde el primer día es muy importante la presencia del papá, ya no únicamente para la mamá, sino también para el bebé. (En el apartado "La separación de los padres" hablaremos de la presencia del padre en la vida de sus hijos en caso de separación o divorcio.)

Tan distintos somos que, además, atendemos a los hijos, los bañamos, los alimentamos, los ponemos a dormir, jugamos, nos relacionamos con ellos de maneras diferentes, complementarias y enriquecedoras para su vida; y promovemos en ellos el desarrollo de aptitudes también diferentes. Dicen John Gottman y Joan Declaire en *Los mejores padres* que los papás, desde el primer instante, son mucho más que 'madres asistentes' para el hijo. Y agregan que los papás contribuyen al desarrollo de habilidades sociales: interpretar las señales de los demás, jugar con otros y, también, reaccionar ante los otros. Esto ocurre porque, con el papá, el bebé se encuentra desde el principio vinculándose y disfrutando el encuentro con otro más allá de su mamá-compañera-simbiótica.

Los juegos con el papá son más corporales y excitantes: les hacen cosquillas, los tiran por el aire, los balancean, los exaltan; y cada día van un poco más lejos, de manera que facilitan en el bebé el desarrollo del entusiasmo, de la capacidad de excitarse y de volver a la calma, ayudan a despertar y a tolerar emociones paulatinamente más intensas. Las mamás, en cambio, hacemos juegos más repetitivos, que tienden a calmar al bebé, a equilibrar sus emociones.

Un ejemplo: la experiencia del baño con los más chiquitos es absolutamente diferente con papá que con mamá. A veces, a las mamás, nos cuesta darles este espacio, ya que el baño queda como la playa después de un tornado; pero los dos tipos de experiencia son buenas: tanto el baño tranquilo y relajante con mamá, como el torbellino de bañarse con papá. **Los seres humanos aprendemos a vincularnos en el contacto íntimo con el otro**; y así, papá e hijo, en estos cuidados, o actividades compartidas, o juegos, van aprendiendo a conocerse y a comprenderse, y también a quererse y a contar uno con el otro.

Paralelamente, esta presencia de la voz, el ritmo, el estilo del papá permiten al bebé comenzar a atisbar la existencia de un mundo más allá de su mamá: interesante, amplio, fascinante.

En relación con esto, **una de las tareas fundamentales de los papás es colaborar para la ruptura de la simbiosis madre-bebé.** Tan interesante es ese papá que se le ofrece, que vale la pena arriesgarse a salir de ese capullo en el que se confunden madre e hijo. ¡Qué mejor puerta para salir al mundo que un papá para, de su mano, animarse a vivir toda clase de experiencias!

El papá enseña (o acompaña a aprender) al bebé (y, a veces, hasta se lo debe recordar a la mamá) que ella también tiene una vida, intereses, amor, más allá del hijo.

Otra tarea del papá es la de **erigirse como representante del mundo externo y 'portador de la ley'**, en palabras de Sigmund Freud; sin ponerse en el lugar del malo de la película (en el que muchas veces lo ponemos las mamás porque nos queda cómodo o porque nos sentimos indefensas ante la desobediencia de nuestros hijos: "Vas a ver cuando venga papá"), la vida les da a los papás muchas oportunidades para que los chicos entiendan que el tamaño y la fuerza del papá no son tan fácilmente 'violables' como los de mamá; de ese modo confirman la existencia de límites y fronteras (y esto les da tranquilidad a los hijos porque saben que papá 'puede' con ellos).

En el área emocional, contar con un papá y una mamá disponibles permite a los hijos conectarse más plenamente con sus emociones, ya que algunas van a ser bien toleradas y desplegadas por uno de ellos y otras, por el otro. Además, enojarse con mamá si sigo teniendo cerca a papá es más fácil que enojarme y correr el riesgo de quedar solo si ella se enoja conmigo.

Hombres y mujeres solemos tener tolerancia distinta a diferentes emociones: los hombres se relacionan mejor con la ira y los sentimientos negativos. Ellos no sólo mostrarán estas capacidades (serán modelo), sino que las tolerarán mejor en sus hijos y los ayudarán a reconocerlas y aprovecharlas para la vida; esto no significa entregarse a ellas, sino aprender a 'dominarlas', haciéndose dueños de ellas, a través de la aceptación del sentimiento. También el hombre, habitualmente menos temeroso, tendrá más posibilidades de ayudar al hijo a superar los miedos al transmitirles su propia confianza y seguridad; de la mano de papá es más fácil no tener miedo a la oscuridad, o animarse a tocar a ese perro que parece tan feroz, o a meter la cabeza debajo del agua.

Aquí no alcanza simplemente con estar. Además tiene que estar emocionalmente presente, ponerse en el lugar del hijo, vibrar con él y reencontrarse con su propia infancia. Lograr desarrollar un interés genuino, paciente y entusiasta por las actividades de ese hijo; sentir y mostrar orgullo e interés por las capacidades que van apareciendo; aprender a comunicarse y a estar cerca y disponible.

Cada etapa de la vida del hijo es irrepetible e impostergable; hoy es el momento de aprovechar estas oportunidades de involucrarse, de disfrutar a ese hijo que crece. Una cosa es estar presente cuando él actuó de león; y otra muy distinta es ver las fotos, o el video. Evidentemente no significa suspender toda la vida o el trabajo en aras de los hijos, pero sí hacerlo a veces. La infancia de los hijos es corta; es maravilloso poder compartirla con ellos.

Las relaciones humanas se construyen en presencia. La mejor experiencia para un hijo es la certeza de que (también) cuenta con su papá. Esto no significa que sea su esclavo, pero sí que se vaya construyendo dentro del hijo esa callada confianza de ser valioso y querible a los ojos del papá. Algo que sólo se puede hacer de cerca. Papá me pone la cadena de la bicicleta, me enseña este tema de matemática que mamá y yo no entendemos, me trae del centro el chocolate que le encargué. A papá le divierte enseñarme a jugar al fútbol, o a nadar. Me pide que lo ayude a lavar el auto. Le gusta jugar conmigo a la escondida, se acuerda de preguntarme cómo me fue hoy en el dentista, le gusta contarme cosas de cuando él era chiquito. Le importo, le intereso, le hago falta; pero para todo este contacto hace falta tiempo...

Recuerdo haber leído alguna vez una historia de un chiquito que insistía en preguntarle a su papá cuánto valía su hora de trabajo, con la intención de juntar plata para pagarle esa cantidad y poder estar una hora con él. Sin pensar que esto es lo que pasa siempre, qué bueno sería que los hijos 'supieran' (y no tiene que ver con lo que los padres digan, sino con lo que hagan) que son prioridad para los padres. Recordemos que es justamente la familia la que le da sentido al trabajo.

Destaco aquí que los hijos tienen mucho que perder, y los papás también. Los años pasan; y cuando los padres, ya más maduros y probablemente estabilizados económicamente, están disponibles y desean relacionarse con sus hijos, éstos, sin ánimo de enojo ni de venganza, están en otra etapa, ensayando el vuelo independiente; y ya no están interesados. **No se extraña lo que no se conoció** (es decir, que el hijo ni siquiera está en condiciones de pedirle a un papá distante que se acerque).

Además, para los padres la vida es más rica en matices, más profunda, más interesante con cada hijo que críe de cerca y con amor; tal vez nos equivoquemos, pero cada uno de ellos tiene mucho que enseñarnos y también mucho que aprender de nosotros. ¡Sepamos aprovechar la oportunidad!

Estas mismas cuestiones valen para la madre que trabaja todo el día; abordo esta problemática con más detalle hacia el final del libro en "Madres que trabajan".

Un mensaje para las mamás: los padres son altamente sensibles a las críticas de su mujer 'avezada' en las tareas de la casa y con los hijos. Tratemos de no criticarlos ni pretender que hagan las cosas a nuestro modo. De la misma manera en que aprendimos nosotras, ellos pueden hacerlo también. No es tan grave que un pañal quede medio flojo, o que los colores de la ropa no 'peguen' tanto; incluso que les grite un poco más fuerte de lo que nos gustaría. De hecho me sorprendí mucho cuando mi marido me dijo que yo también a veces gritaba demasiado. ¡Estaba convencida (equivocadamente) de que sólo él lo hacía!

Educamos hijos y no maridos para que sean buenos padres. Esta tarea es de ellos. Sólo estemos atentas para orientarlos o **ayudarlos cuando lo piden.** Tratemos de no parecernos al boy-scout del chiste que cruzaba a una viejita a los empujones para cumplir con su buena acción diaria, sin tener en cuenta que la viejita no quería cruzar. Es un alivio para nosotras que sea su responsabilidad el ser buen papá de sus hijos, y no la nuestra.

¿Cómo encuentran los papás un espacio y un tiempo para los hijos en un mundo tan complicado y competitivo en el que, además, hay que trabajar, pagar las cuentas y tener tiempo para uno mismo?

Creo que la forma más fácil es crear hábitos, acostumbrarse a disponer de ratos cortos a la mañana o al volver de trabajar; aunque cueste creerlo, cuando los chicos saben que cuentan con sus papás se ponen menos exigentes. Pueden esperar y no necesitan colgarse del cuello y no soltarlo cada vez que lo 'atrapan'. Saben que el papá, como la marea, va y viene, y confían que va a venir; por lo que pueden dejarlo ir.

Lo importante es elegir momentos que sean favorables para el papá, sin grandes sacrificios, si no con el placer de disfrutar y hacer crecer esa nueva relación. También que lo haga en libertad, aprovechando esa oportunidad que le da la vida, y no para obtener reconocimiento (aunque éste llegará cuando sea el momento), o por sentimientos de culpa, o ante reclamos de la mamá.

Los chicos chiquitos se ofenden cuando uno (papá o mamá) desaparece por muchas horas, y cuando llega a la noche probablemente interrumpe algo que está ocurriendo (desde un cuento que cuenta mamá hasta un programa de televisión, o la comida). No enojarse, esperar y ofrecerse con disponibilidad, es la fórmula casi infalible para que a los pocos minutos estén fascinados de que haya llegado ese adulto tan esperado (justamente por eso estaban ofendidos).

Releyendo este apartado se me ocurre resaltar que también las mamás tenemos que estar atentas a las mismas cuestiones. No sólo las que trabajan y están muchas horas fuera de casa, sino las que, aún estando en casa, permiten que las urgencias de la vida diaria las aparten de lo importante: estar ahí, cerca de sus hijos, disponibles, acompañando su crecimiento.

Nuestros hijos nos copian

*"No es fácil aprender a silbar
si no hay alguien que te muestre
cómo hacerlo."*
King Matt the First, Janusz Korczak, 1923

Una de las formas principales en que los bebés aprenden del medio es la imitación, copia idéntica sin discriminación ni selección, ni captación profunda de lo que están haciendo, ni (necesariamente) con sentido.

Desde los primeros días el bebé saca la lengua cuando yo hago lo mismo, y hace intentos de vocalizar cuando le hablo. Unos meses después tomará el peine y se lo pasará por la cabeza; pero le va a llevar un largo tiempo peinarse de verdad.

De a poco, esta imitación se va transformando en identificación, lo cual implica tomar aspectos nuestros y hacerlos suyos, a su manera, integrándolos a su estilo personal, agregando características propias:

☺ por imitación, le pasa el peine por la cabeza a mamá; por identificación, juega a la peluquería.

☺ por imitación, revuelve con una cuchara; por identificación, juega a la mamá y les prepara la comida a sus muñecas o, más adelante, hace masitas.

Este mecanismo maravilloso que les permite aprender desde el primer día de su vida se nos puede volver en contra porque… también copian las cosas que no nos gustan de nosotros.

Si no me puedo quedar quieta, es probable que alguno de mis hijos sea así.

Si mi marido es irritable, puede que alguno de nuestros hijos lo sea y se lo muestre (en doloroso espejo) cada día de su vida.

Lo complicado es que **suelen molestarnos mucho en nuestros hijos aquellas características que rechazamos en nosotros mismos**; tanto como nos maravillamos y enorgullecemos cuando despliegan alguna de nuestras 'virtudes'.

¿Qué podemos hacer?

En primer lugar, evaluar qué cosas nos molestan de nosotros mismos lo suficiente como para trabajarlas. Características más generales: impaciencia, inseguridad, crítica, mal humor, malos modos, tozudez, impaciencia, indecisión, necesidad de ser centro, celos, distracción, lentitud, torpeza, voracidad, baja tolerancia a la frustración. Otras más concretas: dificultades para perder, comerse las uñas, o no poder quedarse quieto, ¡y tantas otras! También registrar qué cosas nos incomodan de nuestros cónyuges para no enojarnos por demás con nuestros hijos cuando les aparece 'esa' manía.

Por ejemplo, a mí me costaba que mi hijo no se despertara a tiempo. Un poco porque hacía esperar al transporte que lo llevaba al colegio; pero, en parte, porque en eso se parecía a su papá. O a mi marido no le gustaba que yo robara de la fuente (como yo sirvo la comida la tengo al lado y me tienta), y retaba un montón a nuestra hija menor cuando hacía lo mismo. Sabía que no me podía retar y descargaba su irritación en ella.

A los chicos (aunque no a los más chiquitos) les encanta, y les hace bien que les hablemos de nuestros 'defectos' o carencias: lo que nos molestan, los problemas que nos acarrean, nuestros intentos por corregirlos. Nos humaniza, nos hace menos perfectos ante sus ojos, les da esperanza de lograr algún día ser como mamá o papá. Incluso los protege cuando, en algún momento, 'irrumpe' en nosotros esa característica. Si yo soy impaciente y mis hijos lo saben, y también saben de la batalla que libro contra esa impaciencia, tolerarán mejor aquellos momentos en los que surja pese a mis intentos de controlarla.

Ir observando esas modalidades que tienen que ver con las nuestras; sobre todo aquéllas de las que no nos enorgullecemos, a fin de separar lo que es educar ("no le podés contestar así a tu hermana"), de lo que es reaccionar ante lo no-sabido/no-pensado de mí mismo ("siempre el mismo maleducado"). El simple hecho de reconocerlo como algo mío, o de mi marido, me permite tener una mirada diferente y mucho más amorosa. Entender o perdonar ese mal modo de mi hijo **también me ayuda a entender y perdonar a esa niña que está dentro de mí y con la que sigo enojándome, una y otra vez, por las mismas cosas**; incluso porque, sin querer, se las transmití a mis hijos.

Seguiremos educando, delimitando conductas inadecuadas, seguirá habiendo consecuencias para las faltas. El sentido de este apartado no es consentirlos ("cómo no va a contestar mal, si el papá es igual"), sino ver cuántas de nuestras reacciones son más intensas de lo necesario, por venir desde el lugar de lo no-sabido/no-pensado de nuestro mundo interno.

Una alternativa que les divierte mucho es que hagamos 'campañas' familiares: contra las malas palabras, la respuesta irritada, la explosiva, la crítica, la impuntualidad, el desorden, o robar de la fuente (¡!). Permite que nos pongamos todos en pie de igualdad, con el propósito de no señalar al único que, por ejemplo, deja su mochila en cualquier parte. Finalmente, al estar todos atentos, ninguno lo hace. A quienes, de todos modos, no lo hacen, no les hace daño la campaña; y al que sí, lo ayuda a recordar que hay que dejarla en su lugar sin sentirse el único vigilado. ¡Y les divierte muchísimo encontrar a papá o mamá dejando la cartera o el portafolio fuera de lugar y teniendo que disculparse o pagando una prenda!

La idea es ir de a poco, eligiendo un tema por vez, a medida que alguno nos molesta mucho; o cuando vemos que algo nos perjudica a todos o a algún integrante de la familia. Incluso quizás tengamos que volver a organizar la misma 'campaña' porque volvimos a caer en el viejo hábito.

Estas campañas son útiles también en los casos en que ninguno de los padres haga 'eso' mal, simplemente no nos pescarán fallando.

Hay algunas cosas que los chicos no pueden hacer, aunque los padres las hagan: decir malas palabras delante de los adultos, llegar tarde a sentarse a la mesa cuando los llaman a comer, incluso acostarse tarde, en esos caso habrá que explicarles que papá sabe cuándo y dónde puede hacerlas y ellos todavía no, que van a crecer un día y van a poder decidir por su cuenta muchas cosas que hoy deciden los padres... pero hoy les toca no decir malas palabras, venir a la mesa cuando mamá los llama, y acostarse temprano, ¡aunque papá (o mamá) no lo haga!

Repetimos para no recordar

Los seres humanos 'repetimos para no recordar'. Éste es un concepto clave en la comprensión de nosotros mismos y en el intento de entender nuestras dificultades para el cambio. Se relaciona con el mecanismo que Freud llamaba 'compulsión a la repetición'. Como dice el dicho popular: somos el único animal que tropieza varias veces con la misma piedra.

Es un mecanismo defensivo inconsciente, que nos protege del dolor y del sufrimiento experimentado en la época en que se instaló en nosotros ese patrón de repetición. Tiene un alcance enorme en nuestras vidas; pero aquí sólo vamos a verlo en relación con la paternidad. Significa que una persona, que sufrió en su infancia por un tema y reprimió el dolor padecido, al crecer

36

puede, sin darse cuenta, hacer con sus hijos lo mismo que le ocurrió a él.

Por ejemplo: si mis padres me retaron y humillaron mucho en la mesa para que tuviera buenos modales, puede ocurrir que yo repita ese patrón (incluso puedo estar orgullosa de ello y agradecer a mis padres, que lo hicieron 'por mi bien'). En esta copia idéntica de mis padres, en esta repetición sin recuerdo, no aparecen mi dolor o mi sufrimiento infantiles... ¡pero hago sufrir a mis hijos! Cuando me doy cuenta, y logro 'recordar', aparecen el sufrimiento y el dolor (que yo evitaba con la repetición); entonces estoy en condiciones de elegir lo que quiero hacer; sin hacer lo que hicieron conmigo, ni lo contrario (ya que esto tampoco es verdadera libertad).

Una identificación sana con mis padres no es una copia idéntica. En primer lugar, implica reevaluar aquello que me gustó, me hizo bien (estoy cómoda de saber comer bien), y quiero seguir haciendo, respecto de aquellas cosas que quiero hacer de otra manera (no me gustó la forma en que me humillaron, ofendieron, o doblegaron, para lograr que coma bien).

Así podemos romper un patrón de repeticiones que, seguramente, ha venido ocurriendo de generación en generación. **Conquisto mi libertad a través del recuerdo** y puedo elegir lo que quiero enseñar a mis hijos. Aunque primero tengo que completar un proceso de duelo que comienza con el recuerdo, transita por el enojo, quizás la tristeza, hasta, finalmente, aceptar que nuestros padres hicieron lo mejor que pudieron, a fin de poder elegir, entonces, lo que queremos hacer nosotros.

Hay otro 'repetir para no recordar', no necesariamente vinculado con nuestra historia. Aquí los que repiten (y no recuerdan nuestra respuesta anterior, o prefieren no darse cuenta de nuestras limitaciones), son los chicos: cuando una y otra vez llegamos al mismo lugar, a la misma respuesta en situaciones parecidas: cuando todas las mañanas del año nos peleamos porque no desayunan, o la discusión termina sistemáticamente con un "me tenés cansada"; o se siguen olvidando de lavarse los dientes, o de colgar la toalla a pesar de nuestras repeticiones incesantes; y tantos otros ejemplos... **Los chicos repiten la situación con la secreta (e inconsciente) esperanza de que los padres cambiemos la respuesta.** Y nosotros, sin darnos cuenta, caminamos en círculos, respondiendo una y otra vez de la misma forma.

Es necesario estar atentos a estas repeticiones para intentar nuevas respuestas y ver si, así, ellos cambian su conducta. Esto no significa que nosotros levantemos la toalla o que les permitamos ir a dormir sin lavarse los dientes; sino que implica encontrar otra forma para que incorporen esos hábitos, con menos caras feas de papá y mamá, con nuevos recursos, ¡sobre todo con más sonrisas!

De todos modos, muchas cosas de nuestros hijos nos van a molestar. Tomemos los primeros signos de incomodidad como señal para observar la situación. Cuando veamos que quedamos varados dos o tres veces de la misma manera, con la misma respuesta o con el mismo resultado, evaluemos la situación para ver qué nos ocurre (a nosotros o a ellos) y qué cambio podríamos hacer.

El cambio puede darse en el mundo externo: llevar en mi cartera la tijerita que no quiero que se me pierda, sacar el juguete de la mesa para que no juegue y coma bien.

O puede ser en mis hijos, poniendo una pauta clara respecto de lo que me molesta:

"No arranco el auto hasta que se pongan el cinturón de seguridad, y me detengo apenas alguno se lo saque",

"Si no estás listo cuando te pasan a buscar para ir al colegio, no ves televisión a la tarde" (de ese modo no me enojo y le devuelvo la responsabilidad).

Obviamente en cada edad serán distintos los ejemplos.

O puede ser en mí: entender que los chicos de cuatro años preguntan todo e ir aprendiendo a aceptarlo, incluso a disfrutarlo; o entender que todavía es muy pronto para que se quede sentado toda la comida, o para que tenga modales impecables en la mesa; o, quizás, cambiar la forma de enseñar esos modales.

Este proceso me ayuda, a la vez, a aceptar a mis hijos como son, y a tolerar que se aparten del 'modelo' que yo había imaginado para ellos o que mis padres imaginaron para mí. Así aprendo a conocerlos, y puedo acompañarlos en el intento de cambiar, cuando crea que es en beneficio de ellos; no con el enojo ciego de un progenitor tan tozudo como el hijo, ni con el enojo de lo no sabido/no pensado por mí.

Hay otra manera en la que los padres podemos 'repetir para no recordar': (sin saberlo) ponemos a nuestro hijo en el lugar de nuestro padre o madre, incluso un hermano. Si me molestaba que mamá fuera impuntual, hoy podría enojarme mucho con la impuntualidad de mi hija; si mi padre hacía chistes tontos y repetidos, puede que me irriten por demás los chistes de mi hijo. Estar atentos a revisar lo que nos pasa cuando algún hecho de todos los días nos despierta emociones que nos sorprenden por lo intensas, puede ser la punta del iceberg para entender y elaborar cuestiones que no recordábamos (con la mente; ya que nuestras emociones sí las tienen presentes y, por eso, reaccionamos con tanta vehemencia). Probablemente sean cosas que nos molestaban de personas significativas de nuestra infancia y que no pudimos elaborar ni resolver en ese momento. Estas reacciones 'viscerales' se graban desde niños (y también, pero con menos fuerza, cuando crecemos) por muchas razones: porque los chiquitos dependen mucho de sus padres, porque no tienen recursos para protegerse, porque esas cosas ocurren a veces antes de que el chico tenga capacidad para hablar de ellas, y quedan plasmadas en un lugar que no pudimos abordar desde el pensamiento o la palabra.

Hay otras situaciones que nos despiertan emociones infantiles, viscerales, pero placenteras; en ese caso, no hace falta revisar nada sino, simplemente, estar atentos para disfrutarlas: cierta música, el olor a torta, el ruido del mar, alguna textura especial, el gusto del pan recién horneado, el vuelo de los alguaciles, el ruido de las chicharras en verano, o un baile, tienen la capacidad de traernos de vuelta a momentos que atesoramos. Son recuerdos que hasta es difícil poner en palabras, ya que son vivencias, emociones, sentimientos muy antiguos.

Hace unos meses me encontré jugando con una uña de la mano de mi hija menor. Acariciaba el borde de uña, que sobresalía del dedo, con la yema de mi dedo índice; me resultaba intensamente placentero y, en realidad, era un gesto ínfimo. Lo pude reconocer como algo que, seguramente, yo había hecho con la mano de mi madre siendo muy chiquita; tan chiquita que no tenía recuerdo consciente de ello. Tampoco lo 'hice' a propósito, sabiendo que era para mí placentero; simplemente ocurrió y, desde ese momento, he vuelto a hacerlo; a veces, sin querer; otras, a propósito. Aunque ya no me causa el fuerte impacto de la primera vez, sigue siendo muy agradable.

Estas maneras de 'recordar' permiten que nos conectemos con nosotros mismos en nuestras personas completas: mente, cuerpo y emociones, desanudando energía que se atascó cuando no teníamos recursos para elaborarlas. Y nos permite acompañar a nuestros hijos a hacer lo mismo.

Dones y habilidades

Cada bebé tiene su particular manera de ir desarrollando sus habilidades:

Manuel, antes del año, se para, gatea, camina tomado de los muebles, busca acercarse a su mamá y al mundo por sus propios medios.

Sofía, a la misma edad, intenta hablar, vocaliza, hace ruiditos y gorgoritos, intenta permanentemente comunicarse a través de la palabra.

Inés, en cambio, usa sus manos, toca, investiga, palpa, se lleva todo a la boca; sus investigaciones y su conexión con el medio son principalmente a través del tacto.

Mariano se interesa por saber y entender, por investigar a los objetos y a las personas, y su funcionamiento.

Y así sigue: hay tantos chiquitos como modos de aproximarse al mundo.

El problema empieza cuando los padres creemos que ésa es 'su' habilidad, 'su' don; y, sin darnos cuenta, favorecemos el desarrollo de esa área y dejamos de lado otras que son importantes para su crecimiento armónico.

Por otro lado, los padres tenemos habilidades y estilos de acercarnos al mundo que, sin darnos cuenta, les transmitimos: una mamá es callada, otra habla como modo de conocer el mundo o de calmar sus ansiedades, un papá está en acción permanente, otro es más reflexivo. De ese modo, los chiquitos van aprendiendo y desarrollando sus destrezas, no sólo en relación con sus propias habilidades sino, también, con las nuestras, que son modelo para ellos; además, para nosotros es difícil enseñar lo que no conocemos.

En tercer lugar, todos tendemos a hacer las cosas que nos salen bien y a escaparnos de las que nos cuestan. Y aquí aparece un círculo vicioso, difícil de evitar: el chiquito no hace aquello que no le sale bien, y no le sale bien porque no lo hace. Por ejemplo, Pedro (7) dice que no le gusta jugar al fútbol, porque cree que sus amigos juegan mejor que él; o Josefina (5) no quiere bañarse sola, porque no sabe abrir las canillas. Los padres podemos hacer de yo-auxiliares: les prestamos la fortaleza que su yo en construcción por momentos no tiene; especialmente cuando las cosas les salen mal o demoran demasiado, y no les permiten sentirse capaces o hábiles. Esto implica acompañar a nuestros hijos chiquitos en esos temas que les cuestan; apoyándolos, sosteniendo la frustración o el esfuerzo hasta que adquieran la habilidad mínima que les permita saber si algo de verdad no les gusta o no quieren hacerlo porque les resulta muy frustrante y, en cambio, eligen hacer aquello que hacen mejor. **La idea es sostener la actividad el tiempo suficiente para que no se desalienten y la abandonen, hasta que puedan realmente disfrutarla o comprobar que no les interesa.**

Veamos un ejemplo: Felipe intenta hacer un rompecabezas. Trata infructuosamente de poner dos piezas juntas; muy rápidamente abandona la actividad y empieza a armar cierta imagen de sí mismo: "No me gustan, no me interesan los rompecabezas" (como las uvas de la fábula están verdes para la zorra); o "para esto no sirvo", y se va muy contento a dibujar, actividad que le da muchas satisfacciones. Si en ese momento un adulto puede sentarse con él, facilitarle un poco la tarea acercándole las

41

piezas que le pueden servir, mientras lo acompaña en el dolor de no ser el "armador de rompecabezas más rápido del mundo", Felipe podrá seguir animándose a hacer rompecabezas hasta dominar esta actividad: aprendiendo a buscar, primero, los bordes; mirando el dibujo de la tapa para ver en qué posición podría ir la pieza que tiene en la mano, etc. Esto no significa que hagamos las cosas por Felipe (lo cual lo haría sentirse más inútil todavía), sino que le ofrezcamos técnicas, recursos, sostén emocional ante las frustración, que le den ánimo para seguir probando. Entre otras alternativas, podríamos acercar mucho una pieza del rompecabezas al lugar en el que va, de modo que la encuentre más rápido.

Revisemos también lo que hacemos nosotros, ya que a veces **los chicos se desaniman porque a mamá o a papá nada les alcanza, y marcan lo que falta más que lo que está bien**: Marina se vistió sola y viene orgullosa a mostrarle a su mamá, quien le dice: "Vení que tenés mal prendido el saco" o "Tenés las zapatillas al revés" o "Eso no pega". Marina se desalienta y, al cabo de unos días, vuelve a pedirle a su mamá que la vista ella. Lo mismo puede ocurrir en muchas otras ocasiones: cuando nos muestran sus dibujos ("no le hiciste los pies"), o cuando corren rápido ("levantá la cabeza"), o cuando ayudan a poner la mesa ("el tenedor va a la izquierda y el cuchillo, a la derecha").

Evaluemos qué es lo importante en cada ocasión; y, en lo posible, hablemos de lo logrado y no de lo que falta.

No se trata de no decir nunca nada. Es importante que vayamos enseñándoles, a fin de ayudarlos a mejorar sus habilidades; pero haciendo correcciones muy pequeñas y sólo después de habernos tomado el tiempo para valorar lo que hicieron bien. Tenemos largos años para enseñar a nuestros hijos. No es necesario que aprendan toda la teoría de cómo armar rompecabezas hoy. Ni que se conviertan en atletas profesionales este año.

No nos enamoremos de sus habilidades (tampoco nos ensañemos con sus dificultades): Juan es un genio dibujando, Pedro se sabe todas las canciones de memoria, María anda en bici sin rueditas a los cuatro años, Joaquín sabe las marcas de todos los autos que ve. Disfrutemos mucho mientras los acompañamos, favorecemos e invitamos también a hacer otras cosas que les cuesten más, o que parezcan no interesarles.

Hasta los nueve o diez años es importante que los chicos desarrollen habilidades y destrezas en la mayor cantidad posible de temas; evidentemente, al hacer muchas cosas distintas, es probable que no hagan ninguna extraordinariamente bien. Y justamente de eso se trata… Ellos tienen toda la vida para destacarse en temas puntuales, pero sólo tienen los primeros años para despertar a (y desplegar) sus potencialidades.

Hablamos de 'ventanas de oportunidad': son los momentos y edades ideales para aprender cada destreza; al estimular (por demás) un área podemos, sin darnos cuenta, estar dejando de lado otra vital para el desarrollo. Estas ventanas son el momento óptimo para aprender algo. Intentarlo más tarde es difícil y, probablemente, no se alcance el mismo nivel de habilidad.

Estemos atentos a los mensajes de los chiquitos de tipo "no sé", "no puedo", "no me gusta", "no quiero", "no me interesa", y a nuestras imágenes de ellos: "A Teresita no le gusta dibujar", "Manuel no se queda quieto, sólo le gusta estar afuera y andar en bici o jugar a la pelota", "Jimena no juega con muñecas", "A Pedro le gusta mirar dibujitos animados y no le gusta salir al jardín", y usémoslas como señales de zonas a desarrollar.

Evidentemente, tendrán áreas de fortalezas y otras más flojas; pero ellos van a saber lo que prefieren sólo después de haber intentado hacer muchas cosas distintas, y para eso a veces hace falta la mano de papá o mamá.

Los hijos y el sufrimiento

Todos sufrimos. El dolor es inherente a la condición humana, y puede servirnos para crecer o para achicarnos (si no podemos aprender lo que haya que aprender de esa experiencia). Lo mismo les ocurre a nuestros hijos.

En lo personal, tratemos de no preguntarnos por qué pasan las cosas (sólo nos vamos a enojar), sino para qué nos puede servir lo que está pasando, qué podemos aprender de esta dolorosa experiencia.

Los padres acompañamos el dolor y el sufrimiento de los hijos: no es nuestra tarea evitarlo. El desconocer este concepto es una de las grandes dificultades que tenemos cuando se trata de poner límites y educarlos, porque necesariamente implica hacerlos sufrir.

¿Qué hacemos para que no sufran? Los invitamos a negar, a reprimir, a distraerse del tema. Hablamos palabras lógicas, razones de la razón: tu perro estaba muy viejito, sufría mucho, es mejor que se haya muerto ("yo igual lo extraño", piensa el chico, "prefería que se quedara"), o salimos corriendo a reemplazar el canario que se voló, y después el chiquito tiene dificultades en reconocerlo como el suyo ("¿dónde está la mancha que tenía al lado del pico?"). Aunque lo hacemos por amor, porque no queremos verlos sufrir, la realidad es que sufren igual, pero solos.

Desde la mañana se nos presentan grandes y pequeñas ocasiones: comer tostadas es no comer copos, tomar yogur es no tomar leche chocolatada; podemos aprovecharlas como oportunidades de crecimiento, o desperdiciarlas distrayendo su atención, negociando o convenciéndolos de lo erróneo de su conflicto. **Nuestra tarea es confirmar las razones del corazón**, que nos dicen que cuesta elegir copos o tostada, o que profundamente sabemos que ése no es nuestro canario. ¿Cuáles son estas razones del corazón que nos cuesta aceptar? Tristeza, celos, vergüenza, inseguridad, miedo, frustración, enojo, codicia, pereza, etc.; es decir, emociones y sentimientos que podemos ver como 'negativos'. (Hay otras razones del corazón fáciles de tolerar, como entusiasmo, alegría, ternura, amor, emociones que vemos como 'positivas' y no nos cuesta aceptar en nosotros o en nuestros chicos, por eso no las agrego a esta lista).

Muchas veces, antes de acercarnos a los chicos con el tema, los padres tenemos que liberarnos a solas (o con otro adulto: cónyuge, familiar, amigo/a, terapeuta) de la angustia que nos provoca la situación, para no transmitírsela a ellos; de modo de poder, luego, acompañarlos en su dolor y en la aceptación de lo que les toca vivir, sin decir:

"No importa que no te inviten a ese cumpleaños, va a haber otros mejores", o

"No te preocupes, seguro que es aburrido", o

"Estoy furiosa con la compañerita que no te invitó; es mala, voy a hablar con la mamá", o

... sin llorar (nosotros) a la par de nuestra hija.

Así podremos sentarnos a su lado a escuchar y compartir lo que le pasa, prestándoles nuestra fortaleza y nuestra experiencia de que es posible sobrevivir a las penas de la vida; y, también, aprender de ellas. Sostenidos por nosotros, con nuestro abrazo de amor incondicional y comprensión ellos podrán entonces decir:

"La verdad es que yo no la trato bien", o

"No se puede ser amiga de todos", o

"Algunas personas no me eligen y no es tan grave".

A veces somos nosotros quienes causamos el sufrimiento:

"No podés acostarte más tarde", o

"No podés faltar mañana aunque te saques mala nota en la prueba, hoy te pasaste la tarde mirando tele", o

"En casa no tomamos Coca durante la semana, sólo los fines de semana", o

"No salgas sin zapatos"...

y muchos ejemplos más de todos los días.

El dolor y el sufrimiento son parte de la vida. Al acompañarlos y tenerles la mano, les transmitimos que se pueden superar, les prestamos recursos para hacerlo y, por sobre todas las cosas, les confirmamos lo que sienten, de modo que ellos encuentren su camino personal de elaboración y resolución. Así se van haciendo fuertes, engrosando la piel (en realidad, el yo y sus recursos) para tolerar niveles de dolor y sufrimiento cada vez mayores sin derrumbarse o sin organizar defensas inadecuadas para 'escaparse' de lo que sienten.

De no hacerlo, ellos tienen dos alternativas, ambas dañinas para su identidad en formación:

a) dudar de lo que están sintiendo: "Si mamá dice que no me duele, debe ser un invento mi dolor, dejo de hacer caso a mi mundo interno para saber cómo estoy y le pregunto a mi mamá", o

b) darse cuenta y callarse para cuidar a mamá: "A mi mamá le hace mal lo que yo siento, por lo que dejo de decírselo y sigo sufriendo en soledad".

Podríamos intentar (con mucho esfuerzo de nuestra parte) que nuestros hijos transiten por los acontecimientos sin sufrimiento; pero, cuando la vida les provoca dolores inevitables y están lejos de su mamá (que por lo tanto no puede evitarles nada), quedan muy solos y no tienen recursos para enfrentarlo. 'Se dan cuenta' de que el único lugar seguro es al lado de la mamá ya que, a su lado, mágicamente, el dolor no existe. ¡Y no se alejan de nosotros ni salen al mundo!

Cuando los padres podemos acompañar este dolor, los chicos van internalizando este acompañamiento y, así, cuando luego sufren solos, no lo están tanto, ya que lo hacen de la mano de esa mamá (ahora internalizada) que acompañó y sostuvo en otras oportunidades.

CRECER IMPLICA SEPARARSE Y ELEGIR

Ésta es una forma particular de dolor y sufrimiento que nos acompaña toda la vida, y a veces cuesta comprender este concepto.

Al crecer me voy diferenciando de mamá: "Me gustan los caramelos de frutilla y ella prefiere los de menta", "me gustan los juegos bruscos y, a ella, quedarse tranquila leyendo…".

Cada vez que elegimos algo, estamos despidiéndonos, al mismo tiempo, de muchas otras cosas: si elijo caramelos, no compro chocolates; si invito a Flor, dejo de invitar a Caro.

Los adultos tratamos de convencernos de que no sufrimos al elegir, nos convencemos de que lo elegido es lo máximo: la mejor película, o la mejor fiesta o el mejor libro; pero, detrás de cada pequeña elección en la vida, hay duelo y despedida por lo que dejamos de lado. Del mismo modo 'ayudamos' a nuestros hijos a elegir sin dolor, sin darnos cuenta de lo mucho que los fortalece el aprender desde chiquitos a hacerlo aceptando y tolerando la ausencia de lo descartado. Incluso muchas veces acompañamos el dolor de lo que el chico desearía y no puede: quedarse en casa el lunes y faltar al colegio; no hacer las tareas para el día siguiente; no bañarse. Todo el tiempo la vida nos ofrece oportunidades para confirmar que lo que sienten y desean es válido, aunque no siempre se pueda hacer.

Todo lo que sentimos vale

"El corazón tiene razones que la razón no conoce."
BLAS PASCAL, 1623-1662

Todo lo que sentimos es válido. **No hay malos sentimientos.** No podemos decidir qué sentir y qué no, ni dejar de hacerlo (salvo que desde muy chiquitos nos hayan 'entrenado' para no reconocer la existencia de alguno de ellos).

Enseñemos a los chicos a inhibir algunas acciones o palabras, pero no sus emociones o sentimientos.

No está mal que Joaquín (3) desee que desaparezca el hermanito recién nacido; la tarea de los padres consistirá en comprender su sentimiento sin hacerlo sentir culpable, sin ofenderse, sin tratar de convencerlo de que está equivocado y de que él sí quiere a su hermanito.

Al mismo tiempo, impedirán que le pegue; o que lo deje afuera para que alguien se lo lleve. Siempre respetando sus tiempos, hasta que se encariñe con ese hermanito; cosa que va a ocurrir con seguridad, ya que irá viendo que le sonríe, que lo reconoce, que lo admira ciegamente y el hermano mayor se irá rindiendo ante ese amor.

Del mismo modo, es esperable que Manuela (6) quiera la colección completa de las Barbies, que Francisco (4) se enoje porque su papá se va a trabajar, que Ana (8) sueñe con ser la escolta de la bandera, que Federico (7) sienta vergüenza de comprar él solo algo en el kiosco, que Andrés (9) no tenga ganas de ir al colegio, que Sofía (5) sólo quiera comer hamburguesas, que Carolina (10) tenga celos de su prima que se va a Disney en las vacaciones, que José (3) se enoje porque se tiene que ir a la cama, que Diego (7) tenga ganas de sacarle el álbum lleno de figuritas a su amigo, porque a él le faltan muchas para llenarlo; o que a todos les parezca injusto que los padres se vayan al cine de noche y ellos se tengan que quedar en casa.

Todo el tiempo tenemos sentimientos 'desprolijos': celos, ira, codicia, orgullo, pereza; o ambivalentes: amor y odio, ganas y miedo, entusiasmo y vergüenza. Son inevitables y profundamente humanos. **Nuestra tarea de padres** no es eliminar la ambivalencia o los sentimientos 'no deseables', sino **ayudar a nuestros hijos a tolerar sentirlos, y a encontrar vías de expresión, descarga o elaboración que sean adecuadas para todos (y con las que nadie se perjudique).**

Por el camino de tolerar el mundo emocional completo, transcurre una parte importante del proceso de separación-individuación. Esto implica alcanzar identidad propia, con seguridad y confianza en sí mismos y en el amor incondicional de los padres, sin miedo de perder el amor o la valoración de ellos (ya que no hay emociones o sentimientos que los padres consideren equivocados).

Cuando los padres no estamos suficientemente conectados con nuestras emociones, muchas veces dificultamos este proceso. Alguna vez leí que los seres humanos nacemos con capacidad para pronunciar cerca de treinta sonidos de vocales. Al llegar al año, un bebé de habla francesa sabe más de veinte; en cambio, un bebé de habla hispana sólo puede pronunciar cinco. Así es de fuerte el valor del ejemplo y de la estimulación. Del mismo modo, los padres estimulamos el despliegue (o no) de sentimientos y emociones. Por eso es vital que revisemos primero si nosotros estamos conectados con nuestra emocionalidad completa; y, si no lo estamos, que encontremos la forma de lograrlo.

Perdamos el miedo de lo que haríamos: para nosotros, igual que para los chicos, primero viene el sentir, pensar, desear, imaginar; en segundo lugar, veremos qué hacemos (o qué hacen ellos). Una de las grandes diferencias entre nosotros y los animales es que entre el estímulo (en este caso la emoción) y la respuesta (lo que hacemos) hay una mente que procesa y resuelve. En cambio, para los animales (regidos por los instintos), el estímulo lleva automáticamente a una respuesta predeterminada. **Podemos decidir qué hacer o decir, ¡y eso nos da total libertad para sentir!**

$$E \rightarrow R$$

$$E \rightsquigarrow R$$

Prometer y cumplir

Es vital para nuestros hijos que los padres resultemos confiables y veraces. Confiables en nuestras palabras y en nuestros gestos: que, en la medida de lo posible, los hechos ocurran como dijimos que iban a ocurrir.

"Vamos al vacunatorio para que te pongan una vacuna", y no: "Vamos a tomar una Coca, esperá que entramos un ratito acá por un trámite de mami", tampoco: "No te va a doler nada" y, en cambio, sí: "Te va a doler un poquito, pero las vacunas son indispensables para que no te enfermes de algunas enfermedades que son muy serias; es tu doctor (en quien todos confiamos) quien indicó que te vacunes; y eso es bueno... aunque duela un poquito".

No: "Mamá se queda afuera en el patio del jardín de infantes" (cuando piensa irse); y sí: "Hoy me quedo, pero mañana no me puedo quedar, porque tengo que volver a trabajar".

A diario aparecen muchos ejemplos que les permiten saber si papá y mamá son confiables. No nos asustemos cuando algunas veces no podamos 'cumplir', porque prometimos llegar antes de las siete y hubo un accidente que nos lo impidió. La cuestión es que predominen las experiencias en las que sí lo hacemos.

Ser veraces significa decirles la verdad siempre que se pueda. No hace falta que sea toda la verdad, pero sí aquello que les sirva para entender un poco lo que pasa: no necesitan saber las razones que me llevaron a pelearme con su papá; pero sí que discutimos por cosas de grandes, que no necesitan preocuparse, que no es problema de ellos. O: los angustiamos innecesariamente si les decimos que la bisabuela está por fallecer en cualquier momento, en cambio les hace bien que les contemos que está muy enferma y que los doctores están tratando de curarla.

Adultos veraces y confiables les permiten a ellos confirmar lo que interpretan del mundo real: cuando mamá está seria confirma que algo le pasa, aunque no quiera contarme qué le pasa. Si hay corridas, caras serias y llamados telefónicos, es mejor que sepa que su abuelo está enfermo y que los grandes están preocupados. No puedo ir a operarme sin decírselo a mis hijos. Tienen que saberlo, pero no necesitan todos los detalles de la cirugía; les basta con saber aquellas cosas que van a notar: que me quedo una noche en el sanatorio, que cuando vuelva por unos días me tengo que quedar en la cama, quién los va a cuidar en mi ausencia, etcétera.

Los chicos son 'especialistas' en el estado de ánimo de sus padres ya que llevan años, la vida entera, a su lado. Cuando les mentimos, los confundimos innecesariamente; y pueden tanto:

☺ creernos y dejar de creer en su mundo interno,
☺ no creernos, pero darse cuenta de que no tienen que hablar más de eso, ya que nos hace mal a los adultos; y en cuyo caso pasan a ser ellos los que nos cuidan a nosotros...

Ninguna de las dos opciones les hace bien.

Procuremos estar atentos para que coincidan nuestros mensajes verbales (palabras) y no verbales (gestos, tonos, posturas, etcétera).

¡PROMESAS!

Un aspecto de este tema es cumplir nuestras promesas: no necesariamente todas las promesas (si le prometí llevarlo al cine y amanece con fiebre, evidentemente no voy a poder cumplir); pero sí es aconsejable tener un compromiso interno de hacerlo; nuestro hijo, aunque sea chico, es una persona y merece y necesita nuestro respeto.

Me interesa revisar aquellas promesas que hacemos a futuro como modo de evitar que los chicos sufran ("otro día te lo compro"); o, más simplemente, para sacarnos el hijo de encima por un rato ("más tarde lo hacemos").

Cuando sistemáticamente hacemos estas 'falsas' promesas, ellos no pueden confiar y tienen que pasar mucho rato controlando, vigilando lo que hacemos o reclamando lo que no hicimos. No (necesariamente) se enojan, pero se confunden; ya que no están seguros de que vaya a ocurrir, y tampoco pueden enojarse porque a lo mejor sí ocurre.

Si, en cambio, nos acostumbramos (y a ellos también) a cumplir con nuestra palabra, los chicos usarán el tiempo de espera para divertirse y disfrutar, tranquilos, porque "papá me prometió que me buscaba temprano" y sabe que eso es lo que va a ocurrir. Obviamente, puede haber algún inconveniente que no nos permita hacerlo; pero las ansiedades aparecen cuando muchas veces, o casi siempre, hay algo que le impide a papá cumplir; razón por la cual el hijo no le cree, se llena de ansiedad y no puede entregarse confiadamente a esperar.

Aquí incluyo el **avisarles cuando salimos**, en lugar de escabullirnos a sus espaldas. Es más fácil escaparse; pero, como dice el dicho, eso es 'pan para hoy y hambre para mañana', ya que, si lo hacemos habitualmente, nuestros hijos chiquitos no se van a despegar de nosotros ni un instante por miedo a que desaparezcamos. En cambio, en cuanto pasamos unas cuantas veces por la incomodidad de tolerar su enojo y su llanto, se acostumbran a que mamá avisa cuando se va y siempre vuelve, y van aprendiendo a aceptarlo sin tanta escena. Los más chiquitos no tienen una clara imagen internalizada de sus padres que les permita evocarlos; por eso, cuando se van, para ellos desaparecen. Es por eso que les cuestan tanto las despedidas a partir de los seis o siete meses, y por un par de años, hasta que adquieren esa capacidad de evocarlos. Lo logran cuando alcanzan la constancia objetal: el concepto de que mamá existe, aunque yo no la vea, aunque no esté conmigo.

Nuestras reacciones

Muchas veces es nuestro modo de reaccionar el que complica las situaciones, aun más que lo que nuestros hijos dicen o hacen.

Veamos un ejemplo: la mamá manda a Manuel a bañarse; él no tiene ganas y le dice 'mala', la mamá se enoja y empieza una larga pelea… evitable.

¿Cuáles son esas reacciones? Ofensa, enojo, dolor, daño, tristeza, desilusión, miedo, ansiedad, crítica, preocupación. Esto no significa que nunca tengamos que sentir o expresar estas cosas. Veamos, en primer lugar, algunos ejemplos y, luego, cuál podría ser la respuesta más eficaz y operativa:

La mamá se ofende cuando Carolina (6) no quiere ayudar a levantar la mesa (la mamá puso la mesa, hizo la comida y la sirvió).

El papá se enoja cuando Federico (8) no lo quiere ayudar a levantar las hojas caídas de otoño.

A la mamá le duele que Cecilia (2) no la quiera saludar con un beso cuando llega de trabajar, salvo que le haya traído una 'sorpresita'.

La desilusiona que Andrés (3) no quiera prestar su camión nuevo al primito.

Diego (4) se pone solo el saco, y la mamá le explica que está mal prendido; o Juana (5) pone la mesa y el papá acomoda lo que puso fuera de lugar.

Joaquín (7) se sube a un árbol y se siente orgulloso de su coraje y de su destreza, y los padres lo cargan con su ansiedad y preocupación (con lo que aumenta el riesgo de que se caiga).

Desde chiquitos ellos han comprobado una y mil veces que papá y mamá saben; por lo que la palabra y la cara de los padres son muy fuertes y pesadas para ellos. Por eso es muy importante que veamos el modo de no sobre-reaccionar y, sobre todo, mientras son chiquitos, de no dejarnos lastimar por sus conductas o palabras.

Las respuestas de ofensa, enojo, dolor, desilusión implican que nos hizo daño; con lo cual se duplica lo que hizo mal: porque lo hizo y porque, al hacerlo, dañó a mamá. De este modo, se siente peor y más culpable; y **la culpa no es buena aliada a la hora de escuchar y aprender.** Cuando un chiquito siente que dañó a la mamá, es probable que se porte peor para que lo reten y expiar sus culpas. También se va a sentir 'malo' y, dentro de él, se fortalecerá esa imagen de sí mismo. O puede asustarse y renunciar a aspectos vitales y auténticos de su persona, y acomodarse a lo que sus padres esperan, a un costo muy alto para su identidad.

Las respuestas de preocupación, miedo y ansiedad van por otros caminos, con dos alternativas posibles (para los chicos) muy diferentes: tanto pueden desesperarse como dejar el problema en nuestras manos.

Si lo que el chiquito cuenta o hace genera semejante respuesta ¡es porque es grave! Entonces, evidentemente, nuestra reacción los preocupa, los asusta o los llena de una ansiedad mayor que la que ya traían, y no se sienten sostenidos por nosotros.

Otra opción, que muchos 'eligen' (inconscientemente) al ver a los padres en ese estado, es dejar el problema en sus manos. Esto sólo pueden hacerlo cuando a ellos no les parece tan grave, y se dan cuenta de que el tema puso al adulto en acción; por ejemplo: Manuel perdió sus botines; tanto puede creer (mirando la cara de su mamá cuando se lo dice) que es una catástrofe irreparable, como quedarse tranquilo esperando que mamá resuelva el problema, ya que su ansiedad la lleva a llamar al colegio, a la mamá que lo trajo de vuelta, a escribir una notita en el cuaderno de comunicaciones para que la maestra los busque... y esto no le va a enseñar a Manuel a cuidar sus pertenencias. Más bien le va a hacer creer que la magia existe, ya que los botines, con tanto esfuerzo de mamá, seguramente van a aparecer.

Ellos sienten que "con un preocupado alcanza", "si mamá se preocupa, yo me relajo". **No hay espacio para dos personas preocupadas por un mismo tema.**

Nuestros hijos dicen y hacen cosas que provocan diferentes reacciones en nosotros. Obviamente, si nos traen un ramo de flores, estaremos encantadas; salvo que hayan cortado todas las flores del jardín para hacernos ese regalo. Ellos no nacen sabiendo, y nosotros les vamos explicando las cosas a medida que... se van equivocando. Es inevitable.

No podemos evitar sentir. Sí podemos tomarnos un ratito, y contar hasta veinte; de modo de intentar una respuesta distinta que les permita a los chicos escucharnos sin asustarse o enojarse, sin tomar actitudes defensivas, y estar abiertos para aprender lo que tenemos para enseñarles.

¿Cómo llegamos a responder de esta manera? Primero, nos ponemos un instante en su lugar, para comprender lo que ocurrió (el hacer esto ya permite que no seamos nosotros quienes reaccionamos la mayor parte de las veces). Luego, ponemos en palabras nuestras eso que comprendimos:

- "¡Qué fiaca irse a bañar justo ahora!"
- "¡Qué alto que trepaste!"
- "¡Qué rabia te da que mamá haya llegado tan tarde!"
- "¡Qué pocas ganas de compartir tu camión nuevo!"
- "¡Qué ganas de comerte el paquete entero de caramelos vos solo!"

Por último, y sólo si es necesario, fijamos el límite o la regla con claridad:

- "A mamá no le hables así."
- "Traje los caramelos para todos; ¿los repartís vos, o lo hago yo?"
- "Si no querés prestar el camión, guardalo en el ropero."
- "Aunque te dé fiaca, igual vamos al agua ahora."
- "Bajá despacio y tranquilo del árbol."

¡Ojo! Con los más chiquitos, primero fijamos la regla; y, después, los comprendemos. Si a mi hijo de tres años le digo: "¡Qué bueno estaría comer un caramelo!", va a salir corriendo a buscarlos y no va a ser fácil convencerlo de esperar hasta después de comer. Le diremos entonces: "Caramelos ahora, no", y luego: "Los dejamos para después de la comida".

De todos modos, hay cosas que hacen o dicen nuestros hijos que despiertan en nosotros enojo, dolor, ofensa, miedo, desilusión, tristeza, etc. Se lo iremos mostrando a medida que crezcan y puedan comprender eso que provocaron. La cuestión es no usar esas emociones como recurso de presión, de coerción,

para que ellos hagan lo que nosotros queremos. Cuando crecen, tienen que saber que sus palabras o sus acciones despiertan reacciones, sentimientos y emociones en el otro; y tienen que aprender, también, a evaluar lo que provocan con esas acciones o palabras.

Enseñarles a tomar decisiones
(a partir de permitirles que se equivoquen)

Créase, o no, **es muy importante que aprendamos a dejar que los chicos se equivoquen, ¡y desde muy chiquitos!** Ése es el camino para que aprendan a evaluar opciones y alternativas, o a tomar decisiones. Es indispensable que ya sepan hacerlo cuando crecen y no siempre están junto a nosotros. El límite para permitirlo está en que nadie (o nada) se perjudique seriamente. Una chiquita de un año no puede tocar un enchufe o el horno caliente, y tampoco meterse en la boca un documento importante o pegarle al primito que está en brazos de su mamá.

Investigar el mundo confiadamente y saber que tienen permiso de su mamá para hacerlo los va a ayudar a animarse a hacer ensayos, incluso a equivocarse. Winnicott dice que el chiquito va 'inventando' (en realidad, descubriendo) el mundo y los objetos a medida que, en muchos ensayos e intentos, descubre qué son y para qué sirven. ¡Y él realmente cree que los inventó!

En cambio, un exceso de cuidados les hace creer que todo es peligroso, que nada se puede; y se van quedando quietitos y cerca de mamá. Esto es muy cómodo y seguro, pero dificulta el desarrollo normal de la curiosidad, de los deseos de saber, de la creatividad, incluso de la imaginación; aprenden a esperar pasivamente que todo venga de afuera: es mamá la que sabe. Pero, cuando crecen, nos empieza a molestar que nos pregunten todo, que no tengan poder de decisión. Y no nos damos cuenta de que hemos sido parte del origen del problema.

El hecho de estar nosotros todo el tiempo un paso adelante de ellos, allanándoles el camino, no les permite buscar y sopesar las alternativas posibles, descubrir que sus decisiones tienen consecuencias y fortalecerse para tolerar esas consecuencias (inevitables cuando están lejos de mamá). También pueden dejar de tener ganas de alejarse de ella; ya que, en cuanto lo hacen, empiezan las complicaciones. La conclusión es: me quedo pegadito a mi mamá, lo paso bien; y, en el raro caso en que algo pueda salir mal, la culpa es de mi mamá y me enojo con ella.

Así, por ejemplo, van descubriendo que si tiran el juguete fuera de la cuna, ya no lo tienen para jugar; que si se ponen las zapatillas al revés, les aprietan; que si sacan todos los juguetes, después les lleva mucho tiempo guardarlos; que si guardan su auto favorito para no prestárselo a su amigo, ellos tampoco pueden jugar; que conviene hacer caso a mamá y abrigarse cuando les dice que hace frío. En otras edades, también van descubriendo que se quedaron sin ropa limpia porque no la pusieron a lavar, o que su toalla tiene olor a humedad porque no la colgaron la noche anterior después de bañarse, o cuánto tiempo antes tienen que empezar a estudiar para un examen.

De modo que los dejaremos resolver, y diremos todos los **sí** posibles: a usar las cacerolas como juguetes, a tocar la tierra, ensuciarse, gritar, investigar, incluso comer con la mano (y otras tantas cuestiones que son pura forma) alguna vez. Y sostendremos nuestros **no**, que no van a ser tantos; de manera que vamos a tener la fortaleza para hacerlo. (De todos modos, el **no** es un organizador indispensable de la persona, y nos ayuda en el proceso de separación de la madre. Es vital que haya **no** en la crianza.)

Ellos solos descubrirán sus propios **sí** y sus **no**; y los padres iremos evaluando y reevaluando los nuestros a medida que ellos vayan creciendo. Nuestros **no** estarán seguramente referidos a su seguridad, a su salud y bienestar o a cuestiones éticas. Y, algunos, a temas económicos.

Mimos y sobreprotección

Muchas veces, por recomendación de abuelas experimentadas o bienintencionadas maestras, dejamos de mimar a nuestros hijos cuando ellas nos 'acusan' de sobreprotegerlos.

Hablamos de sobreprotección en el caso en que los padres hacen por el hijo aquello que él puede hacer solo; porque consideran que lo hacen mejor; porque no tienen la confianza suficiente de que el hijo pueda hacerlo; o no toleran que no esté perfecto o que no lo haga más rápido.

El mensaje que subyace a veces es: "Vos no podés, dejame a mí". Cuando los padres dicen esto, el hijo lo cree (ya que papá y mamá, para él, saben todo) y no se anima a intentar solo. Otras veces, los padres, apurados, no pueden esperar; o les cuesta verlo hacer ensayos no siempre exitosos, y le resuelven el problema. O podría ser también por falta de confianza en su propia capacidad de enseñar o de ser padres. En realidad, no confían en ellos mismos.

¿Qué puede llevar a un ser humano inteligente y que ama a sus hijos a hacerlo? Su autoexigencia (trasladada a los hijos); o la dificultad para verlos sufrir; o la baja autoestima de padres que no se creen capaces de enseñar, o dudas (muchas veces inconscientes) en relación con las capacidades de alguno de sus hijos:

"Yo lavo los platos" (piensa: "Sos torpe y los vas a romper");

"Te hago el trabajo sobre el sistema digestivo" (piensa: "Me va a quedar mejor");

"Dejá que te saque punta al lápiz" (piensa: "Vas a tardar mucho" o "le vas a romper la punta de nuevo")…

Vale la pena, a veces, 'invertir' (no 'gastar') un lápiz negro en ensayos de sacarle punta, ya que estaremos fortaleciendo la confianza en sí mismo de nuestro hijo, en otras áreas que van mucho más allá del costo del lápiz.

Muy distinto sería hacerlo porque me da placer mimarlo. Mientras yo le saco punta a sus lápices y le ordeno la cartuchera, Martina termina las cuentas y pinta el dibujo que tiene que hacer como tarea. Pero yo sé, y ella también, que lo sabe hacer; que yo estoy haciendo aquello que es más fácil para que ella haga lo más difícil y verdaderamente importante.

Si le ato a un chico los cordones de las zapatillas (cuando ya sabe hacerlo) porque a él se le desatan, o porque se las deja flojas, o para que le queden los moños parejitos... lo estoy sobreprotegiendo. Cuando, en cambio, lo dejo que se los ate solo, se puede dar cuenta de que su sistema no es tan eficiente como el de mamá y puede incluso interesarse por aprender a hacerlo como ella. Si se los ato porque me lo pide, de cuando en cuando, y sigo confiando en sus capacidades al hacerlo... es un mimo.

Cuando voy a comer a la casa de mi hija recién casada le lavo los platos. A ella le encanta y yo, sin tomar conciencia de ello hasta este momento, le estoy haciendo el mismo mimo que me hace mi propia madre cuando viene a la mía.

Algunas veces sí, a pesar de que lo hacemos como mimo, realizamos algo con demasiada frecuencia (llevarle la mochila cuando sale del colegio, ordenarle la cartuchera, poner nosotros la mesa para que puedan seguir jugando afuera, traer una 'sorpresita' todos los días del trabajo, etc.), nuestros hijos pueden, equivocadamente, creer que es nuestra obligación, y enojarse cuando no lo hacemos.

Tengamos en cuenta que los mimamos porque nos da placer a nosotros o a ellos, o porque les hace bien, pero no porque lo exigen nuestros pequeños 'tiranos' (a quienes nosotros dimos oportunidad de convertirse en tales).

De todos modos, no perdamos la oportunidad de mimarlos cuando son chiquitos. Instalamos un hábito que puede perdurar; además, les enseñamos (con el ejemplo) a que ellos mismos mimen a otras personas, incluidos nosotros.

Reglas de oro y de plata

Muchos libros para padres hablan de la regla de oro, y la dan por sentado. Creo que vale la pena mencionarla:

Tratar al otro como me gustaría que me trataran a mí.

Adaptada a nuestros hijos sería:

Tratemos a nuestros hijos como nos gustaría que nos trataran a nosotros.

Me parece una frase muy clara y orientadora. Si la tuviéramos en cuenta, callaríamos o dejaríamos de hacer un enorme porcentaje de las cosas que decimos o hacemos con ellos. Cuando la tenemos en cuenta, los ayudamos a sentirse más seguros, capaces, queridos y queribles.

No es fácil, pero vale la pena intentarlo y lograr que predominen las experiencias en que los tratamos tal como nos gustaría que nos trataran a nosotros. No es preciso hacerlo siempre: nos desanimaríamos al intentarlo. Un objetivo realista sería que predominaran esas experiencias.

Veamos algunas derivaciones de esta regla:

☺ Tratemos a nuestros hijos como si el vecino nos estuviera mirando…

☺ Tratemos a nuestros hijos como nos gustaría que los tratara el vecino…

☺ Tratemos a nuestros hijos como tratamos a nuestros amigos…

☺ O como tratamos a nuestros empleados…

☺ O como nos gustaría que nos tratara nuestro jefe…

Estamos en un lugar de mucho poder en relación con nuestros hijos chicos. De alguna manera, ellos (sobre todo los más chiquitos) son nuestros rehenes. Están indefensos con nosotros; no tienen a quién ir a quejarse, ni nos pueden dejar; razón por la cual, nuestra responsabilidad en este aspecto es insoslayable.

(Mi) Regla de plata

Muchas veces cuesta decidir cuándo decir que sí o que no. Buscamos facilitar y acompañar la toma de decisiones y permitir a nuestros hijos que se equivoquen, que prueben, que piensen, que resuelvan. Esta regla de plata nos ayuda para decidir cuándo dejarlos hacer, y cuándo impedir o decir que no. ¿En qué momento enseñamos o impedimos, o los dejamos hacer, incluso equivocarse?

Ante decisiones que atañen a los chicos, esta regla de plata me ha servido mucho en casos de duda, consiste en:

Evaluar que nadie, o nada, se perjudique seriamente (algunas veces elegiremos la opción donde menos se perjudique alguien): nosotros, el chico, o un tercero (que puede no ser una persona, sino un objeto).

Dejémoslos hacer y equivocarse; y, también, hacer las cosas (un poco, casi, bastante) bien. Cuando permanentemente les decimos que no, y no les permitimos probar, les cortamos las alas y les enseñamos que sólo nosotros sabemos. No los ayudamos a pensar, ni a aprender a resolver.

Ejemplos: ante el berrinche de mi hija de tres años, porque quiere ya un caramelo, me pregunto: ¿cuánto falta para comer? (es decir, ¿le va a sacar el hambre?); ¿ya comió 333 caramelos?; ¿le hace mal a la panza? (se perjudica ella); ¿los tengo reservados para esta noche que vienen visitas? (me perjudico yo); ¿tiene caries y no quiero que los coma? (se perjudican sus dientes). En todos estos casos la respuesta será negativa.

Estamos en un centro comercial. Tengo que volver para preparar la comida, y los chicos se quieren quedar un rato más. Puedo aceptar sólo si eso no me complica la vuelta a casa, si puedo cambiar el menú por uno más fácil, o llevar una pizza preparada, si el bebé no está demasiado cansado, si ellos no tienen tarea, o si ayer se bañaron todos y pueden pasar un día sin bañarse...

Puede haber también factores 'atenuantes'. Por ejemplo: estamos en el consultorio de su pediatra, hace rato que está esperando y está aburrida; o está asustada, porque vio salir a otro chico llorando. Entonces, aunque falte poco para comer, a lo mejor igual le damos el caramelo. O tuvimos una semana de mucho estrés laboral y ofrecimos una madre de 'baja calidad': entonces resolvemos quedarnos en el centro comercial para compensarles algo de esa falta (aunque nos perjudique un poco a nosotros).

No funciona ceder y después enloquecer. Ellos son chicos y no van a tomar la decisión más conveniente para todos, ni pueden tener en cuenta todos los puntos de vista. Ésa es nuestra tarea. Al ver lo que resolvemos (y cómo lo hacemos), también van a ir aprendiendo a evaluar opciones para sus decisiones. Somos ejemplo de evaluación y toma de decisiones desde que son chiquitos; o sea que, al ceder, enloquecer y cuidarnos mal a nosotros mismos, les estamos enseñando a ellos a cuidarse mal (¡y a cuidarnos mal a nosotros más adelante!).

A veces contestamos automáticamente que no, y después nos arrepentimos porque nos damos cuenta de que no era tan complicado; o, incluso, cambiamos de idea. De todos modos ellos reconocen la diferencia entre que cedamos a sus caprichos y que realmente nos demos cuenta de que no valía la pena decir que no y cambiemos nuestro parecer.

Realmente, antes de contestar vale la pena tomarse unos segundos para poner en acción esta regla de plata: ver si alguien o algo se perjudica seriamente.

Alianzas dentro de la familia

Las alianzas dentro de las familias son temas que 'traen cola' (diría mi abuela).

Hay, en la familia, muchísimas alianzas saludables, con las que uno o todos los integrantes se benefician, y nadie se perjudica. Veamos algunos ejemplos:

- ☺ entre los padres;
- ☺ entre hermanos, para protegerse mutuamente.

Estas alianzas, de los padres entre ellos o de los hijos (es decir, entre personas que están en el mismo nivel de poder o autoridad), son 'normales'. Es habitual que los hijos se alíen contra reglas que consideran injustas. Evidentemente, los padres tienen entre ellos muchas alianzas que dejan afuera a los hijos; probablemente sean a favor de ellos, y no en contra.

Hay otras alianzas entre niveles distintos:

- ☺ madre-hija o padre-hijo, revalorizando las identificaciones con el mismo sexo;
- ☺ padre-hija o madre-hijo; en las que los hijos se sienten reconocidos en su identidad, valorizados por el progenitor del otro sexo; y el progenitor se sabe importante en la vida de ellos.

También hay muchas de estas alianzas, saludables, en la familia grande: con abuelos, o padrinos, o primos.

Pero, en las mismas relaciones, podemos encontrar alianzas muy intensas y perjudiciales. Primero veremos los casos de alianzas entre personas de distintos niveles de poder o autoridad:

- ☺ papá-hija, donde queda afuera mamá;
- ☺ papá-hijo, donde queda afuera mamá, puede implicar desvalorización de lo femenino;
- ☺ mamá-hijo, donde queda afuera papá;

☺ mamá-hija, donde queda afuera papá, puede tener que ver con desvalorización de lo masculino.

El factor común es que dos (o más) integrantes de la familia se alían, y dejan afuera a un tercero. El progenitor de estas parejas desparejas le da a ese hijo un poder o una autoridad que complican su relación con el otro progenitor.

Papá (o mamá) e hijo (o hija) pueden aliarse y dejar afuera algún otro hijo o hija, esto es muy doloroso para el que queda afuera.

Los triángulos afectivos traen muchas dificultades en las relaciones humanas en general, y también dentro de la familia: el que queda afuera se enoja; los que están adentro se sienten fuertes o poderosos pero, además, culpables. Las alianzas colaboran con la vida familiar siempre y cuando no sean en contra de o a espaldas de otra persona: es muy distinto que madre e hijo se alíen para elegir un regalo para el padre, a que ella firme su libreta de notas para que el papá no lo rete.

Asimismo puede haber dificultades de este tipo con la familia grande o en el entorno cercano; cuando los de afuera, de algún modo (inconscientemente la mayoría de las veces), compiten por el amor o la preferencia del chico. Estas situaciones son dolorosas, pero más sencillas de resolver; ya que ese adulto no convive con el chico. Por lo que es más fácil protegerlo o hablar con ese adulto del tema para que no se repita la situación (abuelas que se 'adueñan' de algún nieto, o que hacen diferencias groseras entre sus nietos, profesor que se encariña tanto con su alumno que confunde los roles).

También podemos encontrar alianzas perjudiciales en personas del mismo nivel: un chico que no quiere que su primo adorado tenga otros amigos, mejores amigas que se cierran al mundo, un hermano que incita a otro contra un tercero, etc. En estos casos, es importante que los padres observemos la situación, e intentemos ayudarlos a resolverla, siempre trabajando a favor de nuestro(s) hijo(s) y no en contra de ninguno; ya que, si lo hiciéramos, estaríamos simplemente cambiando una alianza por otra.

Cuando los acompañamos a aprender a pensar, a decidir, a resolver problemas; cuando los ayudamos a tener una autoestima adecuada y a saber lo que les gusta y les hace bien, les estamos dando fuerza para poder defender su posición ante otros y para que no acepten de, ni impongan a otros relaciones poco sanas.

Prioridades

Aquí presento un modelo aparentemente egoísta, que provoca horror cuando las madres me escuchan... hasta que entienden el concepto: **ponerse uno mismo en primer lugar; después, la pareja; y después, los hijos.** Y luego vendrán la casa, la familia grande, el trabajo y otros.

Primero yo: si soy una persona con capacidad de querer y de cuidar, rápidamente voy a dar por atendidas mis necesidades propias e individuales y voy a poder ocuparme de la pareja y de los hijos. Con el alma (o la panza) llena, sin pedir compensaciones o retribuciones; y sin sentirme víctima de la situación.

Cuando, en cambio, me pongo en el último lugar, vivo en estado de necesidad, haciendo lo que **tengo que** hacer (en lugar de lo que **quiero** hacer) sin ver que, cuando me ocupo primero de mí, muy rápido vuelvo a tener ganas de hacer lo que **tengo** que hacer por o para otros, y no me pesa hacerlo. En cambio, si sigo esperando hasta que todos los demás estén atendidos y satisfechos para ocuparme un poco de mí, o si espero hasta que ellos mismos lo hagan, voy a comprobar que, muchas veces, ¡ese momento no llega!

Somos ejemplo y modelo para nuestros hijos. Ellos harán lo mismo que vean en casa. Los varones querrán una mujer 'esclava', y las mujeres repetirán el modelo de estar atentas a las necesidades de otros antes que a las propias. Las mamás tenemos mucha facilidad para ponernos en último lugar: porque aprendimos de nuestras madres, que lo hicieron así; porque en la época en que tenemos bebés (ahí no hay alternativa) nos acostumbramos a eso. El criterio femenino suele ser: mientras el tiempo físico alcanza, decimos que sí. Este equilibrio (en realidad, desequilibrio) nos deja en estado de hambre emocional permanente; estresadas, agotadas, agobiadas. Y nunca llega el momento de ocuparnos de nosotras para 'recargar baterías'; ya que surgen imprevistos que postergan indefinidamente nuestra siesta, o una ida al cine con amigas, o salir a caminar, ¡o una clase de canto!

Nos asusta hacerlo. Venimos con necesidades poco atendidas desde mucho tiempo atrás; y creemos que, cuando empecemos a hacerlo, se va a abrir un agujero imposible de llenar y, por eso, no nos animamos ni siquiera a pensarlo.

¿Por qué en segundo lugar la pareja?

Porque una pareja sólidamente constituida podrá complementarse y ayudarse en la resolución de los temas de la vida diaria y de los hijos, se cuidarán y se sentirán cuidados (entre ellos); y podrán, juntos, planear cómo ocuparse de los hijos.

Si vengo de largos años de ponerme en último lugar o de hacer lo mismo con mi pareja, me va a llevar un poco de tiempo tener real disponibilidad para los hijos. Pero es una inversión que vale la pena hacer; ya que, si trabajamos en este orden de prioridades, nuestra actitud será genuina, transparente, espontánea, y nuestros hijos no tendrán la permanente sensación de ser, para nosotros, una carga agotadora o agobiante.

Evidentemente esto es para las épocas tranquilas. No vale para situaciones especiales, como un bebé recién nacido, o una enfermedad; momentos en los que necesitamos tener una buena reserva de energía disponible. Confiemos, durante esas etapas, en que volveremos a tener tiempo para nosotros; y más pronto de lo que podamos imaginarlo.

Igual que nos muestran en el avión, en caso de despresurización de la cabina, los padres nos ponemos nuestra máscara de oxígeno, y luego se la ponemos a nuestros hijos. El cerebro piensa mejor y toma mejores decisiones cuando está bien oxigenado.

¿Qué hacemos nosotros? (sería raro que no nos encontráramos en alguna o varias de estas categorías):

- reaccionamos con excesiva ansiedad y miedo, o nos preocupamos demasiado, nos desesperamos; esto los pone más nerviosos; por lo que, la próxima vez prefieren callarse;
- nos da pena, y lo consolamos antes de tiempo o por demás;
- reaccionamos con enojo, y lo retamos;
- prejuzgamos, criticamos, tomamos partido, enjuiciamos a nuestro hijo y/o al otro personaje de la historia;
- no aceptamos ni validamos sus sentimientos;
- minimizamos el problema;
- 'robamos' sus experiencias (cuando todas las veces respondo "a mí me pasó lo mismo", y cuento mi historia sin tomarme el tiempo para escucharlo);
- salimos corriendo a resolver el problema (que no es nuestro);
- aconsejamos antes de tiempo, antes de que nos lo pida o esté listo para escucharnos;
- no hacemos caso, o no mostramos interés cuando habla;
- habitualmente le decimos que estamos ocupados cuando viene a conversar, o interrumpimos la conversación porque suena el teléfono, o porque toca el timbre, o porque estamos apurados;
- aprovechamos para pasar mensajes que nos interesan: Hija: "Mamá, hoy las chicas me dijeron que estoy gorda" Mamá: "¿Viste que yo siempre te digo que no comas tanto?".

¿Cómo hablamos (invitándolos a callar)?
- con poco respeto: "Es una pavada";
- irónicamente: "Qué vida dura la tuya" (al hijo que mira televisión cuando el padre llega de trabajar);
- hacemos demasiadas preguntas;
- con discursos, sermones, 'lecciones de vida', o consejos (ofrecemos siempre 'la' solución);
- con críticas y acusaciones;

- 🖐 repetimos muchas (demasiadas) veces lo mismo;
- 🖐 hablamos (sólo) de las razones razonables (razones de la razón de Pascal): "Vos ya recibiste un regalo de tu abuela para tu cumpleaños";
- 🖐 negamos lo que sienten (razones del corazón): "No te puede molestar que tu hermano reciba uno"; no nos ponemos en su lugar, por lo que nuestra respuesta resulta desatinada;
- 🖐 ofrecemos consuelo sin auténtico compromiso personal: "¡Ya se te va a pasar!";
- 🖐 damos respuestas odiosas: "¿Viste?, ¡yo te dije!" o "Yo te avisé". **Habría que borrar la pregunta ¿viste? de nuestro vocabulario.** Seguramente aprendieron la lección con dolor; no necesitan que, además, los humillemos;
- 🖐 damos respuestas cerradas, que bloquean la comunicación, del tipo de: "¡Estás loco!", "¿Estás loco?", "Ni pienso", "¡Es una irresponsabilidad!", "¡Qué disparate!", "¡No!", "¡Sí!", "No puedo creer que hayas hecho eso", emitiendo juicios de valor con respecto a las personas involucradas, o sobre las situaciones;
- 🖐 hablamos de 'vos' y 'a vos', en lugar de 'yo' y 'a mí': es muy distinto decir "(vos) sos un desconsiderado" que "(a mí) me gusta sentirme tenida en cuenta"; o "(a vos) nunca se te ocurre avisarme si venís a comer", en lugar de "(yo) necesito saber cuántos somos a la noche para planear la comida";
- 🖐 no podemos abrir nuestra mente y entender que hay otros puntos de vista diferentes al nuestro;
- 🖐 no los dejamos hablar hasta el final de lo que quieren decir, o preparamos nuestra respuesta mientras ellos hablan;
- 🖐 no mostramos interés;
- 🖐 transmitimos mensajes dobles: uno manifiesto y otro subliminal ("¡Hacé lo que quieras!" [pero quiero que haga lo que quiero yo], "No me molesta" [pero sí me incomoda], etcétera);

✋ cuando de alguna manera nos 'hieren' con sus palabras se nota nuestra desilusión, tristeza, etcétera.

Tengamos en cuenta que caricias, miradas, gestos (de la cara o del cuerpo), abrazos, o tomar las manos son también formas de comunicarse. La respuesta de nuestro cuerpo va a ser más 'escuchada' que nuestras palabras (las investigaciones dicen que entre el 80 y el 90% de los mensajes son corporales, y sólo el 10 o el 20% a través de la palabra).

Cometemos muchos de estos errores por amor. No nos gusta verlos sufrir, y nuestra respuesta es un intento de convencerlos de que no están sufriendo (aunque ellos crean que sí), o de evitarles sufrimientos futuros, con una serie infinita de recomendaciones. Otras veces somos nosotros los que queremos convencernos a nosotros mismos de que ellos no están sufriendo.

Revisemos si lo hacemos porque ése es el modo en que nosotros aprendimos a comunicarnos, y ni se nos ocurrió que podría no ser bueno; ya que aquello que hacemos desde siempre nos parece normal y bueno, y a veces puede no serlo...

De todos modos, muchas veces repetiremos estas situaciones sin que sean necesariamente errores: si mi madre tiene un problema serio de salud y me tengo que ocupar de eso, no tengo tiempo para 'comunicarme' adecuadamente con mis hijos; o si mi hijo está en una situación de riesgo, no voy a medir lo que le digo o cómo se lo digo. El problema aparece cuando nuestro estilo de comunicación habitual con ellos tiene una o varias de estas características.

¿Para qué hablan ellos?

✋ hablan para sentirse aceptados, entendidos (ya dije antes que esto no significa que tengamos que estar de acuerdo): "Entiendo que no tengas ganas de estudiar, ¡qué fiaca!"

71

es un buen comienzo para hablar del tema; pero, si tiene examen mañana, igual va a tener que ir a estudiar;

🖖 hablan para saber que nos tomamos un tiempo para ellos, para confirmar que son importantes para nosotros (por lo que probablemente elijan el momento más incómodo para nosotros);

🖖 hablan para recibir respuestas abiertas, que inviten a seguir hablando: "¡Qué interesante!", "¿me contás un poco más?", "¡qué dolor (o alegría, o susto, o rabia, o sorpresa)!", "¡qué feo lo que te pasó!", "¡qué bueno!", "pensemos juntos", o "¿qué se podría hacer?";

🖖 hablan para que los ayudemos a pensar, buscar alternativas o resolver alguna cuestión;

🖖 hablan para verificar, de acuerdo con nuestras reacciones, que no es el fin del mundo, que las cosas se pueden solucionar;

🖖 también hablan para hacernos reír, o para distraernos de alguna preocupación, o para alejarnos del teléfono o de la computadora, a los que consideran sus rivales.

Aprender a escuchar

La primera cuestión, para saber que estamos haciendo bien las cosas, es ejercitarnos para escuchar, hasta el final, lo que el chico nos cuenta, sin ir pensando en respuestas posibles. En cuanto empezamos a planear nuestra respuesta, dejamos de escuchar; y ellos lo notan. Pensemos lo molesto que es cuando alguien nos dice: "Ya sé" antes de que hayamos terminado de decir lo que queremos transmitir.

Aprendamos a respetar sus silencios, sin ansiedad y sin presiones. No sólo hay chicos que son más callados, sino que muchas veces no están listos para contar, y con nuestra presión los alejamos.

Desarrollemos apertura y flexibilidad para tolerar las diferencias, no ofendernos, no asustarnos, no desilusionarnos, no preocuparnos, no enojarnos, no ponernos tristes cuando los escuchamos. Tenemos tiempo de ofrecer nuestros puntos de vista; pero esos 'gestos' de ofensa, miedo, tristeza, etc. los invitan a callar y retirarse.

Aprendamos también a hacernos fuertes para tolerar lo que les pasa a nuestros hijos (no lo eligieron para el papel protagónico de la obra de teatro del colegio, o no lo invitaron a un piyama party, o lo tienen que operar de apéndice, o...).

Aprender a hablar

Empecemos con el ejemplo, a contar nosotros situaciones de nuestra vida, a compartir lo que hicimos, lo que aprendimos, lo que nos pasó (no significa hacer confesiones o hablar de cosas que los chicos no necesitan saber). A través de nuestras historias ellos descubren que es divertido compartir las experiencias.

Nuestros hijos van a vivir muchos años con nosotros, por lo que vamos a tener muchas oportunidades de volver sobre los mismos temas. No hace falta agotarlos en la primera oportunidad que se presenta.

Una última cuestión: ya dije antes que no hay espacio para dos personas preocupadas. Cuando los padres reaccionamos excesivamente, el hijo tiende a minimizar; si el problema es de ellos, dejemos que se preocupen ellos, y estemos disponibles para cuando necesiten y pidan ayuda (salvo que alguien se perjudique seriamente; en cuyo caso tendremos que intervenir, aunque ellos no quieran).

Algo más acerca de la comunicación

Hablamos... y formamos a la vez

Hablamos con nuestros hijos por miles de razones: para divertirnos, para que se sepan queridos, para que no tengan miedo, para que sepan que no están solos y que los entendemos, para enseñarles muchas cosas (incluso a hablar), etc. Aquí me quiero ocupar de una forma especial de hacerlo: con la intención de formarlos como personas.

¿Por qué medios 'hablamos' a nuestros hijos?

El que conocemos; es decir, la palabra. Pero también los gestos, los silencios, las miradas. Hay aspectos no verbales que son más convincentes que las palabras. Les hablamos con nuestras actitudes y nuestras acciones; y, sin darnos cuenta, podemos decir cosas distintas, o transmitir mensajes dobles con nuestros variados 'lenguajes' (verbales y no verbales), muy difíciles de comprender para los chicos. También lo hacemos con nuestras reacciones emocionales: alegría, miedo, enojo, culpa, desilusión, tristeza, fastidio, orgullo, interés o desinterés, entusiasmo, etcétera.

¿Cuál es la 'buena' motivación para hablar cuando los estamos formando?

La ideal es el cuidado en beneficio del hijo; pero podríamos hablar por otras razones más complicadas y no tan 'buenas': por miedo, deseos de control, enojo, para tener poder (por ejemplo, cuando criticamos al otro progenitor), para que no se enojen con nosotros, etcétera.

¿Transmitimos lo que deseamos transmitir?

Una cosa es lo que quiero decir, otra lo que digo y otra, muy diferente, lo que el otro escucha y entiende. En todas estas instancias puede perderse el contacto o enturbiarse el mensaje.

Veamos, en primer lugar, nuestras dificultades como emisores: tenemos un estilo de ser que tiñe el mensaje y que, a veces, puede enturbiarlo. Es importante tenerlo en cuenta cuando hablamos con nuestros hijos chiquitos porque, para ellos, nuestra verdad es 'la' verdad; y nuestra cosmovisión es la 'única' que existe, de manera que no pueden más que creer lo que les decimos:

- 🖐 el temeroso informará a su hijo, con o sin palabras, que el mundo es un lugar peligroso: los perros muerden, los ladrones están a la vuelta de cada esquina; también los abusadores; treparse a los árboles es peligroso; andar en colectivo… de alto riesgo;
- 🖐 el inseguro mostrará sus dudas constantes;
- 🖐 el deprimido, su falta de esperanza y su desánimo;
- 🖐 el desconfiado, su falta de confianza;
- 🖐 la persona de acción, que es más seguro hacer que hablar;
- 🖐 el 'rebelde' (adolescente eterno), que hay que oponerse… por si acaso;
- 🖐 el hipercrítico, que es muy difícil hacer las cosas bien;
- 🖐 el excesivamente sensible, que todo lastima;
- 🖐 y muchos otros…

Son estilos que ponen filtros a lo que queremos decir. El problema estriba en que no siempre sabemos que tenemos esos filtros 'instalados'. Son tan ego-sintónicos (están en sintonía con nosotros, no nos incomodan) que nos parecen normales y universales, aunque no lo sean; y transmitimos nuestros daltonismos creyendo que son sabiduría.

Cuando hablamos, estamos más cerca de decir lo que podemos que lo que queremos. Tenerlo en cuenta nos ayuda a abrir nuestra mente, corregir nuestras falencias, poner el contrafiltro a nuestros filtros.

Tener dos modelos de padres distintos les permite a los hijos infinitas posibilidades de 'ser' diferentes (como papá, como mamá, una mezcla de ambos, o distinto a ellos).

A los adultos, el ver y ser vistos por otro adulto nos permite revisar (si nos animamos) y ampliar nuestra cosmovisión al conocer de cerca otras maneras de 'ser'.

Como padres estamos en posición de ofrecerle las mejores condiciones posibles para que nos puedan escuchar, comprender, y para poder formarlos como personas.

Intentemos que nuestro mensaje:
- ☺ sea corto (alguna vez leí que basta y sobra con catorce palabras);
- ☺ tenga una sola idea;
- ☺ sea pertinente (al caso y sin irse por las ramas), es preferible ofrecer varios mensajes cortos en días distintos;
- ☺ sea acorde a la edad y capacidad de comprensión del chico (a los seis años, por ejemplo, no entienden la ironía);
- ☺ sea realista: es inútil decir que el barro es asqueroso, si al chiquito le parece fascinante; reconozcamos que es muy divertido, pero ahora no puede jugar porque está vestido para ir al cumple de la abuela;
- ☺ se clarifique con ejemplos o imágenes lo más concretos posible: "A mí me habría gustado…", "cuando yo era chico…", "cuando tu hermana tenía tu edad…", "leí…", "escuché…", "me contaron…", "tenía un amigo que le pasaba…": esto permite hablar a la distancia necesaria para que no se llenen de ansiedad y nos puedan escuchar;
- ☺ no esté teñido o tergiversado por nuestro mundo interno: el miedo, la preocupación o la ansiedad (incluso a veces el enojo) sirven para ponernos en marcha, pero primero tenemos que elaborarlos a solas o con otro adulto y hablar recién cuando no sean parte principal del mensaje.

Además:
- ☺ esperemos a que esté en el foco de interés del chico (o armemos la situación para que lo esté), a que esté motivado;
- ☺ hablemos cuando se haya despejado la emoción intensa en nuestro hijo (no se puede hablar con alguien muy asustado o furioso, incluso muy triste);

🙂 comencemos sólo después de haber sintonizado, comprendido y sostenido el estado emocional de nuestro hijo.

Nuestros silencios también dicen cosas: cuando nos incomoda la pregunta, cuando evitamos un tema, cuando decimos que no pasa nada y en realidad sí pasa... informamos que hay cosas de las que no se habla y que no se preguntan.

Esto no significa contestar todo, pero sí ser claros en la respuesta: "Mamá está enojada; pero no es con vos, no te preocupes" o "Hay temas que a mamá le incomodan porque, cuando era chica, no se hablaba de estas cosas; igual vamos a charlarlo juntos".

Hablemos de lo que creemos o nos damos cuenta de que le está pasando al chico; eso también es formación: corta una llamada y el amigo le dijo que no viene mañana, hablemos de lo que nos parece que pasa por dentro de él, el enojo, la desilusión, el miedo de no ser elegido; sólo después podremos buscar una alternativa útil. Es importante que en estos casos hagamos hipótesis ("a mí me parece...", "yo creo...", "¿podría ser que...?"), y no teorías; que no hablemos con seguridad o certeza: "Estás celoso", o "te pasa porque estás cansado"; abiertos a que pueda no estar de acuerdo. No necesitamos preocuparnos ya que, si tenemos razón, aunque no lo acepte, nuestro mensaje le llega igual y va a comenzar a trabajar dentro de él. Y, si estamos equivocados, puede descartar nuestra hipótesis sin dudar de sí mismo.

Para practicar:
Veamos ejemplos de la vida diaria y:
1. pensemos cómo reaccionamos (cuáles sentimientos y pensamientos se despiertan en nosotros y cómo respondemos) en estas circunstancias: lo que hacemos realmente.
2. pensemos si se nos ocurre alguna otra manera de hacerlo (¿habría una solución más operativa, más eficaz, menos costosa?): lo que podríamos hacer.

Sofía (2) hace un escándalo en el supermercado cuando la mamá le dice que no puede comprar esas papas fritas que pide.

Mariana (10) quiere sacarse los deberes de encima y los hace de manera descuidada.

Josefina (8) contesta mal.

Martín (6) volcó la chocolatada por quinta vez en la semana.

A Marina (5) no le gusta lo que hay de comer.

Ezequiel (9) no quiere ir al colegio.

Juan (3) no se quiere ir a dormir porque mamá acaba de llegar.

¿Cómo se hace?

Como vimos en "Nuestras reacciones", primero nos ponemos en su lugar para comprender su reacción, estamos a tiempo para pensar antes de responder. Ponemos en nuestras palabras eso que comprendimos: "¡qué rabia te da que mamá haya llegado tan tarde!", "qué pena que la comida de hoy no es tu preferida", "¡ojalá pudiéramos comprar en el súper todo lo que queremos!"…

Y, si hace falta, fijamos nuestra posición con claridad: "No es forma de contestar", "esto es lo que hay de comer esta noche", "las tareas tenés que hacerlas", etc. Todas estas respuestas ayudan al hijo, sin comprometer su persona total; sin hacerlo sentir egoísta, desconsiderado, irresponsable, vago. Y dejan en claro que la mamá está entera; y no herida, por la respuesta o reacción del hijo, mientras es muy clara en la delimitación de la conducta.

Un último tema

Enseñar a través de preguntas más que discursos. Ellos así pueden encontrar su propia creatividad, talento y habilidades. Ya Sócrates trabajaba con la mayéutica (el arte de la partera): ayudaba a sus alumnos con sus preguntas a 'dar a luz' las verdades ya existentes en ellos.

Antes de hablar, preguntemos lo que saben o lo que se les ocurre a ellos. Las respuestas que ellos 'inventan' o descubren son para ellos más poderosas que las que les damos nosotros. Preguntar lo que saben sirve, también, para corroborar qué informaciones previas están bien adquiridas, y cuáles tenemos que volver a conversar y corregir.

Empezar con una o dos preguntas que nos permitan saber de qué estamos hablando puede evitar muchas dificultades. Una chiquita le preguntó a su mamá qué era abortar. Mientras la madre se desesperaba buscando en su cabeza una respuesta adecuada para la edad de su hija, se le ocurrió preguntarle de dónde había sacado esa palabra, a lo que su hija contestó: "Escuché en el noticiero que decían que abortó el despegue de una nave espacial por desperfectos técnicos...".

El idioma permite muchos errores de comprensión para los chiquitos. Desde el que se asusta porque su mamá perdió un bebé, porque tiene miedo de que lo pierdan a él, a un chiste que escuché hace poco: dos chicos conversan acerca de lo que van a hacer con la plata que les dejó el Ratón Pérez por sus dientes de leche. Uno piensa comprar figuritas para llenar su álbum, el otro le dice: "Compremos OB (protectores femeninos internos). Dice la televisión que con OB podés hacer lo que quieras, andar a caballo, meterte en el mar, escalar montañas...".

Queremos desesperadamente enseñarles, para evitarles el dolor y la frustración de cometer los mismos errores que cometimos nosotros. Cuando les preguntamos, para que ellos descubran o recuerden, van a poder apropiarse de sus respuestas.

Cambio de paradigma

Hay algunos temas que me gustaría destacar antes de pasar al capítulo de los hijos. Son cuestiones que nos permiten tener un nuevo paradigma, una nueva mirada, a veces simplemente una mirada más amplia. Este abordaje diferente implica una apertura de mente que le da otro sentido a algunos problemas de la vida diaria.

Hace años, cuando recién se empezaba a hablar del hemisferio izquierdo y derecho como distintos y complementarios para entender, había varios ejercicios que nos permitían ver lo cerrada que podía estar nuestra mente. Recuerdo uno en particular: había que unir nueve puntos en una hoja, trazando cuatro líneas rectas sin levantar el lápiz.

Nos devanábamos los sesos intentando resolverlo sin darnos cuenta de que la única forma de lograrlo era salirse afuera del espacio abarcado por esos nueve puntos y... pocos lo lograban sin ayuda. Casi todos insistíamos en intentarlo sin salirnos del área de los puntos, y nada en la consigna especificaba que no se podía hacer... Quedábamos 'atrapados'.

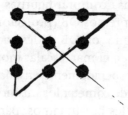

Estos temas son algo parecido. Los trabajo una y otra vez con los padres que vienen a consultarme. Cuando logran este cambio de paradigma, también pueden cambiar radicalmente su impresión con respecto a algunas actitudes, reacciones, conductas o palabras de sus hijos.

"El corazón tiene razones que la razón no conoce." Esta frase de Blas Pascal ya la citamos para encabezar uno de los apartados de este libro, y me parece que hace referencia al principal cambio de mirada: estamos acostumbrados a funcionar con la razón y el pensamiento, a hablar siempre desde ese lugar. Los chicos chiquitos hablan de lo que sienten y les lleva años tener un cerebro pensante y comprender la razón lógica; por lo que, muchas veces, hablamos con ellos en discursos paralelos (¡y sabemos que las paralelas no se tocan!). Nosotros, con las razones de la razón; y ellos, con las razones del corazón. Estas últimas son las emociones, los sentimientos: el miedo, la tristeza, el enojo, la inseguridad, la vergüenza, etc. También el entusiasmo, la alegría, el orgullo (por haber logrado algo) y muchas otras emociones supuestamente fáciles de aceptar y que a veces tratamos de 'apagar' en nuestros hijos con discursos porque nos pueden resultar agotadoras.

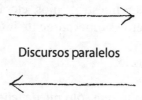

Discursos paralelos

CONSTRUCCIÓN DE UNA IMAGEN VALIOSA DE SÍ MISMO

Los chiquitos necesitan permanentemente ser bien mirados, reconocidos y valorados por el entorno; y buscan, a cada rato, que los confirmemos como valiosos: ¡mirá cómo salto!, ¡mirá cómo me tiro a la pileta! De esto se 'curan' a medida que van teniendo una buena autoestima, ¡no con discursos! No se puede evitar que lo pidan, y preocúpense si sus hijos no lo hacen. Muchas veces son pedidos exagerados, y hasta absurdos: que confirmemos que el auto de su papá es el más rápido del planeta, o que las galletitas que cocinaron son las más ricas que nunca hayamos probado. Esta grandiosidad que necesitan en ellos, o en su entorno, les permite sostenerse cuando, en realidad, se sienten muy poquita cosa, y débiles; y les da ánimo para ir viéndose capaces y un poco más fuertes cada día.

Cuando no lo logramos en la infancia quedamos varados, y se lo pedimos al entorno por el resto de nuestra vida. Es mucho más fácil obtenerlo cuando somos chicos, de papá o mamá. Esto no significa decirle a nuestro hijo que sí como a los locos, confirmando cualquier cosa. Podemos atenderlo y mirar o decir que ahora no podemos, con claridad; y después, acordarnos de pedirle que nos muestre. Aquí entran en consideración desde ganar juegos o carreras, a las destrezas de todo tipo, que lo ayudan a construir un yo fuerte y seguro de sí mismo.

Este pedido de confirmación va cediendo sólo a medida que ya no es tan necesario, aunque nunca desaparece del todo. A los adultos también nos gusta que nos reconozcan valiosos; por lo que somos, por lo que hacemos, por lo que poseemos, por lo bien que educamos a nuestros hijos, etc. Esta necesidad continúa toda la vida, pero es especialmente intensa en la infancia.

EGOCENTRISMO ≠ EGOÍSMO

Egoísta es el adulto que sólo puede tener en cuenta su punto de vista, porque no tiene resueltos temas de la infancia.

Los chicos son egocéntricos: creen que todo lo que ocurre tiene que ver con ellos. Por ejemplo: Marina cree que su papá tiene cara seria porque está enojado con ella, y no porque tuvo un problema en el trabajo; Julián supone que su mamá está triste porque no está contenta con él, y no se da cuenta de que está preocupada porque su propia mamá está enferma.

En la medida en que nosotros nos podemos poner en su lugar, y salimos para ello de nuestro propio egocentrismo, ellos van aprendiendo lo mismo (a no ser centro).

Es duro abandonar la posición egocéntrica, porque nos hace sentir muy poderosos, omnipotentes. Por otro lado, esta postura asusta; porque nos hace sentir responsables de demasiadas cosas, por lo que ¡es un alivio ir dejándola!

Entonces, los padres tenemos una doble tarea: comprender lo que le pasa y siente, mientras damos aclaraciones cortas; que le sirven para ir descubriendo, con dolor y con alivio, y con el correr del tiempo (años, no meses) que no es el ombligo del mundo, que no todo gira a su alrededor.

Esto no significa contarle todo, sino sólo lo que le pueda servir. Por ejemplo: ante la cara seria de mamá no le vamos a contar la pelea de pareja que acabamos de tener; sí, que a los papás les están pasando cosas de grandes que los tienen medio serios, y que no tienen nada que ver con él.

Los seres humanos repetimos la historia de la humanidad. Hace muchos años se creía que el sol giraba alrededor de la tierra, y fue un gigantesco cambio la revolución copernicana: descubrir y aceptar que la tierra giraba alrededor del sol. Esto fue posible con la madurez de la humanidad; de la misma manera, los chiquitos creen ser 'el ombligo de mundo'; o 'su majestad, el bebé', en palabras de Freud. Y sólo cuando crecen pueden aceptarse como uno más de los integrantes de nuestra comunidad humana. Antoine de Saint-Exupéry nos lo muestra poéticamente en el modo en que el Principito cuida a su rosa: le pone una campana para que el viento no la resfríe, o las orugas no la molesten. De la mano del Principito, de su reconocimiento y sus buenos cuidados, ella puede dejarlo ir, pedirle que le saque la campana, y abrirse al mundo ("es preciso que soporte dos o tres orugas si quiero conocer a las mariposas"). Nuestros hijos son como esa flor "de la que no existe más que un ejemplar entre los millones y millones de estrellas". Sólo cuando se hayan sabido únicos para nosotros, podrán aceptarse uno entre millones.

Comprender algo no significa estar de acuerdo. Este concepto nos permite 'abrir nuestra mente' para comprender casi todo (no me animo a decir todo, pero puede que lo sea) lo que nuestros hijos (y otras personas también) piensan, sienten, desean, imaginan, sueñan... Vale sentir: celos, deseos de venganza, ganas de robar, o de evitar responsabilidades, y muchas otras. Lo que muchas veces no se puede es **hacerlas**, y los padres estamos allí para enseñarles esa diferenciación: todo se puede **sentir**, pero algunas cosas no se pueden **hacer** (porque no son correctas, porque dañan a otro, porque están prohibidas, porque hacen mal, porque no es el momento, etc.). A medida que crecen, habrá también cosas que, por las mismas razones, no se pueden **decir**: vale sentir celos del hermanito menor; si es un bebé, puede que aceptemos que diga "¿y si lo regalamos?" u "¡ojalá se muera!" Pero, si el hermanito tiene cuatro años, ya no podemos tolerar que se lo diga, ¡aunque tampoco nos enojemos porque lo piensa! O porque nos lo dice a nosotros en privado como forma de descargar su enojo, celos o sensación de impotencia.

Otros conceptos clave (que implican un cambio de paradigma) que están desarrollados en otros capítulos:

☺ Todos sufrimos, no podemos evitar el dolor de nuestros hijos. Nuestra tarea de padres es acompañar el dolor y el sufrimiento, no hacerlo desaparecer.
☺ Para ser buenos padres no hay más remedio que ser vistos como malos, muchas veces, por nuestros hijos.
☺ Enojarse no significa dejar de querer. Más bien: nos enojamos porque los queremos; y ellos también se enojan con nosotros porque nos quieren. En este sentido, lo contrario al amor es la indiferencia, no el enojo.

DE HIJOS

DE HUUS

Descubriendo el mundo

Al nacer, el bebé duerme la mayor parte del tiempo; y se despierta y llora por diferentes necesidades: hambre, frío, incomodidad, necesidad de mimos, de contacto humano, o de los brazos de esa mamá que reconoce desde la panza por el ritmo de los latidos del corazón, o por esa particular y única manera de moverse. La mamá (a veces el papá) atiende sus necesidades y rápidamente aprende a distinguir una de otra, según las señales que le va dando el bebé. Así, el bebé va incorporándose a un mundo que entiende lo que le pasa, se ocupa de sus necesidades, lo mima, lo calma: un entorno seguro y confiable.

En la medida en que estas experiencias predominan en esos primeros meses de vida, **empieza a gestarse en él la confianza básica: esa callada certeza interna de la disponibilidad de su mamá** (aunque todavía no pueda reconocerla como un ser separado de él). 'Sabe' que sus necesidades van a ser reconocidas, interpretadas y atendidas. Y también que hay alguien que puede sostenerlo, consolarlo, ayudarlo a recuperar el equilibrio o la calma cuando los pierde; que sacia su hambre; que lo abriga o desabriga según sea necesario; que lo pone a dormir o juega con él. En síntesis, alguien que sabe lo que le pasa y actúa de acuerdo con ese saber. Las mamás van descubriendo las necesidades particulares de su bebé, y van aprendiendo a regularlo; y el mismo bebé va aprendiendo también a regularse. Esto no siempre es fácil de lograr (ya sea por dificultades del niño o de la madre); pero, en la mayoría de los casos, esta serena confianza se va gestando entre ambos desde el comienzo.

De esta manera, se va estableciendo un vínculo con la mamá que John Bowlby llama **apego seguro**. En este caso, como en muchos otros, se organizan esquemas circulares virtuosos; ya que una mamá que logra calmar a su bebé se siente tranquila y adquiere confianza en su rol de mamá; puede tolerar ratitos de llanto del bebé sin angustiarse (sin desesperarse y empezar a buscar soluciones por tanteo o ensayo y error) hasta que nuevamente logra calmarlo mirando dentro de ella y también al bebé, en busca de lo que le pasa.

En cambio, otros bebés lloran más (por cólicos, alergias, dolores, etc.) y llenan de ansiedad a la mamá, quien hace ensayos de cuidado (más que buscando 'saber' qué le pasa) y, cuando no funcionan, se pone más nerviosa e insegura. En este caso, madre e hijo pueden quedar en poco tiempo atrapados en este círculo vicioso de inseguridad y ansiedad. Lo mismo puede pasar con una mamá que se siente muy sola, o está levemente deprimida, o dolorida, o agobiada por el nacimiento del bebé y que, entonces, no logra 'decodificar' lo que le pasa y calmarlo; con lo que ambos pueden quedar también atrapados en ese mismo círculo.

La mayoría de las veces, tras los primeros días de nervios e inseguridad de una mamá primeriza, ambos se recuperan y logran una sintonía y una armonía que les permite entrar en ritmo.

Es muy distinta la experiencia de 'despertar' a un mundo sereno y satisfactorio que a uno lleno de ansiedad y llanto, o desolado. Círculo virtuoso que permite que, a medida que el bebé crece, se vayan confirmando la confianza básica y el apego seguro, que son la base de una buena imagen de sí mismo. Obviamente, entre ambos extremos estamos (o estuvimos) la mayoría de las madres, con momentos en los que aparecen uno u otro estilo de vínculos. El tema es cuál predomina en la crianza.

A partir de esas experiencias, el bebé internaliza padres que cuidan, aman, saben lo que él necesita; y, de a poquito, esos padres internalizados empiezan a hablar desde adentro; en el recuerdo de todas las veces que estuvieron, atendieron, supieron. Así, de a poco el chiquito va tomando esas funciones como propias.

A todos nos pasan cosas buenas y malas. Según sea nuestro estilo de apego destacaremos las experiencias positivas o negativas de nuestra vida; y no daremos importancia a las otras, porque no responden a nuestra idea de nosotros y del mundo. Este concepto me lo enseñó hace años el doctor José Valeros, a quien también le debo el esquema:

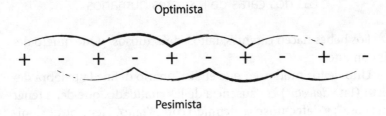

Optimista

Pesimista

¿Qué es un optimista?

Una persona que confía en el mundo y en la gente. Podemos relacionar su postura con un apego seguro o con adecuada confianza básica.

¿Qué es un pesimista?

El que no cree que las cosas vayan a salir bien, o que alguien lo va a ayudar, o que va a aparecer, o que se le va a ocurrir la solución. ¿No se parece esto acaso a una confianza básica no bien establecida, o a un vínculo de apego poco seguro?

Obviamente no hablo de optimistas negadores o maníacos, sino de una actitud confiada y positiva en el encuentro con la vida y con el otro ser humano.

También sé que ser pesimista es muchas veces ser realista; hablo de aquellas personas que siempre esperan lo peor porque, dentro de ellos, no hay bastantes recuerdos de experiencias suficientemente buenas que les permitan tener confianza o esperanza.

Esas experiencias 'suficientemente buenas' son un don que les podemos ofrecer a nuestros hijos, ya que su estilo de confianza y de apego teñirá su vida y sus relaciones. Funcionan como una fuente de calorcito en el alma, que nos permite sentirnos acompañados y transitar por la vida tranquilos.

Las dos caras de los seres humanos

Los bebés nacen carentes, faltos, defectuosos. ¿Qué quiero decir con esto?

Uno de los modos en que el diccionario define la palabra **defecto** (lat.: *defectus*) es "ausencia de las cualidades que debe tener una cosa"; y **defectuoso** es definido como 'falto'. Tiene otros significados, pero éste es el que me interesa en relación con los bebés.

Por lo tanto, **el bebé nace 'defectuoso', falto de... amor y cuidados.** No puede percibir más que sus propias necesidades; ni hacer ninguna otra cosa más que reclamar con sus escasos recursos. En cuanto se siente pleno, se duerme; y se despierta ante la emergencia de un nuevo estado de necesidad o salida de equilibrio: hambre, contacto físico, mimos, seguridad, frío, incomodidad. Cada vez que pide, aparece (mágicamente para él; incluso cree que él lo inventa, según nos enseña Donald Winnicott) alguien que se ocupa y sabe lo que necesita; lo alimenta, lo cambia, lo arropa, le conversa, lo mima, juega con él; y así va llenando al bebé de amor y cuidados que lo van colmando hasta que, de a poco, él tendrá algo para ofrecer a otros.

Esto significa que **las virtudes aparecen en el niño a través de un proceso de llenado:** cuando he recibido suficiente amor, tengo amor para dar; cuando han sido generosos conmigo el tiempo suficiente, puedo ser generoso; cuando otros han compartido su vida y sus cosas conmigo, puedo empezar a concebir compartir mis cosas con otros. Así como el grano de arena es indispensable para que la ostra produzca la perla, el defecto es indispensable para la aparición de la virtud.

Esto nos permite concebir la educación de un modo distinto al tradicional: antes se pensaba que había que erradicar (sacar de raíz) los defectos, con castigos, con amenazas de pérdida del amor de los padres, haciendo sentir culpables a los hijos y con otros modos, muy eficaces, para hacer desaparecer de la superficie el egoísmo, la gula, la codicia, la ira, la envidia, etc. El problema es que quedaban en nuestro interior. Más o menos conscientemente sabíamos que estos defectos eran nuestros. Aunque el mundo nos adorara por buenos, responsables, trabajadores, amorosos, sabíamos que había otro yo negado, reprimido, disociado; que el mundo se engañaba o lo engañábamos; que allá, en el fondo, no éramos tan buenos... Es decir, que no servían esos métodos para erradicar de verdad esos defectos, sólo desaparecían de la superficie.

Muchos adultos nos hemos ido encontrando con ese otro yo tan rechazado, a veces a partir de una psicoterapia y otras, simplemente, en las vueltas de la vida. Y volvimos a rechazarlo o, si tuvimos el coraje y el permiso interno y/o externo para intentarlo, aprendimos a conocerlo, quererlo, y aceptarlo como una parte valiosa de nosotros mismos. Y descubrimos que, pese a lo que temimos durante largos años, **esos aspectos propios (antes rechazados por nosotros mismos) no nos convierten en monstruosos o egoístas, sino sólo en profundamente humanos, conectados con todo nuestro ser, y mucho más capaces de tomar decisiones que nos permitan sentirnos buenas personas en lugar de farsantes.**

Negar, reprimir, disociar, racionalizar, inhibir (y algunos otros) son mecanismos (la mayoría de las veces inconscientes) que consumen nuestra energía. Imaginemos que intentamos mantener un gato en un baúl: salvo que lo encerremos con llave (lo que no podemos hacer con nuestro mundo interno), tendremos que sostener la tapa para que el gato no se escape. Así estamos los seres humanos cuando mantenemos las emociones 'no autorizadas' fuera de la conciencia, con una buena parte de nuestra persona ocupada en que la emoción (el gato) no aparezca.

Además, aquello que reprimimos, negamos o disociamos es, en sí, una fuente de energía importante que deja de estar disponible: si mi hijo se enoja conmigo porque no le doy más dinero (ya gastó su 'semanalidad') y se pierde un buen programa con sus amigos, puede, con ese enojo bien canalizado, pegarle muy fuerte a la pelota (a la que seguramente le puso mi cara), o hacer un buen plan de trabajo para suplementar su semanalidad, incluso rever qué hizo esa semana con su plata para no repetir el error. Del mismo modo, si estoy molesta con mi marido, una buena canalización de esa energía puede permitirme barrer la terraza en tiempo record. O si tengo claro lo que siento cuando en un negocio una persona solicita ser atendida y es mi turno, puedo defenderme de buena manera. Esto, que es tan claro con el enojo, también ocurre con otras emociones: saber y tolerar que experimento miedo, o tristeza, o vergüenza, o celos, o pereza, es como tener todas las cartas a la vista antes de decidir una jugada. Los mecanismos de los que hablamos son equivalentes a tener algunas cartas tapadas: probablemente nos equivoquemos al decidir qué hacer.

Una razón muy importante para conectarnos con esa mitad 'no aceptable' de nuestra persona: no podemos reprimir sólo las emociones negativas, cuando lo hacemos también se van con ellas el entusiasmo, la alegría, el amor... Sentir a pleno implica sacar la 'sordina' (pedal del piano que apaga el sonido para practicar sin molestar a otra gente) y conectarnos con todas nuestras emociones.

También nos puede costar conectarnos con emociones aparentemente positivas como el entusiasmo, la alegría, el orgullo por algún logro, si cuando fuimos chicos tampoco eran bien vistas esas expresiones de emociones o sentimientos en nuestras casas.

Cuando, por ejemplo, una amiga me dice que le gustan mis zapatos, sin pensarlo le respondo "son viejitos", o "los compré muy baratos en una liquidación", en lugar de decir simplemente "¡gracias!". Los mismos chicos, apenas crecen, empiezan a decirse unos a otros; "¡te creés mil!", o "¡no seas agrandado!" copiando aquello que probablemente les dijimos los padres en otras oportunidades.

Son respuestas automáticas de toda la vida, vale la pena revisarlas para poder empezar (si fuera el caso) a reírnos a carcajadas, entusiasmarnos con nuestros logros, disfrutarnos a nosotros mismos; así podremos hacer lo mismo con nuestros hijos y habilitarlos para que ellos también sientan 'permiso' de sentir estas emociones positivas.

Resumiendo: cuando nos amigamos con nuestra emocionalidad completa, tenemos disponible la energía que antes usábamos para reprimir y, también, la energía de lo reprimido; evitamos el 'gasto' de mantener fuera de la conciencia aspectos de nuestra verdadera identidad; y recuperamos la energía de aquello que antes negábamos o reprimíamos y se desperdiciaba al hacerlo desaparecer de la conciencia.

Veamos un ejemplo: Martina (4) está muy enojada con su mamá porque se ocupa del bebé recién nacido y no tiene tiempo para ella. Si se anima y percibe en el ambiente que tiene permiso de sentirlo, puede decírselo a su mamá, o jugar con un muñeco a la mamá para descargar su enojo, o cuidar a ese muñeco como le gustaría que la cuidaran a ella. Si no puede conectarse con lo que siente, va a gastar mucha energía en reprimirlo o en negarlo ("adoro a mi hermanito", "me encanta cuidarlo"), o en racionalizar ("es chiquito, no puede solo, mi mamá lo tiene que atender primero"); y, además, probablemente tenga actos fallidos ("golpeé al bebé... sin querer"), o síntomas (miedos, tristeza excesiva, volver a hacerse pis en la cama), ¡y mucha culpa inconsciente!

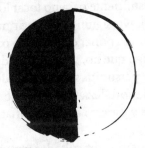

Todos, los más chiquitos también, como la luna, tenemos un lado oscuro y uno luminoso. No se puede concebir uno sin el otro. Para que podamos conocer la luz, tiene que existir la oscuridad; del mismo modo, **para que podamos ser generosos, tenemos que aceptar y trascender nuestro egoísmo, no eliminarlo.**

Como padres esta concepción implica llenar a nuestro hijo con nuestras virtudes: amarlo, atenderlo, tenerle paciencia, respetarlo, enseñarle, ser generosos, buenos, justos, serviciales, veraces con él. Al hacerlo, estaremos siendo ejemplo, modelo (ya vimos que las investigaciones dicen que más del 80% de la educación se da por los gestos y actitudes); y estaremos, también, llenando su persona de amor hasta que, **cuando se sienta colmado, él mismo tendrá amor para dar, desde el fondo de su verdadero ser; y no por miedo a perder el amor de los padres.**

No se trata de permitir cualquier cosa: como ya dijimos, si mi hijito de tres años no le quiere prestar su tractor al primo, guardamos el tractor; pero no nos enojamos con él porque es egoísta; ya que, en realidad, es chiquito y todavía no le es fácil compartir sus tesoros. Al tercer juguete que guardemos en el ropero, seguramente va a reconsiderar su teoría y empezará a prestarle sus cosas; por su decisión, no por enojo, imposición o desilusión de mamá.

Si los caramelos son para todos, no se los doy a mi hijita de dos años para que los reparta; con un criterio más realista, los reparto yo y evito enojarme.

Si no quiero que mi varón de tres años le saque los lápices de colores a su hermana mayor, los guardo fuera de su alcance hasta que tenga la madurez suficiente para no tocar lo que no es suyo (y le falta mucho para eso). No significa no decir nada. Evidentemente, cuando veo que se lanza (a poner el banquito para alcanzar el estante de los lápices), le digo que no, y me ocupo de que no los toque.

A medida que su personita se va llenando con el amor recibido y va creciendo la fortaleza de su yo, de a poquito, aprende a tolerar frustraciones y esperas con la confianza de que las cosas un día van a llegar.

Muchos padres tenemos dificultades para tolerar nuestro lado oscuro; y, más todavía, para mostrárselo a nuestros hijos. El mejor regalo que podemos hacerles es amigarnos con nuestra persona completa para, luego, permitir que nuestros hijos también lo hagan. **Aceptarlo no significa realizarlo**: saber que, por momentos, me gustaría tener más dinero, o vivir de rentas, no significa que salga a robar; sino que, simplemente, me lleva a aceptarme y a quererme, sin negar o reprimir; tolerando deseos que no le hacen mal a nadie. Y, gracias a ello, sin obligar también a mis hijos a negar y reprimir estos aspectos. A ellos les hace bien saber que mamá, a veces, siente celos de su hermano; o que papá algunos días no tiene ganas de ir a trabajar.

Lo mismo haremos con nuestros hijos: aceptar los aspectos **luminosos (más fácil habitualmente) y oscuros (no tan fácil) de su mundo interno, mientras regulamos su conducta.** Es muy distinto abrazar y acompañar el dolor de mi hijito porque su primo acaba de recibir una bicicleta fabulosa de regalo, que tratar de convencerlo de que ese sentimiento es equivocado. ¡Y esto tampoco significa salir a buscar una bicicleta igual o mejor!

¿Cuánto tiempo lleva este proceso?

Toda la vida. Pero hay momentos en los que podemos vislumbrar esta construcción: cuando el bebé nos ofrece su chupete como un tesoro fabuloso; cuando la chiquita de un año en la plaza ve llorar a otra y le quiere dar su juguete; cuando a los dos años hacen mimos a sus muñecos o los ponen a dormir; cuando, con esfuerzo de madres y maestras, a los tres pueden empezar a compartir algún juguete, aunque sea sólo un ratito.

A partir de los cinco años, con la aparición del superyo (o conciencia moral, o deber ser, o progenitor internalizado, distintos nombres para este concepto), se consolida una parte significativa de este proceso: es entonces cuando ya empiezan a distinguir bien y mal, mentira y verdad, lo mío y lo ajeno; aunque todavía se borroneen estas fronteras cuando el estímulo es demasiado atractivo: el alfajor demasiado rico para dejarlo, o la Barbie demasiado linda para devolvérsela a su dueña. En los años de latencia (6 a 11) y en la adolescencia temprana (12 a 15), se confirman estos desarrollos de un modo concreto y, luego, en la adolescencia tardía, a partir de los 16, se confirman de un modo más general y abstracto.

¿Y si sigue soberbio de grande?

Cuando un adulto es soberbio, pese a lo que podríamos pensar, no lo es porque sus papás lo hicieron sentir superior, sino que sigue, infructuosamente, intentando que alguien lo perciba como valioso y así repare su autoestima sin darse cuenta de que, en la adultez, ése ya no es el camino. Lo mismo ocurre con aquellos que consideramos egoístas, avaros, envidiosos, iracundos: tienen un mundo interno 'con agujeros' de cuidados; por lo que, como los bebés, siguen exigiendo lo que hoy ya nadie les puede dar (por lo menos si lo piden de ese modo). Hay un dicho español muy gráfico para ejemplificar este tema: "Dime de qué alardeas y te diré de qué careces".

Los chiquitos dicen: "Mi papá tiene más fuerza que Superman", "Mi papá se va a comprar un Audi", "Mi casa es un castillo", "En mi campo hay un millón de conejos"; o dicen "tengo más fuerza que vos", o "yo me sé todas las tomas de judo". Entendamos que, cuando ellos exageran o falsean la realidad de este modo, están mostrando sus carencias; y no nos asustemos. **Veámoslo como señal de zonas de inmadurez o inseguridad a seguir 'llenando'**, y los ayudaremos a convertirse en personas felices, contentas de ser quienes son, sin verse forzados a reprimir deseos o pensamientos por creerlos rechazables. De todos modos este alardeo es habitual y esperable en los chicos de cuatro y cinco años, quienes ya empiezan a percibir ciertos datos del mundo real y no toleran que lo suyo no sea lo mejor: la mamá más linda, el papá más fuerte, la bicicleta más rápida, la computadora más potente, etc., continúa hasta que ellos descubren que valen por sí mismos y no por los objetos que poseen o las habilidades propias o de sus padres. ¡Y esto lleva mucho tiempo!

Acompañemos sin miedo a nuestros hijos hasta que, colmados por el amor, el modelo y los cuidados recibidos, puedan convertirse en personas confiadas, buenas, generosas, respetuosas, pacientes, seguras, humildes, responsables, y todas aquellas otras virtudes que deseamos para ellos.

Más allá de la religión que profesemos, o aunque no profesemos ninguna, cabe aquí el mensaje 'nuevo' (nuevo en ese momento para el pueblo judío) de Jesús que tiene más de dos mil años: "Ama al prójimo como a ti mismo" (Marcos 12, 31) y "ámense los unos a los otros como yo los he amado" (Juan 13, 24). **Para que nuestros hijos puedan amar a otro, antes tienen** que amarse mucho a sí mismos; y, para que esto sea posible, tienen que haber sido y haberse sentido y sabido muy amados por sus padres en sus personas completas, en sus aspectos oscuros y también en los luminosos.

Reconocer a mamá

Entre los seis y los nueve meses aparece, en los bebés, lo que René Spitz llamó 'la angustia del octavo mes'. El bebé se angustia porque ya puede reconocer a la madre y se da cuenta cuando ella se va. En ese momento, cree que la pierde y llora.

Antes de esa edad ya era capaz de 'saber' intuitivamente y se calmaba mejor y más rápido en sus brazos que en otros, al reconocer su olor, su modo particular de hablarle, su tono de voz, la forma de moverse o el estilo de tenerlo alzado. Pero en esta etapa todos estos datos juntos se organizan en su interior como "esa persona que atiende y calma mis ansiedades, me cuida, me mima, me alimenta" (o sea 'mi mamá' aunque falte mucho para que pueda nombrarla); y se angustia o se enoja cuando la pierde de vista.

No es una época fácil, ya que el bebé está mucho tiempo despierto. Ya se sienta solo y empieza a gatear, pero no tiene muchas posibilidades de entretenerse por su propia cuenta. La inmadurez de su sistema motriz todavía no se lo permite y esta 'conciencia de la ausencia' de la mamá lo abruma; por lo que pide, a cada momento, que lo alcen. Requiere constantemente la presencia de la mamá para que le converse, le juegue, lo entretenga.

A esta edad, el bebé grita apenas la madre se va del alcance de su vista; y no lo consuela que le hable desde el cuarto de al lado. Acaba de descubrir que ella existe como persona; pero todavía no sabe que existe aunque él no la vea; por lo que se asusta mucho cuando deja de verla.

De a poquito vemos cómo al gatear, y después, al pararse y caminar, es el mismo bebé el que se va a ir alejando de la mamá sin angustiarse, pudiendo desandar ese camino en cuanto le hace falta. Al principio necesita estar en el mismo cuarto y verla; en esas condiciones puede volver a interesarse, de a ratitos, en otras cosas; sin mirarla, pero escuchando los ruidos que le confirmen su presencia.

Lentamente se va armando adentro del bebé lo que llamamos la 'madre internalizada', que le permite evocar a la madre que no está, sabiendo que existe más allá de su presencia física.

Al año él sale de la cocina, por ejemplo, dejando a la mamá ahí; se hablan sin verse, confirmando mutuamente su existencia hasta que, en un momento, el chiquito necesita de nuevo verla y tocarla; por lo que, si puede, vuelve a la cocina y, si no, se pone a llorar reclamando su presencia.

Durante ratitos cada vez más largos, podrá estar lejos de la mamá; y le bastará llamarla y que ella le responda de lejos. Es decir que, en circunstancias ideales, es el bebé el que se va alejando de una mamá que está ahí disponible. **Esta confianza en la presencia de la mamá le permite alejarse y también interesarse por otras cosas, personas, el mundo en general.**

Esto tiene enormes consecuencias en el modo en que se relacionará con otras personas cuando vaya creciendo, repitiendo lo que ocurrió con su mamá. También influirá notablemente en su interés en conocer y descubrir el mundo que lo rodea; ya que, si no la siente ahí, segura como el peñón de Gibraltar, presente, disponible, encandilada con él, aunque sea de a ratos, es difícil que mire 'más allá de su mamá'. Y, en cambio, probablemente se pase el tiempo buscándola, o viva con miedo de perderla, o se defienda de la ansiedad que esto le produce desinteresándose de ella y/o del entorno. Habrá algún chiquito que fluctúe entre la desesperada necesidad de tenerla cerca, y el enojo y el dolor que le producen los fallos maternos. Esto lo llevará a acercarse y alejarse de ella en ciclos de aproximación y rechazo, muy dolorosos para ambos. Y le impedirá vivir su vida, aprender; e, incluso, jugar.

A veces se arma un esquema circular: la mamá, cansada de que el chiquito (ya de dos, tres o cuatro años, incluso mayor) esté siempre sobre ella, se aleja o se va, sin decirle nada, para que no haga escándalo. Esto le confirma al hijo su necesidad de vigilancia permanente, y la imposibilidad de tener una vida propia más allá de estar pegadito a ella.

Si ella puede comprender esto, puede volver a ofrecerle un tiempo para 'curar' al hijo de su miedo a perderla. Con un poco más de presencia y disponibilidad, avisándole cuando se va (incluso al baño), hasta que se alivie y él empiece a alejarse de nuevo (o por primera vez).

A veces ocurre que van juntos a un lugar desconocido, ruidoso, o lleno de gente. El hijo se asusta y, cuanto más quiere la mamá convencerlo de que vaya (por ejemplo) con la animadora del cumpleaños, más se pega a ella. Se da cuenta de que ella no está contenta, y que espera que se aleje. Pero no puede evitarlo, y se pega más, porque percibe su enojo y su rechazo. Aunque se pierda alguna animación fabulosa, aunque la mamá no aproveche la charla con sus cuñadas o amigas, vale la pena dejar que se quede con ella, porque gana confianza en sí mismo y en el vínculo con ella. Y probablemente, desde ese lugar seguro, el regazo de mamá, probablemente mire la animación del cumpleaños, y hasta puede, al ratito (aunque quizá no la primera vez que mamá le permita quedarse ahí sin enojarse ella) bajarse de la falda de mamá y acercarse a mirar, incluso participar con los demás invitados.

Del mismo modo, chicos un poco más grandes se 'cuelgan' de sus padres con un abrazo que no termina. Cuando los grandes los apartan de sí, sin querer alimentan su miedo al rechazo. Si, en cambio, pudieran aceptar ese abrazo y sostenerlo un ratito, el chico se iría muy contento a hacer otra cosa, habiendo confirmado la disponibilidad de su papá o mamá. Podemos estar tranquilos de que se van a alejar, no es divertido estar todo el día junto a mamá. Lo hacen sólo cuando tienen miedo de perderla, o se sienten rechazados.

En esta cuestión, como en muchas otras, los chicos avanzan y retroceden: por cuestiones internas o externas pueden volver a pasar temporadas en las que los angustie mucho que ella salga, o que la tengan que llamar varias veces a la noche cuando están en la cama. Salvo que se prolongue mucho tiempo, o que implique un sufrimiento importante, basta tolerar estas 'regresiones' con confianza de que, una vez que hayan recuperado sus fuerzas, ellos van a superar la situación. En cambio, nuestro enojo o incomodidad pueden fijar el problema; ya que, al sentir el hijo que no es bien recibido de vuelta en los brazos de mamá, elige quedarse, y no arriesgarse a volver a salir, por si acaso. Y éste es otro de los círculos viciosos (o siniestros) fáciles de evitar. Basta con confiar que nuestro hijo va a volver a 'soltarnos' si dejamos que se quede un ratito cerca de nosotros.

Nuestra cultura fomenta por demás la independencia; y, en muchos casos, no da tiempo a que los chicos se vayan separando de sus padres a su propio y personal ritmo.

A una mamá que hoy ya es bisabuela, le preguntaron un día: "¿Y esa nena?" (hablando de su hijita de cuatro o cinco años que se aferraba a su pollera), ella respondió: "¿Quién, ésta?; ¡me la pongo a la mañana y me la saco a la noche!". Hoy esto sería inconcebible. Padres, jardín de infantes, pediatra, estarían muy preocupados por esa chiquita que, quizás, simplemente necesitaba un rato más junto a mamá.

Después de un tiempo, cerca de los cuatro años, al lograr una imagen internalizada de mamá y papá, aparece lo que los psicopedagogos llaman 'constancia objetal', que ayuda mucho en este despegue de los padres. Pero ese tema queda para otro capítulo.

Hablo en este apartado de una mamá que está en su casa criando sus hijos, lo que en condiciones ideales debería suceder por lo menos durante el primer año de vida de los chicos. En el caso de que la madre trabaje fuera de casa varias horas por día el proceso principal de todos modos ocurrirá en relación con la mamá, pero muchas de estas situaciones se darán también con la persona que queda a cargo del bebé durante esas horas; es importante que la transición, de manos de la mamá a quien lo cuide, sea gradual y respete los tiempos y necesidades del bebé, y que la mamá elija con cuidado a la persona de modo de poder dejar a su bebé confiada y tranquila.

Los "terribles" dos años

Como ya vimos, le lleva mucho tiempo al bebé descubrir que él **es** (en realidad a lo largo de toda la vida seguimos descubriendo aspectos propios que nos diferencian de los demás).

Ese largo proceso de separación-individuación (así lo llamó Margaret Mahler) incluye dos aspectos distintos: la conciencia del niño de ser una persona separada de la madre (separación), y la adquisición de una individualidad distinta y única (individuación). Aunque comienza cuando el bebé tiene pocos meses, irrumpe con mucha intensidad a los dos años, cuando de golpe comprende que él y su mamá no son una sola sino dos personas separadas, y que ella está fuera de él.

Surgen entonces dos temas complementarios: por un lado se da cuenta de que puede pensar por su cuenta, opinar sobre todos los temas, especialmente decir muchas veces 'no'. Ni siquiera importa la cuestión, ni el final; lo que interesa es comprobar que él piensa y desea una cosa y la mamá otra... y sobreviven los dos; ninguno queda destruido, ni irremediablemente dañado; y se siguen eligiendo y queriendo.

Esta búsqueda y descubrimiento de una identidad propia hace de los dos años una etapa difícil, llena de batallas por el poder, de pataletas, de gritos, empujones, patadas y mordidas. El chiquito se siente fuerte, poderoso y dueño de su destino... Y se encuentra con otras personas ¡que no están muy de acuerdo con sus decisiones!; y que, además, tienen más fuerza que él y, muchas veces, le impiden realizar sus planes.

Tan poco importa el tema que, por un instante, quiere que lo lleve papá a la cama y, a los treinta segundos, tiene que ser mamá... y no pasó nada que lo justifique, más que una enorme necesidad del hijo de pensar a 'su' manera; desear, pedir, exigir y ver qué pasa. Del mismo modo, no quiere helado de frutilla; y al minuto hace un escándalo porque quiere el del hermano (de frutilla), ¡y no le interesa el de limón que pidió!

El segundo tema es que, paralelamente, por el mismo motivo de reconocerse separado de la madre, aparecen los miedos:

a la oscuridad, a estar solo, al agua, a los truenos, a la altura, a los animales o a los bichos; y muchos otros, que surgen ante la comprensión de que están solos, que mamá no está siempre ahí, disponible para protegerlo.

Paradójicamente, el hecho de la separación-individuación lo hace sentir muy fuerte y muy débil al mismo tiempo. La tozudez y los empaques son 'la otra cara' de los miedos. En la medida en que se vaya sintiendo fuerte y capaz (de verdad), en que el mundo le resulte menos amenazante o terrorífico, irá necesitando cada vez menos transformarse en ese tirano omnipotente que quiere hacer lo que quiere (también cuando, porque, donde y como quiere), para olvidarse por un rato de lo chiquito, solo y asustado que se siente otras veces.

Lentamente internaliza a sus padres, que le dan fuerza y confianza. También confirma la incondicionalidad de su amor, ya que le muestran que lo quieren igual, aunque patalee o intente ir a contramano del resto de la familia.

Este proceso lleva alrededor de un año. Empieza a los dos años (a veces antes), y empezamos a ver que cede alrededor de los tres (a veces más tarde). De a poquito notamos que nos escuchan, y que alguna vez hacen caso a lo que les decimos. Son señales de que lo peor pasó, y de que empieza una nueva etapa: que ellos acepten, con dolor, que no son "su majestad el bebé" sino simples integrantes de esta gran familia humana.

Una aclaración: no todos los chiquitos pasan por esta etapa con tanta intensidad. Los primeros hijos no tienen competidores en el amor de sus padres ni tienen de quien 'aprender' esas reacciones por lo que esta etapa puede pasar desapercibida (y los padres podemos creer que es mérito de nuestra esmerada educación, y descubrir la realidad con el segundo). Cuando alguno de nuestros hijos pasa por estos 'terribles dos' muy intensos, puede que no notemos la separación-individuación del hermano que le sigue, no suele haber espacio emocional en la casa para dos 'berrinchudos' a la vez. Ya veremos un poco más adelante que los chicos tienden a complementarse con sus hermanos, esto se ve en los mellizos de esta edad: uno probablemente se muestre más reflexivo y pensante y el otro más de acción y pataletas.

Modos de funcionamiento paralelos

En cuanto tienen edad para ello (cuatro o cinco años), en nuestros hijos empiezan a convivir dos modos de 'ser': uno infantil y otro maduro.

El modo de ser maduro es fruto de todo aquello que aprendieron e internalizaron. Cuando están en ese estado pueden razonar, entender, se manejan con buen criterio de realidad, respetan los tiempos y los espacios ajenos, conocen y reconocen al otro como un ser con existencia propia y con derechos; conocen el mundo y sus reglas y se manejan de acuerdo con ellas.

Veamos un ejemplo: Marina (6) forma fila cuando llega al colegio, entra a la clase cuando se lo indica la maestra, se sienta en su lugar y pone la mochila debajo de su banco, puede esperar su turno para hablar en la clase.

Pero… Marina vuelve a casa, cansada de ser 'grande', y deja la mochila tirada en la entrada, le contesta mal a la mamá, empuja al hermanito, no le vienen bien las galletitas que hay en la mesa para el té. Éste es el modo de ser infantil, *baby self* lo llama Anthony Wolf. ¿Cómo funciona ese *baby self*? No puede esperar, es egocéntrico y sólo se tiene en cuenta a sí mismo y a sus necesidades; se mueve por el principio de placer, y no tiene en cuenta el de realidad; no respeta tiempos o espacios ajenos; no reconoce la palabra 'no' (en boca del otro, porque ella no deja de decirla); no respeta las reglas del mundo; no razona, no entiende, se frustra con facilidad, no tolera esforzarse ni esperar…

¿QUÉ SIGNIFICA ESTO?

Las mamás tienden a creer que es su culpa, que todas las otras personas saben llevar mejor a su hija que ella; la maestra es 'mejor' educadora que ella; además, la abuela sonríe diciendo: "Cuando viene a casa de visita, se porta como una señorita"; el papá también sospecha que la mamá es demasiado 'floja', que no tiene autoridad, porque a él no le hace esas escenas.

Los chiquitos 'cargan sus baterías' con el amor incondicional de su mamá. Con ella se animan a mostrar sus necesidades, a exigir; y, con esas 'baterías emocionales' cargadas, pueden salir al mundo a portarse bien, como grandes. Si Marina se quedara dos o tres días a dormir en lo de la abuela, o si la mamá se fuera de viaje, tanto la abuela como el papá descubrirían ese modo de ser infantil; ya que, en algún momento, se le acabaría la energía para hacer las cosas bien, y haría de a ratos las cosas como las hace con su mamá.

Nos guste o no, ese funcionamiento infantil, que casi todos los chicos tienen con su mamá, es una 'prueba de amor'; prueba de que se sienten queridos incondicionalmente por ella, de que saben que pueden mostrarle sus desprolijidades, todo su ser completo, sin miedo a ser rechazados. Este concepto no significa que las madres tengamos que tolerar cualquier conducta, pero nos permite sonreír cuando vemos que en el colegio comen de todo y en casa nada les viene bien; o que en la casa de los amigos ayudan, se hacen la cama, y en casa es una batalla lograr que pongan la mesa o que dejen el baño mínimamente ordenado después de bañarse.

Si queremos saber cómo van a ser nuestros hijos en el futuro, miremos cómo se manejan en el mundo. Funcionar en casa, de a ratos, con su *baby self* es un lujo que pueden darse mientras son chicos y tienen una mamá que se sigue haciendo cargo de repetir: "Llevá la mochila a tu cuarto", "Prepará el uniforme para mañana", "No le pegues a tu hermanito". **Son muchas las horas del día en que ellos tienen que funcionar como grandes. Es un respiro tener una casa y una mamá, puertos seguros para descansar por un rato y funcionar como chiquitos.**

EL *BABY SELF* PERDURA TODA LA VIDA

El modo infantil (o *baby self*) perdura toda la vida. Nos permite disfrutar, hacer aquellas cosas que no son útiles, o no dan dinero, reírnos a carcajadas, mirar la luna llena, jugar, tomar sol, estar plenamente presentes en el ahora, hacer aquellas cosas que nos dan placer. También subir a la calesita con la excusa de que nuestro hijo/nieto es chiquito y se puede caer, hamacarnos, tomar un helado sin cucharita, 'lambeteándolo' por todos lados para que no gotee, dar vueltas carnero, darnos un largo baño de inmersión, quedarnos un rato largo bajo la ducha sin hacer nada, o caminar descalzos...

Muchos adultos hemos olvidado/reprimido esta manera de ser, y nos mostramos eficientes, no perdemos el tiempo, somos lógicos y razonables, sabemos esperar, y nos cuesta muchísimo tolerar estos aspectos infantiles en nuestros hijos (y en otras personas). También nos cuesta entusiasmarnos, soñar, jugar; aprendimos a ser 'grandes' y encerramos a nuestro 'niño' bajo siete llaves. Además, cuando de todos modos sentimos emociones (para nosotros) infantiles, tales como celos, frustración, ira, gastamos grandes cantidades de energía en encontrar 'razones razonables' para eso que sentimos, en lugar de simplemente aceptarlo como humano.

Es vital mantener o recuperar esta modalidad infantil en nuestras vidas. En primer lugar, por nosotros mismos. Además, nos permite tolerarla mejor en nuestros hijos; podemos ser modelo para ellos al estar cómodos con ella; nos permite relajarnos, disfrutar, soñar... acercarnos un poco más a ser felices.

La fortaleza del yo

Podríamos decir que, en cada persona, conviven tres 'personajes'. Freud los llama: **ello**, **yo** y **superyo** (en la vida diaria llamamos conciencia moral al **superyo**). El análisis transaccional los denomina: niño, adulto y padre.

El **ello** (o niño) se rige por el principio de placer; no tiene noción de tiempo, no puede esperar, ni frustrarse. Todo es 'yo, me, mi, conmigo' y 'ya'. El bebé, al nacer, es puro **ello** y, de a poco, va diferenciándose, en él, el **yo** (o adulto); que tiene criterio de realidad, maneja los tiempos y tiene en cuenta al otro, en la medida en que va teniendo los recursos necesarios para hacerlo.

Alrededor de los cinco años aparece el **superyo** (o padre), como una diferenciación del **yo**, que se forma con la internalización de pautas de los padres que desde allí en adelante rigen cuando uno está solo y/o toma sus propias decisiones. En el **superyo** pueden predominar las internalizaciones protectoras, que dan fuerza y ánimo a la persona, que toleran las equivocaciones, que permiten aceptar los errores como parte del aprendizaje, que tienen paciencia con ella, etc. O (lamentablemente) pueden predominar las internalizaciones sancionadoras, del tipo: 'torpe', 'no sabés nada', 'irresponsable', 'inútil'; el estilo de ellas estará determinado por el tipo de interacciones que hayan prevalecido en nuestra infancia. En todos los seres humanos existen ambas. Uno de los grandes regalos que podemos hacer a nuestros hijos son internalizaciones predominantemente protectoras, ya que los acompañarán por el resto de sus vidas 'tiñendo' la forma en que se miren y evalúen a sí mismos.

Es el **yo/adulto** el que se abre al mundo y vive, ama, crea, aprende, juega, interactúa con otros, etc.; mientras, en su interior, se ocupa de conciliar y resolver los conflictos que se producen entre los deseos de su **ello/niño** y los mandatos de su **superyo/padre**. Cuanto más fuerte sea el **yo** y mejores recursos tenga, mejor resolverá los conflictos intrapsíquicos que se le presenten a diario; y estará en mejores condiciones para enfrentar los desafíos y, también, los contratiempos del mundo externo, con adecuada flexibilidad, adaptándose sin quebrarse ni rendirse. Esta capacidad de adaptación, como nos enseña Jean Piaget, tiene una doble vía: hacer modificaciones en él mismo, y también hacer cambios en el medio.

Un **yo** fuerte se anima a probar, enfrentar, intentar, pelear por lo que quiere; tiene esperanza; confía en que va a lograr algo, o se anima a tolerar el dolor cuando no lo hace, y se recupera con mayor facilidad cuando fracasa. Un **yo** débil no confía en sí mismo, se ocupa más de aguantar, sobrevivir, sobrellevar, que de 'hacer'; se acomoda a las circunstancias sin intentar cambiarlas, se rinde sin pelear, no tiene esperanza.

La fortaleza del yo se desarrolla en la infancia de la mano de mamá, papá y otras personas cercanas y significativas.

106

Los padres enseñamos muchas cosas que sabemos indispensables; pero hay algunos temas puntuales que el ritmo de vida actual nos lleva a descuidar, sin darnos cuenta de lo importantes que seguimos siendo en estas áreas: la capacidad de esfuerzo, la tolerancia a la frustración, la capacidad de espera, fundamentales en un yo fuerte.

Como en muchos temas, lo hacemos sin siquiera pensarlo mientras son bebés. La mamá no pretende que su bebé no llore cuando tiene hambre, y lo va entreteniendo y acompañando en su enojo y dolor cuando quiere ya la mamadera; o lo ayuda a alcanzar el juguete que está muy alto mientras habla de su enojo porque no llega; o da vuelta la página del libro cuando sus manitos torpes no pueden hacerlo (y se frustra y protesta). Actúa de modo que el chiquito vaya aprendiendo de a poco a esperar, a frustrarse, a no desanimarse.

Pero, ¿qué pasa? El bebé crece, cumple dos años, o tres, la mamá queda embarazada, o tiene otro bebé más chiquito, o tiene muchas cosas que hacer, la vida se complica; y parece que el chiquito puede jugar solo, o quedarse tranquilo mirando el dibujito animado, y los padres se distraen (no todos, no siempre) de esa función esencial de sostener y reforzar estas capacidades, que no se dan en el vacío, sino de la mano de un adulto que sostiene y acompaña.

Evidentemente, cada chico tiene áreas de fortaleza para las que no necesita este acompañamiento. El que se sabe hábil para dibujar, lo hará sin necesitar que nadie lo mire y lo estimule. El problema aparece en las áreas en las que los chicos sienten que no pueden, por lo que se desaniman y dejan de intentar, como ya hemos mencionado. Si a un chiquito le cuesta armar una torre de maderitas o de legos, lo dejará muy rápidamente (ellos muchas veces juegan para sentirse hábiles y capaces, y abandonan cuando no lo logran), salvo que la mamá esté atenta y sostenga su frustración; e incluso enderece la torre para que no se caiga y él tenga ganas de seguir intentando armarla.

Así aprende a esforzarse. Lo ayuda la sonrisa confiada de mamá y papá, sus pistas, su acompañamiento del dolor porque las cosas no salen ya, ni exactamente como quería, el ánimo que le dan cuando está por tirar todo por el aire. Lo mismo ocurre con la posibilidad de esperar o de aprender a frustrarse. **Los adultos 'prestan' fortaleza y recursos para tolerar los contratiempos, de modo que el chico va creciendo e incorporando esta mirada sostenedora, e internaliza a estos padres que acompañan el esfuerzo, la frustración, la espera.**

Son oportunidades inigualables, ya que **la infancia es el momento de desarrollar estas funciones.** Basta con saberlo para entender que vale la pena gastar unos minutos de tiempo, varias veces por día, para fortalecer el **yo** y los recursos de nuestros hijos. Descuidarlo es 'pan para hoy, hambre para mañana'; ya que, probablemente, téngan dificultades en el futuro; de estudio, de trabajo, de socialización.

Nuestros padres quizá no acompañaban estas funciones, pero sí eran modelos clarísimos. Además, no se planteaban que nosotros no sufriéramos. Sabían que el dolor y el sufrimiento eran parte de la vida; por lo que, aún sin proponérselo, lograron que lo aprendiéramos.

Hoy intentamos, por demás, evitar los dolores y sufrimiento a nuestros hijos; por lo que:

a) les allanamos el camino resolviendo nosotros sus problemas, y ellos no aprenden a esforzarse, o

b) les 'creemos' cuando dicen que algo no les interesa, sin fijarnos si es realmente así, o si no toleraron el esfuerzo, o la frustración de que las cosas no les salieran perfectas desde el comienzo ("no me gusta andar en bicicleta" puede ser, en realidad, "no me sale y no tengo ánimo propio para intentarlo", "no me gusta dibujar", "¿me abrís la canilla de la ducha?", son otros ejemplos de temas en los que muchas veces falla la fortaleza del **yo** y la confianza para animarse a intentar.

Para complicar más las cosas, hoy los padres los dejamos solos demasiado tiempo, con la tele o la computadora; buenos compañeros para mamá, mientras ordena la casa, pero malos respecto del fortalecimiento de estas habilidades para que tengan un **yo** fuerte y pleno de recursos cuado crecen.

Hay un montón de otras cualidades que van adquiriendo nuestros chicos con el modelo y de la mano de sus padres, que también son parte de un **yo** fuerte. Estas responden al concepto de 'inteligencia emocional', término usado por primera vez por los psicólogos Peter Salovey, de la Universidad de Harvard, y John Mayer, de la Universidad de New Hampshire, según nos cuenta John Gotman en *Los mejores padres*. Incluye habilidades como:

- 🖐 ponerse en el lugar del otro (empatía);
- 🖐 comprender y expresar sentimientos;
- 🖐 regular los propios estados emocionales;
- 🖐 motivarse y permanecer motivado;
- 🖐 la independencia;
- 🖐 la capacidad de adaptación;
- 🖐 la simpatía;
- 🖐 resolver problemas de forma interpersonal (con otros) o intrapersonal (con uno mismo);
- 🖐 la amabilidad;
- 🖐 el respeto;
- 🖐 sumadas a las ya mencionadas capacidad de espera, de esfuerzo y tolerancia a la frustración.

No nos asustemos: nosotros no las tenemos todas, y nuestros hijos tampoco van a tenerlas. Cada uno desarrollará algunas; pero es bueno tenerlas en cuenta, para que intentemos alcanzar un mínimo, que nos permita ser modelos y maestros de estas habilidades para nuestros hijos.

Tiranía vs. confianza
(y la técnica del potencial simple)

Los bebés son tiranos, no a propósito, sino simplemente porque sienten necesidades y las transmiten sin capacidad de esperar o de pedir de otro modo. Los padres, en la medida en que podemos, las atendemos sin enojarnos por sus malos modos. Alrededor de los dos años, cuando el chiquito se reconoce como una persona separada de su mamá, la situación se complica. La tiranía se convierte en exigencia, grito, pataletas; todo es 'no' y 'yo solito'. Esto, que sabemos que es normal y esperable entre los dos y los tres años, nos empieza a incomodar cuando persiste más allá de esa edad. Ellos entienden lo que decimos y los vemos personitas pensantes, por lo que nos molesta ese estilo mandón, imperativo, coercitivo. Ahí empiezan muchas batallas por el poder que pueden durar años.

La salida sana de esta tiranía ocurre cuando el chiquito, de a poco, va pudiendo confiar en que lo que la mamá le dice es por su bien. Cree en las buenas intenciones del adulto, y puede esperar tranquilo porque 'sabe' que la mamá va a llegar, o el papá le va a traer lo que le prometió. La tiranía se 'cura' (o evoluciona y madura) con la confianza en los padres y en los vínculos: aparece la esperanza y ya no necesitan exigir, reclamar, gritar, ordenar. Pueden hablar y pedir bien las cosas; con lo que se establece un círculo virtuoso, ya que nos dan ganas de hacer caso a un chico que pide las cosas bien.

¿Qué hacemos mientras tanto? (ya que no podemos aceptar que nos traten mal sin hacer nada).

Comprendemos su deseo de tener una mamá 'esclava', de ser el jefe, el rey o la princesa, poniendo en palabras ese personaje y lo que ese personaje dice: "La princesa María quiere ya mismo un vaso de Coca", "Javier no quiere que mamá se vaya", o "quiere que papá venga ahora mismo del trabajo". Cuando respondemos de esta manera no estamos enojados, sino que realmente comprendemos sus deseos de seguir tiranizando como cuando eran más chiquitos.

En esta etapa los padres usamos mucho una técnica que llamé **potencial simple**: "Qué lindo sería", "te encantaría", "sería muy divertido". Y también el **ojalá…** "ojalá pudiera", "ojalá tuviera la plata… o el tiempo… o el ánimo… o la voluntad…".

Después agregamos: "Así no se habla a mamá".

Por último, si es viable, concedemos o aceptamos el pedido y, si no lo es, nos 'disculpamos': "Lamento mucho, princesa, yo sé que usted se va a enojar, pero en esta casa no tomamos Coca los días de semana"; "disculpe, señor jefe, pero me voy porque llego tarde a la reunión de trabajo".

La tiranía se cura… en sucesivos intentos de tiranizar que son bien recibidos (sin enojos ni ofensas ni castigos de papá y mamá) y no necesariamente atendidos, con padres que podemos tomar sus pedidos como virtuales (en serio, pero jugando). En cambio, cuando nos enojamos o los retamos y no comprendemos su deseo, ese proceso de curación no avanza. Incluso puede retroceder, porque tienen menos confianza que antes de que mamá o papá puedan entender lo que ellos piden.

En esta etapa es importante para los chiquitos sentir que tienen algún tipo de control sobre las situaciones, ya que profundamente saben que no tienen control sobre casi nada; porque son chiquitos, débiles y están 'a merced' de esos adultos: papá y mamá. **Muchas veces basta con darles el control de algún aspecto secundario del tema para que se queden tranquilos. No se negocia ni se discute lo central** (bañarse, vestirse, venir a la mesa); en cambio, podemos darles a elegir entre dos o tres opciones posibles de modo que sientan que ellos también deciden algo. Por ejemplo: "Sí, te vas a bañar, ahora ¿querés hacerlo en bañadera o en ducha?"; "el vaso verde lo tiene tu hermana, ¿preferís el azul o el amarillo?"; "no podés sentarte adelante en el auto; atrás, ¿preferís el medio o la ventana?".

Durante los primeros años observamos estos intentos de tiranía, control, coerción, búsqueda de seguridad y certeza. A medida que crecen van apareciendo la confianza y la esperanza de que "papá y mamá escuchan, si lo que pido les parece viable me lo van a conceder, me quieren y quieren lo mejor para mí, ellos saben lo que es bueno para mí y puedo confiar en ellos y creer lo que dicen, y pedir por favor, en lugar de exigir"; "y cuando me dicen que no, y me enojo, ellos lo toleran sin ofensas ni venganzas".

Lamentablemente muchos adultos no han terminado de resolver este tema por lo que siguen exigiendo, tiranizando, buscando seguridad, controlando a las personas que los rodean; y nos hacen temer que, si no educamos a nuestros hijos chiquitos para que abandonen esa costumbre, se conviertan en adultos controladores, tiranos, desconfiados. Ya vimos cómo en este caso, igual que en muchos otros, el 'camino largo' de comprender y delimitar amorosamente es mejor que el 'corto', que usaron con nosotros, de delimitar sin comprender y con amenazas de castigos o de pérdida de amor.

Desde que yo era chica conozco un chiste que ejemplifica muy bien el camino corto: Una mamá estaba con su hijito en la calesita del último piso de Harrods (esto habla de lo antiguo del cuento; ya no existe la calesita, y tampoco Harrods, en Buenos Aires). Él no quería irse a su casa por mucho que la mamá insistiera. Una empleada le ofreció llamar al psicólogo de la tienda y ella, desesperada, aceptó. El psicólogo llegó, le dijo unas palabras al oído al chiquito, y éste se bajó de la calesita y le dijo a su mamá: "¿Vamos a casa, mami?". La madre, atónita, le preguntó al profesional qué le había dicho para lograr ese cambio; y el psicólogo le respondió: "¡Bajate de la calesita o te doy una buena paliza!".

Por el camino largo hoy le diríamos: "¡Qué ganas de quedarte!, ¡qué mala suerte que nos tenemos que ir!, ¡ojalá pudiéramos!, ¡qué lindo sería!" Pero también "a mamá no se le grita… o pega… o insulta". Y además: "Nos tenemos que ir porque…". El sentirse escuchado y comprendido le enseña a escuchar y comprender. Obviamente al chiquito de dos años lo seguiremos sacando de la calesita contra su voluntad y a la fuerza; pero, con el correr de los meses, irá aprendiendo a confiar y a saber que va a volver a esa misma calesita muchas veces más, y que hay buenas razones detrás de lo que dice mamá.

La mamá del 'camino largo' es una mamá que no se enoja con esos malos modos porque los comprende, y es clara en sus delimitaciones mientras acompaña el dolor que su no provoca en su hijo.

Apuntes de algunas tareas del desarrollo
(a partir del año de vida)

En este apartado veremos algunas 'tareas' de los chicos, a medida que van creciendo, y que me parecen centrales a cada edad. Me sería imposible considerar todos los aspectos (físico, emocional, intelectual, espiritual), ya que se convertiría en un libro (en lugar de ser un capítulo dentro de un libro). Es por eso que prefiero llamarlo 'Apuntes'.

Estas tareas no empiezan y terminan para que empiece la siguiente, como los años escolares. Se superponen unas con otras, y se van complejizando y enriqueciendo entre ellas. En realidad, se parecen al modo en que un malabarista empieza a practicar con uno, después dos y cada vez más bolos en el aire; y luego, una vez alcanzado el objetivo deseado (o posible), empieza a aprender a hacer pruebas cada vez más complejas con esos bolos que ya sabe mantener en el aire.

Al año, la mayoría de los chiquitos están embarcados en la tarea de aprender a caminar. Los 'activos' tienden a empezar a hablar más tarde; algunos pocos se interesan antes por hablar. Éstos, más 'charlatanes', suelen caminar más tarde; no les resulta fácil desarrollar las dos habilidades a la vez. Aquí influyen las diferencias individuales, también los estilos de sus madres y otros cuidadores, y la estimulación del medio (enfatizando más una u otra modalidad).

La etapa **del año a los dos años** es muy activa para los padres. El chiquito ya sabe alejarse, ¡pero no sabe cuidarse! Y hay que ir a 'rescatarlo' a cada rato. Un ratito de silencio y salimos a buscarlo; porque sabemos que podemos encontrarlo adentro de un ropero, colgado de un televisor que se le está por caer encima, tomando muy tranquilo la cera de lustrar el piso, o el agua del inodoro... Están descubriendo el mundo, y no tienen noción de peligro; por lo que no podemos perderles pisada. Enamorados de su nueva habilidad motriz, no se detienen. Por suerte duermen mucho de noche, y largas siestas que nos permiten recuperarnos hasta el próximo encuentro. Tocan, tiran, investigan el mundo sin miedo, con entusiasmo y curiosidad, ¡y sin ningún respeto! También necesitan que los miremos, que compartamos sus descubrimientos, que nos deslumbremos ante sus habilidades; por lo que vienen a buscarnos, o exigen nuestra atención muchas veces por día. ¡Agotadores y fascinantes!

En cuanto dominan la marcha, empiezan a desarrollar el habla. (Que todavía no hablen no implica que no entiendan, ya comprenden el 'no' y muchas otras cosas que les decimos). Desde hace un tiempo algunos dicen palabras sueltas, como papá, mamá, papa, aba (por agua), ame (por dame): se hacen entender. Ahora empiezan a comprender las instrucciones sencillas; también reconocen que los objetos tienen nombre, y se esfuerzan por aprender a nombrarlos. Hablan a veces como loritos: ruido sin contenido, especialmente cuando copian a los adultos (con un celular, por ejemplo). De a poco, intentan armar frases. Al principio, de una sola palabra ('dame', 'papa'); después, dos ('dame papa'). Recuerdo una ocasión, cuando mi hijo mayor tenía alrededor de dos años y le insistía a su papá: "Poné lalá, poné lalá". Nosotros no le entendíamos (o no le hacíamos caso). Y él, con un esfuerzo enorme, complejizó su frase a: "Poné múica, papá" (poné música, papá).

Unos hablan pronto; otros, más tarde; algunos mejor que otros. Lo importante en esta etapa es que muestren deseos e interés por comunicarse.

Estas dos habilidades: poder alejarse de la madre por sus propios medios y empezar a hablar para comunicar ideas, lo irán lentamente conduciendo hacia el descubrimiento de que son personas separadas de mamá; habitualmente cerca de los dos años, empieza esta etapa de separación-individuación, de la que ya hablamos en 'Los terribles dos'.

Para poder separarse, primero hay que haber estado juntos. Es decir, estar muy seguro del vínculo con la mamá, haberla sentido como su posesión. Antes de que el hijo pueda separarse, ella tiene que haber sido suya. Este proceso ocurrirá de distintos modos, según la confianza básica o la seguridad de apego que tenga cada chiquito: es más fácil alejarse cuando sé que el amor de mamá es incondicional; porque estoy tranquilo de que, cuando vuelva, la voy a encontrar. A los chicos con vínculos menos seguros (ambivalentes, distantes, o poco confiados), les cuesta alejarse; porque suponen que, cuando vuelvan, no van a encontrar a su mamá. Temen que ella (cansada, desinteresada, enojada, etc.) pueda aprovechar su ausencia para irse lejos.

Entre los dos y los tres años, continúan los aprendizajes que llevan a la autonomía: controlan esfínteres, pasan de cuna a cama, dejan chupete y mamadera, comen solos. Es mucho lo que tienen que aprender y también lo que tienen que dejar; por lo que es importante organizar estos aprendizajes de modo que no ocurran todos al mismo tiempo, dándoles tiempo a elaborar y aceptar cada cambio y a despedirse de lo que dejan. ¡Y estas despedidas llevan mucho más tiempo del que habitualmente les dedicamos!

Es la edad del 'yo solito', y del 'no' sistemático. ¡Y de investigar y probar todo! Es tarea de los padres dejarlos intentar (en situaciones seguras). Ayudándolos lo menos posible, pero colaborando para el éxito de sus intentos (aflojar la canilla para que la puedan abrir solos; alzarlos para que puedan apretar el botón del ascensor; darles la camisa abierta, de modo que puedan ponérsela casi sin ayuda; etc.). Vale la pena aprovechar la fuerza de este deseo de 'yo solito' para que descubran y disfruten su nueva independencia; y, con ese motor impulsor, consoliden muchas habilidades.

Las dificultades de este año (dos a tres) suelen ser los berrinches o pataletas, y los miedos (ver 'Los terribles dos').

Cuando cumplen tres, nos espera un año relativamente tranquilo. Aparece el juego dramático, o de representación, que les permite comprender y elaborar situaciones que antes los angustiaban. Juegan a la maestra, a trabajar, a que son las chicas superpoderosas o los power rangers; se disfrazan, cocinan. ¡Se divierten un montón! Todavía no pueden compartir con facilidad; por lo que también se pelean un montón. Los papás no necesitan asustarse si sus hijos varones eligen jugar a la mamá (y quieren ser la mamá). A esta edad no les interesa ni les preocupa la diferenciación de sexo o género.

Se hace fácil el ingreso al jardín de infantes porque ya tienen una imagen internalizada de su mamá, que les permite evocarla; lo que les permite dejarla ir. Descubren el mundo externo a su casa, aprenden (muy despacito) a compartir, tienen amigos. Por imitación e identificación aprenden muchas cosas, ¡quieren hacer! (poner la mesa, bañarse solos, cocinar, juntar las hojas del jardín). A esta edad son muy buenos colaboradores.

A los cuatro años se consolida una parte de la constancia objetal (conciencia de la permanencia de personas y objetos). Y se dan cuenta por primera vez de que ellos son una sola persona, y que también sus padres lo son. Hasta ese momento creían que podía haber muchas mamás, o papás, o hijitos; por lo que no tenían ningún conflicto entre sus diferentes personajes: había un hijito furioso con una mamá que no le quería dar caramelos, y la podía detestar tranquilo porque otro hijito (él mismo) y otra mamá buenísima eran los que se encontraban a la noche para el cuento y los mimos… Ahora sabe que él es una sola persona, y se ve forzado a tolerar dentro de él sus aspectos luminosos y oscuros como partes de sí mismo (ver "Las dos caras de los seres humanos"). Como consecuencia de este 'salto madurativo', aparece el problema de la muerte y se interesan por la existencia de Dios. Antes, cuando no sabían que mamá o él eran una sola persona, la muerte no los asustaba: ¡otra mamá iba a aparecer a la vuelta de la esquina como los Papá Noel en la época de Navidad! Ahora descubren que morir significa no estar más, y los inquieta el tema.

De todos modos la gran tarea de esta edad es integrar sus mitades 'buena' y su 'mala'. Muchos gestos obsesivos e incluso algún tic o tartamudeo aparecen en esta etapa: son intentos de mantener a raya y lejos de la conciencia muchos sentimientos y emociones 'oscuras' (enojos, celos, etc.) que, al saberse los chiquitos de cuatro

116

años personas únicas, se asustan de tener, y entonces no toleran un ropero abierto, o una pantufla desacomodada, o se ajustan mucho el cinturón, o necesitan que la colita del pelo esté simétrica, u otras muchas opciones con las que nos enloquecen. Estos síntomas desaparecen con el tiempo a medida que ellos se sienten fuertes y son capaces de integrarse y tolerar todas sus emociones.

Es la edad de los 'por qué'. Todo les interesa, todo quieren saber. Si tenemos la paciencia para contestarles, mostramos interés y valoramos su curiosidad, permanecerán interesados en conocer el mundo; y esto les facilitará el aprendizaje escolar. ¡Tenemos que armarnos de paciencia!

A los cinco años aparece el tema de la identidad sexual. Les interesan las diferencias anatómicas. Los varones dicen que las nenas son bobas; las chicas dicen que ellos son sucios, o torpes, o malhablados. Juegan varones con varones, y mujeres con mujeres. Están tratando de robustecerse en sus identidades de género, de identificarse con los progenitores de su sexo y, también, con sus pares del mismo sexo. Rechazan muy burdamente al opuesto, justamente porque no se sienten muy seguros. Quieren saber acerca de las diferencias anatómicas, y por eso podemos encontrarlos en juegos de investigación de sus genitales; o tocan, 'sin querer queriendo', los genitales de sus padres. Es el modo que encuentran de preguntar acerca de estos temas. Freud la llamó la etapa edípica: al darse cuenta de que un día van a crecer y se van a casar, deciden que van a hacerlo con el progenitor del sexo opuesto. ¿Por qué se les ocurre esta idea? La mamá es para Pedro la mujer más linda, interesante, inteligente que él haya conocido; sabe todo acerca de él; sus mimos son los mejores; su comida, deliciosa. No necesita ir más lejos para buscar una candidata, ¡mamá es insuperable! Lo mismo le ocurre a Catalina con su papá: es el varón más encantador que conoce. La cuida, juega con ella, por lo que... ¡se quiere casar con papá cuando crezca! Por suerte, o lamentablemente, crecen un poquito más y cuando cumplen seis ya dejan de desear casarse con sus padres y también de rivalizar con el progenitor de su propio sexo, aunque suele permanecer un 'dejo' de esta rivalidad de las chiquitas con su mamá. En cambio, la del varón con el padre suele desaparecer y resurgir recién en la adolescencia.

Es importante que ellos terminen de procesar estos temas con adecuada información para que les sea posible dejar de lado la curiosidad sexual (y las fantasías relacionadas), y puedan mirar más hacia afuera de su casa, ya seguros de quiénes son y de que sus padres los quieren y los cuidan.

Así, **entre los seis y los once o doce años**, entran en la etapa que llamamos latencia, justamente porque quedan de costado (latentes) los temas de sexualidad y familia. Los chicos aprovechan toda su energía para salir al mundo, para el grupo de pares, para aprender, para hacer deportes y jugar. Necesitan sentirse hábiles y capaces; compiten entre ellos. Ya no alcanza con que papá diga que él juega bien al fútbol; ahora, además, necesita comprobarlo y confirmarlo con sus pares. Logran gradualmente cierta autonomía en su conducta; en cambio todavía falta bastante para alcanzar la autonomía emocional. Los padres pasamos por una etapa calma: ellos están lo suficientemente cerca como para que podamos estar tranquilos; y lo suficientemente lejos como para que no nos sintamos muy exigido, como cuando eran más chiquitos.

¿Por qué son tan distintos si son hermanos?

Son muchos los factores que influyen para que los hermanos sean distintos entre ellos. El momento familiar en que nacieron, las expectativas de los padres, el sexo, su material genético, el embarazo, el parto, los primeros meses de vida, los vínculos que establezcan con cada uno de sus padres, las enfermedades, los hechos ocurridos que afectaron a la familia y a cada hijo de distinto modo (según el momento vital y la edad) el lugar en la familia (mayor, menor, único varón o mujer, el 'del medio', y otros), la personalidad de sus hermanos mayores o menores, la fortaleza del yo, los recursos adaptativos, la sensibilidad, son sólo algunos de estos factores. Ninguno de ellos suele ser determinante; y muchos contribuyen, en distintos grados, para que cada hijo sea especial y distinto a sus hermanos.

Quiero resaltar dos aspectos de esta cuestión. El primero tiene que ver con el lugar que cada hijo ocupa en la familia y la búsqueda de diferenciarse un hermano de otro. El segundo se relaciona con los estilos que cada uno va adquiriendo a medida que crece. En los dos participan las identificaciones que los chicos van haciendo con aspectos de sus padres.

Veamos el lugar en la familia. Como me ocupo de esto con más profundidad en otro capítulo, sólo quiero hablar aquí acerca de la **complementariedad de los desarrollos de los chicos**. ¿Qué significa esto en un ejemplo?

Felipe, el mayor de una familia, es bueno, responsable, buen alumno, colaborador, serio. El hermano que le sigue, Pedro, necesita encontrar su lugar, y para eso busca ser distinto de Felipe, por lo que toma el lugar que su hermano dejó libre: insensato, simpático, vago, irresponsable, desobediente... ¿Son Felipe y Pedro realmente así? En parte, sí; uno no puede ser absolutamente distinto de lo que su esencia le indica, pero también ocurre un fenómeno habitual en las relaciones humanas: basta que dos personas estén juntas por un tiempo para que se agudicen las diferencias. Si tenemos un hijito osado y otro temeroso, con el correr del tiempo, el osado será más osado y el temeroso, más temeroso. Esto ocurre porque todos tenemos los dos aspectos dentro de nosotros. Somos buenos y malos, puntuales e impuntuales, osados y temerosos; pero es muy trabajoso tener todo el tiempo en la mente ambos aspectos, ya que nos obliga a tomar decisiones cada vez; a elegir uno, a despedirnos del otro. Y eso duele, incomoda. Es más fácil decir que yo no me animo a subir a la trepadora y Mariana, sí; y calmo mis ganas de trepar mirando a Mariana y disfrutando mientras lo hace. Satisfago mi deseo vicariamente; sin pasar miedo, 'lo hago' a través de Mariana.

Un ejemplo clásico de esto es el chiquito que se porta perfecto y recibe todo el reconocimiento de sus padres; mientras disfruta, sin pagar ningún precio, el modo en que su hermano 'martiriza' a los padres. Cuando se enoja con ellos, sólo necesita molestar o provocar (un poquito y sin que nadie se dé cuenta) al hermano, o simplemente esperar a que se arme la siguiente batalla y ver cómo su mamá lo pasa mal.

La terapia sistémica nos explica lo que ocurre con el hijo problemático: en todas las casas hay uno que pelea, o llora; el que siempre quiere ir a ver otra película, el que impide terminar una comida en paz; el que, cuando se va a la casa de un amigo, nos permite respirar, porque nos espera una tarde tranquila. A través de él, los hermanos descargan sus propios deseos de 'arruinarles el día' a los padres. De hecho, si el problemático se va de vacaciones dos semanas con un amigo, los otros empiezan a portarse mal, porque se quedaron sin su vía de descarga. Más impactante todavía es que los hermanos no problemáticos tienen muy poco interés en colaborar para que él salga de ese lugar. Les queda muy cómodo; incluso, por debajo de la mesa, lo azuzan, para que salte y siga metiéndose en problemas. Y cuando el problemático mejora, probablemente aparezca otro que ocupa su lugar.

Esta tendencia a complementarse es habitual en los hijos seguidos del mismo sexo, y muy común entre los mellizos y trillizos. También puede darse entre hijos de distintos sexos, pero habitualmente con menos intensidad.

Se trata entonces de que los padres estemos atentos para ayudar a cada uno de nuestros hijos a conocer y aceptar su mundo interno completo; de modo que cada uno se desarrolle a su particular manera, no en complementariedad con algún hermano (ver "Las dos caras de los seres humanos").

El segundo aspecto quizá sea el más difícil y el que, con seguridad, nos va a llevar toda la vida: **aceptar las características individuales de nuestros hijos**. Tenemos que hacer el duelo por lo que hubiéramos querido que sean, para poder así aceptar y disfrutar lo que son, o cómo son. Hacer fuerza para cambiarlos puede impedir que los conozcamos y que aprendamos otras maneras de ser. Sabias palabras las de Khalil Gibran: "Tus hijos no son tus hijos sino los hijos de la vida…". Para que nuestros hijos puedan aceptarse a sí mismos, primero tienen que saberse profundamente aceptados por sus padres; sólo así podrán quererse con sus rulos, o anteojos, o su torpeza motriz, o su dificultad para tener amigos, o su tozudez, o su timidez o tantas otras características que nos/les incomodan.

Esto significa ampliar al máximo nuestra visión de lo que es ser persona; sin dejar de esperar, de tener expectativas razonables de cada hijo, en función de sus reales capacidades y sin descuidar su desarrollo armónico (en "Dones y habilidades" amplío esta idea).

Desde esa posición es más fácil acompañarlos a abandonar algunas características de personalidad que los perjudican a ellos o a su entorno, y que suelen relacionarse con aspectos inmaduros de su personalidad. Aceptar que mi hija sea desordenada es el primer paso para ayudarla a ordenarse, y/o a atenerse a las consecuencias de su desorden. Por el camino de la crítica y el rechazo quizás logremos que ordene, pero no desde su verdadero ser ni por amor a mamá y al mundo, sino por miedo de perder el amor o por culpa. Es decir, debilitando su persona en lugar de fortalecerla. Puede ocurrir también que obedezcan con mucha rabia, y esta rabia les impida aprender (los beneficios del orden, por ejemplo).

El arte de este aspecto de la paternidad está en una frase de San Francisco de Asís elegida como lema de Alcohólicos Anónimos: "Dios, concédeme la serenidad para aceptar las cosas que no puedo cambiar, el valor para cambiar las que puedo, y la sabiduría para reconocer la diferencia".

Los padres tenemos enorme influencia en el desarrollo de la imagen de sí mismos de nuestros hijos, en su autoestima y en el estilo de vínculos que ellos establezcan (adecuadamente confiados, o no). Hay otras cuestiones individuales del hijo, como la sensibilidad, o niveles altos de demanda, o desniveles madurativos (por ejemplo, mucha madurez intelectual, pero pobre madurez emocional y poco control de los impulsos), que afectan enormemente su desarrollo y la relación con sus padres. Así como, a veces, podríamos pensar que, con otros padres, este chico podría estar mejor, ¡sepamos que también podría estar peor! A lo mejor, lo que estamos haciendo es bueno para este hijo en particular, en este momento; sobre todo, es lo mejor que nosotros podemos hacer. El sentimiento de culpa es un mal aliado a la hora de educar a los hijos. No es agradable sentirla; por lo que los padres, sin darnos cuenta, terminamos dando vuelta la situación hasta hacer que ellos (hijos) se sientan culpables. Y eso sí que los complica.

Orden de los hijos

Hay ciertos rasgos que se ven con más frecuencia en unos u otros, aunque no siempre se cumplen estos modelos.

Esperamos mucho al hijo mayor, y también esperamos mucho de él. Se le enseña por demás y no se lo disfruta tanto; los padres estamos inseguros de nuestro papel y necesitamos demostrar, a nosotros mismos y al mundo, que podemos ser buenos padres. ¿El resultado? Probablemente un hijo perfecto, adaptado, obediente, 'exitoso'; pero un poco inseguro. Si el segundo hijo es de otro sexo, podemos llegar a tener dos primogénitos con estas características; ya que debemos demostrar nuevamente nuestra habilidad de padres del otro sexo. El mayor carga con una buena parte de las expectativas de los padres; en compensación, será el más mirado y atendido. Acompañar en primer grado al primer hijo es fascinante. Con los otros no resulta tan interesante; pero, en cambio, nos metemos menos con el cuaderno y también lo criticamos y corregimos menos.

El segundo hijo viene a ocupar el lugar que quedó vacante. Un poco, porque los padres ya no tienen tanto 'furor educativo'; otro poco, ya vimos, para diferenciarse del mayor. Resulta notable que si el hijo mayor no es prolijo y adaptado, el segundo suele ocupar ese lugar; especialmente si son del mismo sexo. Prolijo/desprolijo, obediente/desobediente, ordenado/desordenado, responsable/irresponsable, dado/huraño, son algunas opciones para esta diferenciación.

Algunas madres establecen un vínculo muy fuerte con su primer hijo. Cuando nace el segundo, se sienten culpables con el mayor, y relegan o desatienden a ese bebé que, como no protesta porque es chiquito, no les provoca ansiedades. Es muy importante estar atentas a esto, ya que cada hijo necesita un vínculo simbiótico con su mamá en los primeros meses de vida. Aunque el mayor proteste, está en condiciones de tolerarlo; en cambio, ¡el bebé no puede reclamar! En otros casos, cuando la mamá tiene dificultades para establecer una simbiosis saludable con su primer hijo (por cuestiones de su historia personal), va aprendiendo con él, a querer y cuidar, a dejarse querer y a saberse necesitada; y luego puede establecer un vínculo más saludable con su segundo hijo.

El del medio sólo será 'del medio' si los padres le permitimos ubicarse en ese lugar, al no ofrecerle un espacio donde desplegar su identidad única y especial, reconocida, valorada y amada por nosotros; al no ofrecerle el tiempo y la dedicación que necesita. Tenemos que estar muy atentos para lograrlo, ya que las preocupaciones por el o los mayores (dice el dicho: "Hijos grandes, problemas grandes") y los cuidados y el tiempo físico que requieren el o los más chiquitos pueden distraernos de ese hijo; especialmente si es un chico tranquilo, que tiende a pasar desapercibido.

El menor tiene una situación especial. Nadie lo empuja desde abajo, por lo que no tiene apuro por crecer. Además, a las madres (a veces también a los padres) nos cuesta dejarlos crecer, porque con ese hijo nos vamos despidiendo de las distintas etapas de la maternidad. Es la prueba más visible de que la vida pasa; por otro lado, tiene padres ocupados con otros hijos mayores que, a su vez, tienen tareas o problemas que necesitan atención, y la reclaman; los padres tienen menos tiempo para el menor, y menos fuerzas para educarlo. Suelen ser las mascotas de la casa, y se destacan por graciosos; pero no siempre se sienten valiosos; pues, desde chiquitos, se ven a sí mismos como 'el que no puede', el que no cuenta bien los chistes, el que no sabe andar en bici, el que no entiende las conversaciones. Puede ocurrir que, aunque sea muy disfrutado por todos (también celado por los hermanos mayores y retado por ellos), les cueste crecer e incorporarse al mundo y a sus reglas.

Una de las variables que vale la pena mirar es el lugar que ocupan los padres entre sus hermanos en la familia de origen,

ya que puede influir en la relación con sus hijos. Por ejemplo, un padre que es hijo mayor, puede 'equivocarse' en su relación con su segundo hijo, por identificarse por demás con su hijo mayor; o por sentirse culpable en relación con su propio hermano, y repetir cuestiones de su propia infancia. O una mamá, que arrastra conflictos con sus hermanos varones, puede tener dificultades con sus hijos varones. O una mamá que es hija mayor puede exigir a su propia hija mayor que sea tan responsable, solidaria, estudiosa, como lo fue ella, sin tolerar que su hija sea diferente. O un papá, hijo segundo, puede tener dificultades con su hijo mayor, sin darse cuenta de que, una parte de lo que ocurre, es que está reeditando sus conflictos infantiles.

Además, se agregan otras cuestiones; como, por ejemplo, las diferentes imágenes que tenemos de nuestros hijos en las familias, y que dependen, por lo general, del lugar que ocupan. Del hijo mayor se suelen esperar grandes cosas, y casi todas antes de que esté preparado para ellas. Esto determina una historia de intentos por alcanzar las expectativas de los padres (o dramáticamente, de renunciar a ello), lo que puede determinar una autoestima baja. Los hijos siguientes, cuyos padres están más seguros de su capacidad de ser padres, y que tienen ya menos expectativas o quizá más repartidas, es probable que tengan una mejor imagen de sí mismos. **Lo que se espera del primer hijo se suele basar en un niño ideal, armado de lo mejor de cada niño conocido o imaginado.** En cambio, con los siguientes, vamos teniendo una idea más realista de lo que ellos pueden ser o hacer.

Cuesta más que los primeros hijos no vayan a la universidad, o no hagan un deporte, o no tengan muchos amigos, o no quieran ir a los cumpleaños a los cuatro años, o no saluden… En cambio el tercero, a los seis todavía no va a los cumpleaños, sin que nosotros creamos que somos malos padres ni que él/ella es un fracasado social. Podemos ver que, simplemente, necesita estar un poco más en casa; y le damos ese tiempo extra sin presión ni ansiedad de nuestra parte; o, sencillamente, no nos alcanza el tiempo para preocuparnos, y le permitimos que crezca y se desarrolle a su ritmo personal, respetando sus tiempos.

De todos modos, ha corrido mucha agua bajo los puentes. Las cosas son muy distintas hoy que hace no tantos años. Cuenta el anecdotario de mi familia materna, que la 'elección vocacional' de los hermanos de mi abuelo fue así: el primero heredaba el campo; el segundo era sacerdote; el tercero, militar. Supongo que debe de haber habido el mismo (inexistente) respeto por los rasgos de personalidad de cada uno. En la misma familia, mi bisabuelo traía de Buenos Aires a Azul, donde vivían, pares de zapatos de muchos talles, y había que acomodarse al que a uno le tocaba. A mi abuelo le tocó ser marino. Tenía una gran autoexigencia y una rectitud moral poco habitual hoy. Era una persona maravillosa, ¡y por suerte tenía los pies derechos! (le deben de haber tocado zapatos de su tamaño).

LÍMITES

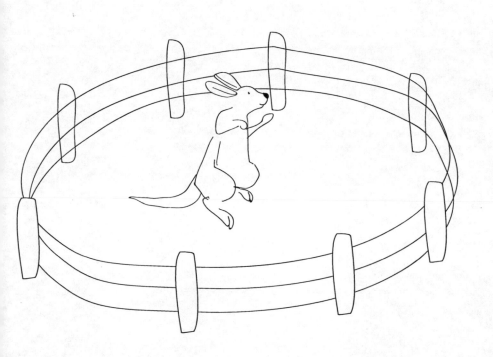

Teorías educativas

Muy resumidamente, me gustaría hablar de tres momentos en el siglo XX. Hasta los años 50, la senda educativa era muy estrecha. Padres, colegios, sociedad, estaban todos de acuerdo y educaban con un estilo autoritario, que daba resultado en la mayoría de los hijos. Éstos no discutían la autoridad ni las reglas, y era relativamente fácil ser padres. Los hijos que se salían del modelo eran muy pocos, y estaban muy mal vistos, aun por los otros chicos. Los inconvenientes de este sistema eran un exceso de represión, inhibición y el bloqueo de muchos aspectos muy auténticos y valiosos de las identidades de los chicos que no tenían oportunidad de surgir, y fueron la base de muchas de las neurosis que vemos hoy. Algunos incluso quedaban con el alma o la psiquis 'quebrada en tallo verde' (una rama verde se dobla, la enderezamos y está aparentemente bien, pero no lo está), quebrados en su estructura. Pero no se notaba a simple vista.

Después aparecieron, como reacción, los grupos más permisivos, y el doctor Benjamin Spock con su primer libro, *Baby and child care*, en los años 50. Los hijos de esa generación fueron parte del movimiento hippie de los años 60-70. A la luz del paso de los años, podemos ver que el permisivismo tampoco funcionó como sistema, ya que esos chicos no resultaron personas felices y exitosas como se esperaba. Cuando el doctor Berry Brazelton en *Cómo entender a su hijo*, habla de esa época, dice: "Recuerdo el pavor de atender una invitación a cenar... A medida que pasaban las horas, unos niños cansados y desorbitados pasaban por encima de los muebles... y de los adultos que estaban de visita... Era terrible estar con los brazos cruzados y ver cómo se desmoronaban..."; y sigue: "Esos niños se sentían desamparados cuando eran pequeños... A muchos les he oído decir en mi consultorio que anhelaban la firmeza paterna... en lugar de la desaprobación tácita (aunque los padres no hubieran confesado esa desaprobación) y tensa... Se ha reconocido que era más una abdicación de la responsabilidad paterna que un enfoque orientado hacia el niño, como se decía."

Hoy sabemos que disciplina y límites son responsabilidad de los padres. Intentamos ponernos en un lugar intermedio que hace una buena síntesis de estos dos polos: comprender y empatizar con lo que los chicos sienten, desean, piensan (lo mejor de los padres permisivos); mientras nos ocupamos de sostener los límites con firmeza (lo mejor de los padres autoritarios). No es fácil para nosotros, los padres, porque les dimos (y les damos) libertad de pensar y de opinar. Indudablemente es mejor, ya que no se hace a costa de represión o inhibición; es decir, que la persona que emerja como adulto tendrá muchas posibilidades de ser más completa; pero los padres necesitamos mucha fortaleza para sobrevivir a los embates de los superhijos de fin de siglo o del nuevo milenio.

El problema es que padres que se han visto obligados a negar y reprimir, que han sido educados con la culpa en un sistema altamente delimitador, que no contestaron a sus padres ni pusieron resistencia a las pautas de los adultos, tienen poca energía disponible para atajar a esos hijos que se abalanzan con toda la fuerza de lo no reprimido y no negado, y que se sienten con derecho de opinar y de hacer lo que quieren.

Cuando mi madre me decía: "Hacé lo que quieras", yo hacía lo que quería ella... Hoy, ante esa misma frase, los chicos hacen lo que quieren ellos.

Pese a lo agobiante que parece, **vale la pena**. Pero los padres tenemos que tener muy claros nuestros parámetros cuando ponemos reglas y límites, para que los chicos no nos arrastren con el ímpetu de sus deseos si no los consideramos adecuados.

Hay más 'sí' y más permisos; por lo tanto, como se ve en el dibujo, la zona de lo permitido es más amplia, y los chicos toman más velocidad y fuerza; cuesta detenerlos, por lo cual hacen falta padres fuertes y claros en sus pautas.

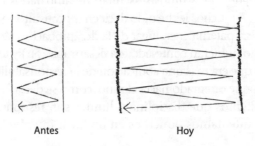

Antes   Hoy

Algo más sobre los padres buenos
(o los buenos padres)

Ya dijimos antes que, para ser buenos padres, tenemos que resignarnos a ser vistos como malos por nuestros hijos.

Los padres llegan agotados a la consulta, muy enojados con los hijos que no hacen caso, desilusionados con ellos mismos porque se sienten fracasados como educadores, desilusionados también de la familia. Esperaban constituir una familia estilo Ingalls (que sólo se ve en la televisión, en la vida real no existe), y se encuentran con hijos ingobernables. Ellos cuentan historias similares: repiten las órdenes una y mil veces, hasta el cansancio; explican a los chicos las razones por las cuales les conviene hacer lo que sus padres dicen, y nada sirve para que obedezcan. Los padres gritan, amenazan, ponen penitencias, negocian, incluso pegan cuando se desbordan; pero los chicos siguen sin hacer caso, o lo hacen sólo cuando la situación se puso horrible para todos.

Un denominador común de estas situaciones es que estos padres no separan la conducta de los deseos y pensamientos de sus hijos; por ello, los hijos no se sienten entendidos ni escuchan a los padres.

Muchas veces los métodos (para delimitarlos) suelen no ser los adecuados de acuerdo con las edades de los hijos. Hay una frontera muy clara señalada por la maduración de los chicos. Los menores de cinco años no tienen un yo suficientemente fuerte, ni una conciencia moral que les permita decidir lo que les conviene o les hace bien. Por esta razón, en estas edades, son papá y mamá los que se ocupan de que ellos se porten bien. El 'malo' está afuera de ellos, frenando, atajando, impidiendo, obligando; no abren la heladera porque papá no los deja, se van a bañar porque mamá los lleva; los menores de cinco tienen que obedecer 'a pesar de ellos mismos'. Ellos no pueden decir 'hay que' o 'tengo que' porque todavía no tienen conciencia moral o deber ser internalizados. Vemos precursores de esta internalización cuando, mirando hacia la lámpara y hacia nosotros dicen "no se prende la lámpara", no porque realmente lo entiendan, sino porque están

131

repitiendo lo que ya oyeron muchas veces. Pero en esas edades no alcanza con esa frase para que no lo hagan.

La conceptualización de estas ideas marcó para mí un hito para lograr una puesta de límites adecuada para cada edad. Me sirvió para entender, y también para explicar a otros padres, cómo convertirse en delimitadores eficaces; con el beneficio de que, por este camino, se fortalece la autoestima de los chicos.

Veámoslo de un modo más concreto:

El sistema, sencillo y claramente organizador para establecer reglas y límites con hijos menores de cinco años, tiene dos pasos:

1) establezco la pauta,

2) **me ocupo** de que la cumpla.

Más concreto todavía:

1) no hagas eso ("no saltes en el charco"); o: hacé esto ("vení a bañarte")

2) a) me ocupo (si no ocurre naturalmente, lo que también podría suceder): impido que lo haga (aún si eso implica sostenerlo físicamente) o me ocupo de que lo haga (lo llevo a la bañadera); los padres nos ponemos de pie, 'ponemos el cuerpo' para que hagan caso,

b) mientras me ocupo de que me obedezca, voy diciendo lo que sé qué ellos están pensando: "Qué rabia que mamá no te deja", "¿justo ahora teníamos que ir a bañarnos?". A esto lo llamo 'prestarles palabras': pongo en palabras lo que sienten; **al sentirse escuchados y comprendidos, disminuye la resistencia.**

Esto no significa que los chicos vayan encantados: más bien van a protestar bastante. El tema es que los adultos podamos comprender su enojo sin enojarnos nosotros y, de todas maneras, sigamos 'llevándolos' hacia el baño con una sonrisa.

El error más habitual de los padres en estas edades: repetir la orden varias veces e ir subiendo el tono buscando con eso la obediencia, porque:

a) se acostumbran a obedecer sólo cuando gritamos, o

b) cuando finalmente actuamos, estamos alterados y nuestro método resulta poco eficaz; ellos obedecen en ese momento, pero no aprenden para la próxima vez.

$$1 \quad \cancel{1111} - 2 \qquad 1 - 2$$

Los adultos solemos repetir el 1) en distintos volúmenes (cada vez más fuerte) hasta que, cuando la mamá está al borde del ataque, el chiquito se da cuenta de que es mejor que haga caso; con lo que (sin desearlo) nosotros establecemos el sistema de repetir hasta el cansancio. De esta 'nueva' forma lo decimos una vez y después (si no obedecieron) nos levantamos y nos ocupamos de que lo haga, y ellos se acostumbran a obedecer al primer pedido; además, nosotros no estamos enojados (ni nos sentimos abusados, maltratados o no tenidos en cuenta) cuando hacemos cumplir lo que pedimos, y tenemos el tiempo y el buen humor necesario para 'hacerlos' obedecer. En pocos días y con poco esfuerzo, puede cambiar el estilo de interacción familiar.

Aclaración: **ellos no tienen que saber** con palabras que nosotros nos vamos a ocupar, **tienen que ver** que eso es lo que ocurre. Unos padres llegaron agotados a la segunda consulta y se quejaron amargamente de que su pequeño tirano les decía: "Vení, ocupate, llevame". Me habían entendido mal: le habían explicado al hijito que ellos se iban a ocupar, ¡y él estaba encantado de tener padres esclavos!

A partir de los cinco años, con la aparición de la conciencia moral, hay una parte de ellos que, desde adentro, ya les dice lo que está bien o mal, lo que se puede, lo que les hace bien. Esto nos permite agregar un tercer paso: las consecuencias.

Para hijos mayores de cinco años los pasos serían tres:

1) establezco la pauta,

2) **aviso la consecuencia** en caso de que no se cumpla,

3) cuando no se cumple, aparece la consecuencia.

Llevado a una situación concreta:

1) no hagas eso (molestar a tu hermano, llegar tarde a la mesa)

2) si continuás, o si lo volvés a hacer, vas a sufrir una determinada consecuencia (te vas a tener que ir de la mesa, te quedás sin comer)

3) atenete a la consecuencia (te vas de la mesa porque seguiste molestando a tu hermano, te quedaste sin comer).

Estas consecuencias (naturales o lógicas) no son penitencias ni amenazas, son simplemente avisos o recordatorios. **Los chicos, igual que los adultos, aprenden muy rápido cuando los hechos tienen consecuencias.**

Los errores más habituales en esta etapa son repetir hasta el cansancio una amenaza que cumplimos después de demasiados avisos o ante un último aviso muy fuerte, o, más desgastante todavía, repetir amenazas que terminamos no cumpliendo; por lo que los chicos no tienen ninguna razón para hacer caso: mamá me dice que mañana me voy a secar con la toalla mojada si hoy no la cuelgo, ¡pero yo sé que mañana saco una limpia y listo!

$$1 - 2 \quad 2 - 2 - 3 \qquad 1 - 2 - 3$$

Cuando repetimos las amenazas ellos se acostumbran a:

a) obedecer sólo cuando amenazamos a los gritos, o

b) se dan cuenta de que no las cumplimos y siguen sin hacer caso.

Enunciamos las consecuencias y no las cumplimos porque no nos gusta ser vistos como malos; y nuestros hijos siguen molestando hasta que nosotros estamos realmente furiosos, y ellos reconocen que llegó el momento de obedecer. Pero ahí comienzan nuestros sentimientos de culpa, porque nos damos cuenta de que nos excedimos. **Si los chicos se acostumbran a obedecer a sus padres sólo cuando se enojan, nos vamos a tener que enojar todo el tiempo**; y, además, no van a obedecer a otros adultos (maestra, abuelos), ¡porque esos adultos no se enojan!

Si los padres pudiéramos elegir y poner la menor cantidad de límites posibles (y hacerlos cumplir), nadie se sentiría culpable y las relaciones serían más fáciles. Cambiar el método es simplemente cuestión de práctica, pero vale la pena. Puede ser que, si al salir de casa les digo a mis hijos que los llevo de vuelta si se pelean, probablemente una o dos veces tenga que volver y dejarlos. Pero en cuanto entiendan que mamá cumple con lo que dice, todo va a ser más simple; porque se terminan los experimentos para ver hasta dónde se estira la paciencia de ella sin quebrarse.

Elijamos consecuencias 'cumplibles' (cortas, activas, reparadoras, en relación con el hecho), para que todos sepamos que no son vanas. Si en casa no quedó nadie, no los amenacemos con llevarlos de vuelta, porque sabemos que no tienen con quién quedarse; por lo que no vamos a poder cumplir, salvo que estemos dispuestos a volver y quedarnos nosotros también.

Muchas veces con los chicos mayores, incluso en la adolescencia, tendremos que usar el sistema de dos pasos (el de los más chiquitos). Son aquellas situaciones en las que no hay alternativa, o en las que el estímulo es demasiado fuerte o atractivo para que puedan 'pensar bien' y tomar la decisión correcta, o en las que los adultos no podemos permitir que nuestro hijo se atenga a una consecuencia que puede afectar su salud, su seguridad o el bienestar suyo o de la familia, o que va en contra de nuestras reglas morales. En estas situaciones, ellos tienen que hacer lo que nosotros decimos, y nos damos cuenta de que no tienen la fortaleza suficiente para hacernos caso:

✋ Después de tres días de no bañarse y de no ver televisión (porque nuestro hijo optó por esa consecuencia al no bañarse), llega el momento en que pasamos a "te bañás".

🖑 Aunque le dé miedo la inyección, se la va a tener que dejar poner si su médico la indicó.

🖑 Los días de semana no se invitan amigos, salvo para estudiar.

🖑 Si mi hijo de 17 años está aprendiendo a manejar, puede que, como ya dijimos, me tenga que llevar al cine el llavero del auto que dejo en casa para que no se tiente de salir a dar una vueltita "para practicar".

Hay infinidad de situaciones en las que, para cuidarlos, no les permitimos elegir.

Del mismo modo, en los menores de cinco años también usamos algunas veces (pocas) el sistema de tres pasos, que incluye consecuencias:

a) ante la desobediencia reiterada: cuando ya le dije varias veces e impedí otras tantas, que no le pegue al hermanito o que no abra la heladera, pasamos a "si abrís la heladera te vas de la cocina" y a cumplir la consecuencia si insiste: "Abriste la heladera, te vas de la cocina" (y lo sacamos de ahí, porque solito no va a salir);

b) cuando no podemos impedir: "No te saques el cinturón de seguridad o paro el auto". Hasta que entienda, haremos viajes con unas cuantas paradas, pero finalmente se rendirá a dejárselo puesto cuando comprenda que no hay alternativa, porque quiere llegar a la casa de la abuela para jugar con los primos.

Cuando el tema terminó, olvidémoslo (lo que no siempre es fácil), volvamos a sonreír y a interactuar como si nada hubiera ocurrido.

El siguiente esquema es una buena síntesis del tema límites:

HE y PE

HC y PC

HC y PE

HE y PC

Cuando padres e hijos estamos enojados todo el tiempo el clima de la casa es de pesadilla.

Cuando todos estamos siempre contentos estamos… en el mundo de las ilusiones o en una película, no en el mundo real.

Hijos contentos (porque hacen lo que quieren) y padres enojados (porque no son obedecidos) determinan autoestima baja para los chicos.

Finalmente la fórmula de la autoestima elevada sería: hijos enojados porque hacen lo que sus padres quieren, y padres contentos con ellos porque obedecen.

Estilos de padres

Hay casi tantos estilos como padres; pero, en general, solemos hablar de dos tipos extremos: autoritarios y permisivos.

Suele ocurrir que, cuando uno de los padres tiende a ser autoritario, el otro se inclina hacia el estilo permisivo. El autoritario dice: "Con esa madre (o padre) estos chicos hacen lo que quieren", y eso lo lleva a ponerse más 'malo'; y el permisivo dice: "Pobres mis hijitos que tienen este padre (o madre) tan malo", y ceden demasiado para contrapesar la situación. Lo mismo puede ocurrir en el sentido contrario: cuanto más permisivo es un progenitor más autoritario tenderá a ponerse el otro.

Sólo pueden ver su propio punto de vista; no se ponen en el lugar del hijo ni aceptan a los hijos como son. Son duros y controladores: "Abrigate que hace frío", "estudiá después del té", "andá a bañarte ya", "callate", "no llores", etc. En su mensaje está implícito "yo sé (cómo son las cosas, o cómo se hacen)".

¿Qué tiene de bueno para los hijos? La firmeza: el autoritario es claro en sus mensajes. El inconveniente es que obliga al sometimiento (o, menos veces, invita a la rebeldía), y no enseña a pensar. A sus hijos les falta confianza en sí mismos y pueden tener dificultades de socialización; al someterse a sus padres no desarrollan buenos recursos en relación con los otros.

A muchos de estos padres no se les ocurre que haya otra opción posible. Sus propios progenitores fueron así y creen que funcionó bien, y hacen lo mismo "por el bien de sus hijos". Otras veces (menos), provienen de hogares permisivos y/o abandónicos. De chicos se sintieron poco sostenidos y solos, y quieren ofrecer a sus hijos algo distinto. Por último, están aquellos padres que no toleran verlos sufrir; por lo que cortan de cuajo cualquier intento de queja o protesta, suponiendo (equivocadamente) que esto hace desaparecer el sufrimiento; es decir, son autoritarios por amor, aunque al hijo le cueste verlo de esa manera.

¿Cómo son los padres permisivos?

Se identifican con el hijo, se ponen excesivamente en su lugar y no pueden establecer límites, es decir que los controlan poco y los aceptan mucho (demasiado): "Me da pena dejarlo en el jardín de infantes, que no vaya"; "no hagas la tarea, yo le escribo una nota a la maestra", etc. Son padres 'libres' que dicen implícitamente "hacé lo que quieras".

¿Qué tienen de bueno? La posibilidad de comprender al hijo y de validar su mundo interno. Pero, al identificarse con el hijo y con su sufrimiento, buscan distintas formas de evitarle todo dolor, y no lo ayudan a fortalecerse y enfrentar los contratiempos de la vida; pueden hacerle creer que las cosas son efectivamente terribles; que el mundo es malo con él, o peligroso, o injusto. Los hijos tienden a ser impulsivos, poco responsables o poco independientes porque no logran tener suficiente fortaleza de recursos. Esta postura se complica cuando tenemos más de un hijo, porque no podemos entender a los dos y resolver sus dificultades (cuando se pelean, por ejemplo). Además, muchas veces, estos padres finalmente se cansan y pasan de golpe a una actitud autoritaria; porque profundamente esperaban que el hijo dijera él solito: "Dejá, mamá, me quedo en el jardín", o "sí, voy a hacer la tarea, es mi obligación"; y, cuando el chico no lo hace, se desesperan y terminan enojándose.

Los padres permisivos a veces vienen de hogares autoritarios, y buscan hacer todo lo contrario, porque lo pasaron mal en la infancia; o vienen de hogares permisivos, y no conocen otra manera de educar que ésa.

Hay un tipo particular de padre permisivo, que lo es porque no se toma el tiempo de ocuparse del hijo. Éstos son los padres abandónicos: son permisivos, no por ponerse en el lugar del hijo y comprenderlo sino por desinteresados, no tienen tiempo o deseos de ocuparse. Es muy probable que hayan tenido padres también abandónicos; ante el riesgo de conectarse con el dolor terrible que implicaría 'darse cuenta', y sin proponérselo, repiten el mismo modelo sin revisarlo. Son muy perjudiciales para la autoestima de sus hijos, quienes sienten que no son suficientemente interesantes, valiosos o importantes como para que sus padres se ocupen de ellos. Sus hijos suelen tener problemas serios.

Hay un tercer grupo, no tan claramente definible, de **padres ambivalentes**. A veces, autoritarios; otras, permisivos; dependiendo de su humor, de lo culpables que se sientan con el hijo, del motivo de la pelea, del cansancio. Es difícil para los hijos, ya que no saben con quién se van a encontrar cada vez. Confunden a los chicos y/o los llenan de ansiedad. Todos, por momentos, fluctuamos entre ambas posturas; pero estos padres ambivalentes son consistentemente inconsistentes; es decir, que lo son siempre. Y los hijos no encuentran patrones para entender a sus padres o las pautas que ellos les proponen.

Definamos ahora el grupo de padres 'ideal': son los sostenedores de emociones y de vínculos, capacitadores emocionales; padres pilar (según los denominan distintos autores). Toman lo mejor de los modelos autoritario y permisivo. Son estrictos y controlan, y a la vez amorosos, aceptan a sus hijos como son. Pueden ponerse en el lugar del hijo, sostener sus emociones, comprender lo que siente, lo que desea; y, al mismo tiempo, no pierden el rumbo y saben ser firmes aunque hagan enojar o sufrir al hijo. Dicen (implícitamente): "Resolvámoslo juntos". Sus hijos suelen ser independientes, socialmente responsables y confiados (porque sus padres les ofrecen recursos para la vida).

Veamos un ejemplo: Pedro se quiere quedar en la casa del amigo y se está haciendo tarde para la mamá, que tiene que ir a casa a hacer la comida.

Una mamá autoritaria se lo lleva sin escuchar sus ruegos; incluso puede amenazarlo con no hacer programa al día siguiente si sigue protestando; puede también 'desaprobar' su deseo: "Ya estuviste mucho tiempo... no podés tener ganas de seguir jugando... se van a empezar a pelear".

Una mamá permisiva trata de convencerlo durante un largo rato, hasta que lo logra; o se sigue quedando: "Un ratito más y nos vamos, ¿dale?", hasta que la otra familia se está por sentar a comer y la situación no da para más; o de golpe se cansa y empieza a gritar (salta a autoritaria), porque se le acaba el tiempo y cierra el supermercado, y se lleva a Pedro a la rastra.

Una mamá sostenedora, o capacitadora emocional, le explica a Pedro, **una vez**, que tienen que irse porque es tarde; comprenderá (y se lo dirá) las ganas de Pedro de quedarse y la desilusión de que se acabe el programa; conversarán de invitar al amigo al día siguiente a su casa; y se lo llevará sin enojarse, y **sin pretender que Pedro esté contento**.

No podemos ser siempre padres capacitadores emocionales. Muchas veces no hay tiempo, o no es el momento (cuando el hermanito se acaba de golpear muy fuerte, por ejemplo) o el lugar (en el supermercado lleno de gente) adecuados para hacerlo; o nos sentimos mal, o estamos apurados; o, simplemente, no corresponde (si mi hijo me insulta, por ejemplo). La idea es que predominen estas experiencias en la vida de los hijos, no que sean las únicas.

Una de las claves para convertirnos en buenos capacitadores emocionales es recordar que nuestro hijo nos quiere igual a pesar de su cara furiosa; y que nos va a seguir queriendo. Incluso, con el tiempo, va a agradecer los límites claros. En mi experiencia profesional, suele ser más grande la carencia del hijo que ha sido poco mirado (al que se lo dejó hacer cualquier cosa), que la del que fue educado estrictamente.

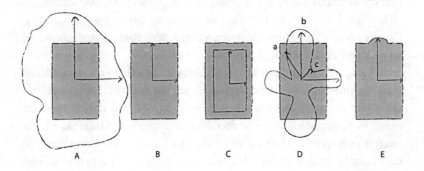

Imaginemos un sistema de límites como una cancha de tenis, los flejes determinan 'pelota adentro', es decir que esa conducta vale, o 'pelota afuera': esa conducta no vale. Los padres determinamos el tamaño de esa cancha, que con chicos chiquitos a lo mejor es de tamaño rugby, pero en realidad cada pareja de padres define en su casa cuáles son las conductas válidas y cuáles no. No podemos determinar 'una' única cancha correcta.

El esquema A es el de los padres permisivos: los hijos se salen de la cancha sin que nadie los detenga ni les imponga consecuencias; en algún momento se asustan, o se cansan, y entonces paran, o los padres en algún momento se preocupan, o se enojan, o se hartan y los detienen.

El esquema B corresponde a una cancha claramente definida por los padres en la que a todos les queda claro lo que se puede o no hacer (y cómo, y cuándo, y dónde, incluso también por qué).

El esquema C tiene una doble lectura: es el esquema de los padres autoritarios, que ponen sus reglas arbitrariamente y arman una 'cancha' chica que les queda 'apretada' a los chicos.

El esquema C también sirve para graficar el caso de algunos chicos que se ponen sus propias reglas (chicos adaptados, perfectitos, hipercumplidores) y esas reglas son más estrictas que las que habrían puesto sus padres. Son esos hijos que nunca retamos, porque hacen todo bien. No son muchos, suelen ser primogénitos y muy sensibles. Y funcionan como adultitos, ¡no como niños!

El esquema D es el de los padres ambivalentes, a veces firmes (a), otras dejan hacer por miedo, o por pocas ganas de delimitar (b), y otras se enojan por demás y ponen límites excesivos (c). Confunden a los hijos, quienes, como no saben a qué atenerse, siguen pidiendo... por si acaso.

El esquema E muestra una 'pancita' salida de la cancha; mientras esa posibilidad (de correr el fleje con su insistencia) exista, ellos van a seguir intentando violar el límite, pasar el borde, en muchas oportunidades. Por eso decimos que **las pataletas se detienen con quince días de no ceder a ellas**, cuando los chicos se dan cuenta de que es inútil insistir porque no van a poder salirse con la suya si lo que quieren hacer no está dentro de la cancha delimitada por los padres. Y, en este sentido, las pataletas (en todas las edades, sólo varía la forma de acuerdo con cada edad) buscan forzar la decisión de los padres, pueden ser gritos, caras feas, amenazas o los típicos berrinches de los dos años. Más allá de los dos o tres años (antes de eso ya vimos que son inevitables) somos los padres los que alimentamos estas actitudes al no ser claros en nuestras delimitaciones.

Evidentemente las 'canchas' no son fijas e inamovibles sino que van cambiando con el crecimiento y la maduración de los hijos, y en relación con la fortaleza y riqueza de sus recursos. En algunos momentos y aspectos se achica, por ejemplo cuando dejamos de permitir al chiquito que se levante de la mesa durante la comida. En otros vuelve a agrandarse: los vasos de vidrio no se pueden usar a los dos años pero sí a los cinco o seis años; o manejar un auto es impensable a los seis años, pero está permitido a los 18 (si hay un auto disponible en la familia y tiene registro de conductor). Y muchos otros ejemplos. Y puede también volver a achicarse por mal uso: un chico que ya se organiza solo para hacer la tarea y la hace cuando quiere, ante reiteradas notas de su maestra porque no la hizo o por bajas notas, puede perder ese derecho y volver a hacerla más temprano y bajo la supervisión de su mamá.

La obediencia

"Confianza, no sometimiento, define la obediencia."
A Gathering of Days, JOAN W. BLOS, 1979

Los chicos tienen que alcanzar determinada edad y madurez para entender lo que es obedecer o desobedecer.

Cuando tienen un año, todos sabemos que no alcanza con nuestra palabra. Tenemos que ir a buscarlos; cuidar, sostener, 'impedir' son las reglas para esa edad.

Los más chiquitos (hasta los cuatro años, a veces menos, a veces más) se rigen por la búsqueda de placer y por su deseo personal. No pueden (porque todavía no saben) pensar en el otro, tener en cuenta un punto de vista diferente del propio; están absolutamente centrados en sí mismos y sus deseos, que deben cumplirse ya. No tienen capacidad de espera, ni tolerancia a la frustración; no tienen un yo suficientemente maduro para ello.

De todos modos, aun en esa etapa, pueden ser muy distintos en cuanto a obedecer a mamá, o no. En un extremo, Marina le da la mano a mamá para cruzar la calle, sabe que no tiene que pisarla sola, y no lo hace; o entra al primer llamado; o viene a comer cuando le dicen. Mientras Feli, de la misma edad, libra permanen-

143

tes batallas para cruzar 'yo solita', y la mamá no le puede soltar la mano, porque sabe que se arrojaría sobre la calle; o tiene que traerla de afuera o llevarla a la mesa a los tirones.

Si tenemos un (o una) Feli, es importante que madres y padres estemos un paso delante de ellos: primero cierro la puerta con llave, y después le digo que no salga; o primero le tomo la mano, y después le digo que me tiene que dar la mano para cruzar. Así, vamos instalando la obediencia sin tantos gritos. Y ellos, despacito y por las buenas, se van acostumbrando a hacer lo que dice mamá.

De otro modo, pueden acostumbrarse a hacer lo que ellos quieren "porque no pasa nada" (no hay consecuencias); o la familia se acostumbra a gritos y forcejeos que enojan a todos, y a los chicos no les dan ganas de hacerles las cosas fáciles a sus padres. Más grave aún: no se logran autoestimas sólidas (en los padres tampoco; por lo menos en relación con el ejercicio de la autoridad).

Entre los dos y los cinco años van aprendiendo a obedecer. Durante ese tiempo, hasta la aparición del **superyo**, o conciencia moral, o **deber ser** (nombres que damos a la cristalización de internalizaciones de nuestras experiencias con nuestros padres, que ocurre alrededor de los cinco años), es vital (ya lo vimos en "La fortaleza del yo") que predominen los mensajes protectores por sobre los sancionadores, que predomine la internalización de padres que sean buenos cuidadores y no gritones, criticones o exigentes.

Es muy distinto obedecer porque los adultos no me dan otra alternativa (que es lo que recomiendo para los menores de cinco años), que hacerlo por miedo al castigo o a la pérdida de amor de mis padres (del modo en que fuimos educados nosotros). Así aprendo a obedecer por amor, respondiendo a los dictados de padres que nos protegen con sus enseñanzas.

El doctor José Valeros, supervisor de mi trabajo durante los últimos quince años, insiste con un concepto tan claro como fuerte de entender: los chicos con 'apego seguro' (adecuada confianza básica, vínculos confiados) son obedientes. La contracara de este concepto es, entonces, que la desobediencia (habitual o generalizada) es una de las maneras en que los chicos nos muestran que algo no está bien:

- 😊 no tienen suficiente confianza en sí mismos como para saber que ya va a llegar el día, o el momento, en el que mamá le permita hacer eso que desea tanto, o
- 😊 no creen que lo que sus padres deciden para ellos es bueno y tiene alguna razón valedera, por lo que avanzan por su cuenta, o
- 😊 no confían en la buena intención de los padres cuando permiten o prohíben algo: les adjudican intenciones 'aviesas', como venganza, falta de amor, no interés por el hijo, o
- 😊 no pueden respetar lo que los padres dicen porque sus conflictos previos se lo impiden, o
- 😊 no han alcanzado una buena integración de sus aspectos amorosos y hostiles, por lo que no logran una síntesis adecuada que les permita decir: me enoja con mamá tener que ir a bañarme ahora, pero como la quiero mucho y sé que me quiere también, no hago lío ¡y voy!, o…

Ya vimos en otro capítulo qué significan confianza básica y apego seguro. Llevado al tema obediencia/desobediencia les permite a los chicos confiar que aquello que los padres les dicen les conviene, es por el bien de ellos; o, por lo menos, que hay una buena y valedera razón para que tenga que ser de ese modo, aunque ellos en este momento no la entiendan.

Internalización de pautas

Las pautas y hábitos de conducta se incorporan en primer lugar con el ejemplo y, luego, pidiéndoles a los chicos las cosas en buen tono y muchas veces; así se van internalizando hasta hacerse autónomas.

Un ejemplo: tienen que aprender a bañarse todos los días. En la primera etapa, nadie pretende que lo recuerden ni que lo hagan solos; pero demasiado pronto, decidimos que es su responsabilidad, y pasamos a retarlo y desilusionarnos cuando no lo hizo. Aquí, como en muchas situaciones, la maduración e incorporación de pautas se produce por un proceso de llenado: mamá y papá se bañan todos los días y me llevan a bañarme a mí también a diario; en algún momento, después de varios años, con avances y retrocesos a distintas edades, esa función queda incorporada en el hijo y se hace autónoma, independiente de que los padres se lo digan. Es uno de los aspectos de lo que los psicólogos llamamos internalización de las figuras parentales. El problema es que esto muchas veces lleva mucho más tiempo del que nos imaginábamos. Ya vimos antes que el enojo, la desilusión, las amenazas ("nadie va a querer estar cerca tuyo", "¡no puede ser, todos los días lo mismo!") no ayudan a aprender sino que provocan más resistencia.

Lo mismo pasa con los modales en la mesa: no se trata de decir permanentemente lo que está mal, todo junto y todas las comidas; de a poco irán incorporando lo que hacemos nosotros. Obviamente no a los cinco años, sino más cerca de los nueve o diez.

Como en muchos otros temas, las cosas no ocurren cuando nosotros pensamos que tienen que ocurrir, sino cuando los chicos pueden. Dentro de este **pueden** incluyo un vínculo seguro y confiado con los padres, que les permita oír y escuchar, ver y mirar. Primero, copiar; para luego identificarse con lo que hace ese adulto. Para que sea posible, tiene que predominar el vínculo amoroso sobre el ambivalente (en el que se mezclan el amor y el odio sin neutralizarse mutuamente). Por eso es importante el tono en que enseñamos. No dan ganas de hacer lo que dice 'esa bruja' de mamá o 'ese gritón' de papá; y, menos todavía, dan ganas de aprenderlo y recordarlo mañana.

A veces los padres, con nuestra ansiedad y falta de confianza, les damos los temas servidos para que no se resuelvan. Sin hablar de 'nunca' o 'siempre', vale la pena, de a ratos, hacer caso a los tres monos sabios: uno, ciego; el otro, sordo; y el tercero, mudo. Dejemos pasar unas cuantas (las más posibles). Aprendamos a no ver, no oír, no hablar; no están por ir esta noche a comer con la reina de Inglaterra; y, aunque lo hicieran, la reina sonreiría comprensiva diciendo: "¡Son chiquitos!".

Nuestros hijos viven con nosotros muchos años y, durante todo ese tiempo, continúan internalizando pautas o conductas por el simple hecho de vernos hacer las cosas y comportarnos.

Estemos atentos a que también internalizan otras modalidades y costumbres que no nos gustan de nosotros: mi desorden, la poca voluntad del papá para levantar la mesa. Quizás así decidimos cambiar algunas de nuestras costumbres.

Sintetizando:
- ☺ Seamos coherentes.
- ☺ Prediquemos con el ejemplo.
- ☺ Demos mensajes cortos de vez en cuando.
- ☺ Sepamos esperar.
- ☺ ¡Conservemos el humor!

Opciones para que digan sí y toleren el no

En el 'no' de los más chiquitos hay cuestiones de poder. Desde que descubren, a los dos años (o antes), que son personas independientes, separadas de sus mamás y con pensamiento propio, quieren decidir lo que hacen, o no; por lo que, cuando les damos una orden del tipo: "Vení a comer", o "Andá a bañarte", se sienten arrinconados y se rebelan. No porque no tengan hambre, ni porque tengan algo muy importante que hacer, sino porque quieren hacer uso de esa libertad recién descubierta. Esto dura, como mínimo, un año. Suele aliviarse alrededor de los tres.

De todo modos, hay chiquitos con temperamento más fuerte, y/o con vínculos no suficientemente confiados (como vimos en otro capítulo), para quienes tratar de hacer las cosas 'como quiero', 'cuando yo quiero', 'yo solito' sigue siendo vital en la construcción de la imagen de sí mismo. Con ellos, el tema de la obediencia se sigue complicando por unos cuantos años.

¿Qué podemos hacer los adultos?

En primer lugar, **'elegir nuestras batallas'**. Muchas veces nos encontramos peleando por temas que no valen la pena, que no son importantes, con los que nadie se perjudica. Cuando finalmente nos damos cuenta, perdemos la fuerza para instrumentar la obediencia. Digamos la menor cantidad posible de **no** de modo de poder sostenerlos.

Una vez que resolvimos que el tema es importante, que deben obedecernos, podemos entregarles una parte del poder de un modo muy simple: la orden, el pedido no se negocian, pero sí la forma de hacerlo. Es decir que les ofrecemos alternativas para que hagan lo que queremos nosotros, pero... de la manera en que ellos elijan.

Veamos ejemplos:
Mamá: "Te vas a bañar."
María: "Dentro de un ratito."
Mamá: "Vamos, ¿te corro una carrera o te llevo a caballito?", "¿Te bañás en ducha o bañadera?" o "¿Con espuma verde o rosa?"

Cuando lo planteemos de esta forma, le estaremos dando la posibilidad de sentir que algo deciden; que no son simples títeres en manos de mamá o papá.

Estas opciones no implican soborno, chantaje, ni coacción: se hace lo que nosotros decimos, pero les dejamos una pequeña parte para que resuelvan ellos.

"Te abrigás"... el chiquito decide si se pone campera o sweater, entre dos alternativas elegidas por la mamá; porque, probablemente, María elegiría, para ir a la plaza, el saquito blanco que usó en el casamiento de la tía.

Del mismo modo: "Te calzás, ¿zapatillas o botitas de gamuza?", o, ya más grandes, "Tenés que hacer la tarea, ¿antes o después de bañarte?", etcétera.

Cuanto más los dejemos elegir mejor podrán investigar el mundo. Incluso equivocarse y aprender de sus errores; que, en realidad, enseñan más que una mamá que se adelanta permanentemente al error: el chiquito que dice "no, yo solito" y hace ensayos para ponerse las zapatillas, finalmente se las va a poner; y no se va a olvidar de esos intentos y de ese logro suyo, no de mamá. No siempre tenemos tiempo para esperar estos ensayos, pero demos la mayor cantidad posible de oportunidades para ello.

A partir de los cuatro o cinco años, podemos hacer acuerdos en muchos temas. Aunque no todo se puede acordar. Un hijo puede querer ir siempre sentado en el asiento de adelante en el auto. Pero acordar eso implicaría ser injustos con sus hermanos; por lo que, en ese tema, no hay acuerdo posible. Quizá podamos acordar que el día de la semana en que va a clase de guitarra, va siempre adelante porque es 'su' clase.

Para llegar a un acuerdo, es esencial hablar de los temas en un horario neutral; por ejemplo, hablemos del horario del baño o de las tareas el sábado a la mañana, que no es hora de baño ni de tareas. Si lo hacemos el miércoles a las siete de la tarde, les va a ser muy difícil aceptar ir a bañarse a las siete, porque eso es... ahora.

Estos acuerdos son negociados. Incluso podríamos hacer períodos de prueba: probamos que se acueste más tarde; que siga, o no, dependerá de cómo se levante a la mañana para ir al colegio y del humor que tenga a la tardecita del día siguiente.

Algunos pedirán no bañarse un día de la semana. Unos prefieren hacer las tareas cuando llegan del colegio y otros, primero jugar y hacerlas cuando oscurece. Todo podría valer, siempre y cuando no haya consecuencias serias; y ellos pueden así ir descubriendo sus estilos personales de hacer las cosas.

Los sermones son tentadores para los adultos. Creemos que, si explicamos... y seguimos explicando, las razones razonables por las que queremos que hagan algo (calzarse, por ejemplo), finalmente los vamos a convencer con nuestra catarata de ideas. Estas razones razonables convencen a los adultos, quienes tienen un yo fuerte que les permite elegir lo que les conviene. Los chicos, a partir de nuestra tercera oración, dejan el cuerpo pero internamente se van. O se enojan y empiezan a portarse mal; lo que interrumpe nuestro discurso y nos obliga a ocuparnos de cuestiones más prácticas, como que paren esa conducta, ¡o vuelvan después de haberse ido con portazo y todo! Ya dije que alguna vez leí que los chicos pueden escuchar y atender mensajes de... catorce palabras; y me parece muy válido como concepto. Lo que no entre en esas catorce palabras lo dejamos para el día siguiente. Y a partir de ese mini discurso (y si queremos que nos hagan caso) nos imponemos con el cuerpo (es decir que los llevamos) o con una orden clara, contundente e indiscutible.

¿Cómo hacemos para que acepten nuestro NO?

Ya vimos que es bueno que sean los menos posibles para poder sostenerlos nosotros, y tolerarlos ellos.

También podemos decir "sí, pero no ahora". Por ejemplo: "¿Puedo tomar helado?", "sí, de postre". Para los más chiquitos, primero decimos que no; y muy rápido, antes de que tengan tiempo de reaccionar y enojarse, les decimos cuándo van a poder hacerlo: "¿Puedo invitar un amigo?", "hoy no, porque es tarde; pero mañana lo invitamos". Si les dijéramos que sí desde el comienzo, los más chiquitos dejarían de escucharnos e irían corriendo al teléfono o al freezer a buscar el helado; y no resultaría fácil que entiendan que nuestro sí era para mañana o para después de comer, ¡no para 'ya mismo'! Por eso con ellos empezamos diciendo que no.

Otra alternativa es pedirles un rato para pensar si su pedido es viable, o para consultar con su papá; si siguen apurados, la respuesta es no. En cambio, si pueden esperar, hay alguna esperanza de que sea afirmativa. (Si todas las veces terminamos con una respuesta negativa, dejan de creer que lo vamos a pensar porque se dan cuenta de nuestra pequeña 'estafa'.) Esto funciona, especialmente, cuando estamos delante de otra persona, como la mamá del amigo que quieren invitar, o en la puerta del colegio cuando tres chicos nos hablan a la vez. Ellos saben que son situaciones en las que nos encuentran debilitados por circunstancias externas (apuro, testigos, incomodidad); por lo que las aprovechan para pedir cosas que saben que habitualmente rechazamos.

Cuando son un poco más grandes, podemos pedirles que nos expliquen las razones por las que nos hacen ese pedido (para ver si logran convencernos) de tomar Coca o invitar un amigo un día de semana (cuando saben que no es lo acordado previamente). Es posible que sus explicaciones nos resulten valederas para aceptar algo que, de otro modo, rechazaríamos: "Hace mucho calor, hoy hice gimnasia, y ¡hay una Coca en la heladera!", o "mañana tenemos fiesta de deportes y no tenemos tarea, por eso quiero invitarlo".

Estas tres alternativas las tomé del libro de Bárbara Coloroso, *Padres respetuosos, hijos responsables*, y he confirmado su utilidad tanto con mis hijos como con los padres a los que acompaño en orientación.

Cuando mis hijos eran chicos encontré una fórmula que me resultó muy práctica y que era muy clara para ellos: cuando les pedía por favor, podían elegir hacerme caso o no hacerlo; cuando ordenaba, debían obedecer.

A la pregunta: "Por favor, ¿me traés el libro que dejé arriba de mi mesa de luz?", podían decir que sí o "No, ma, tengo fiaca". Cuando, en cambio, yo hablaba por teléfono y decía: "Traéme la agenda que está sobre el escritorio" sabían que no había alternativa. El arte estaba en decir muchas veces por favor, y formular sólo las órdenes indispensables. ¡Y funcionaba!

¿Penitencias y castigos, o consecuencias?

Los adultos solemos amenazar a nuestros hijos con penitencias o castigos, que son más o menos fuertes según el humor del día o las ganas que tengamos de que nos obedezcan.

¿Cómo suelen ser esas penitencias o castigos?
- arbitrarias y poco relacionadas con lo que está pasando, no tienen un sentido claro para el chico;
- las imponemos nosotros desde afuera, y los chicos se enojan con nosotros;
- implican juicios, del tipo: "Sos insoportable", o "así de sucio no entrás al auto", o "sos malo"; por lo que confundimos a la persona con lo que hizo mal, con el hecho;
- se relacionan con hechos anteriores; ya sea porque se conectan con viejos enojos con este mismo hijo, o porque son repetición de lo que hicieron nuestros padres con nosotros;
- las enunciamos, con mucha facilidad, como amenazas; o de un modo poco respetuoso hacia nuestro hijo;
- requieren que nuestro hijo cumpla con ellas; lo que no es siempre fácil de lograr, sobre todo, cuando van creciendo;
- muestran nuestra impotencia: transmiten (contra nuestro deseo) que no podemos hacerlos obedecer.

¿Cómo serían las consecuencias?

El mundo adulto está lleno de consecuencias que regulan nuestra conducta: si no voy al supermercado, se acaba la comida; si me paso un semáforo en rojo, pago una multa; si me olvido un documento en casa, no puedo hacer el trámite; si me levanto tarde, llego también tarde al trabajo y mi jefe se enoja; si me compro tres pares de zapatos con tarjeta de crédito, el mes que viene los tengo que pagar…

Hay **consecuencias naturales**: si me comí el alfajor, ya no lo tengo más; si dejé en casa el teléfono celular, no puedo hablar; si llueve cuando salgo, me mojo. Son inevitables, porque expresan una realidad de orden físico o natural: no puedo estar a la vez en la cama y en el trabajo, no puedo tener el mismo alfajor en la mano y en el estómago.

Las **consecuencias lógicas** expresan una realidad acordada: a veces, familiar; otras, social; o legal: son convenciones que elegimos lo seres humanos para poder convivir con cierta organización. Los bancos abren hasta las tres de la tarde: si quiero ir más tarde, lo encuentro cerrado; si un adolescente trae notas bajas, tendrá que estudiar más horas, por lo que tendrá (además) que salir menos, o ver menos televisión, o chatear un rato más corto. Si mi hijita no está lista para salir a la hora que estipulamos antes, se queda en casa.

Vemos entonces que las consecuencias:

- ☺ **tienen sentido para el que se atiene a ellas**: si decido dejar el auto estacionado unos minutos más que lo que pagué de parquímetro, sé que puedo pagar una multa. Yo decido hacerlo igual, porque esta reunión es muy importante.

- ☺ **se relacionan con hechos actuales y futuros**: no traen historia de enojos y venganzas anteriores: "Si mañana no te podés despertar bien para ir al colegio, te vas a tener que acostar más temprano". No interviene lo que pasaba en mi infancia cuando yo no me quería levantar para ir al colegio; y tampoco que este chico me tiene cansada con su mal modo a la mañana. En realidad, es una buena manera de que yo deje de refunfuñar porque se sigue despertando tarde y de mal humor; y probablemente incluso él empiece a despertarse bien.

- ☺ **nos permiten separar el acto (que lleva a la consecuencia) de la persona,** ¡y no enojarnos!

- ☺ **están directamente relacionadas con lo que pasó**: todos los ejemplos anteriores y uno más: "No salimos hasta que tengas puesto el cinturón de seguridad"; cuando no haya consecuencias tan obvias, siempre podemos acudir a suspender la televisión, la computadora, el chat. **Y no suspendamos temas verdaderamente importantes para nuestro hijo**: la clase de guitarra, el deporte del fin de semana, o la fiesta de quince de la prima (que viene esperando desde hace meses)... Cuando las consecuencias son demasiado dolorosas, no enseñan sino que los desmoralizan y enojan.

☺ **se exponen con tranquilidad**: no hace falta gritar, sólo anunciarla de antemano. Las consecuencias se avisan, para darles oportunidad de elegir hacer caso o pagar la consecuencia (a veces están preacordadas). Esto las diferencia de las penitencias que ponemos (cuando nos cansamos, y después de mucho grito y enojo) en realidad, sin aviso previo.

☺ **nos otorgan verdadero poder**: tenemos que elegir las consecuencias de modo que esto sea posible. Con un adolescente que molesta en la mesa es más fácil avisar "si seguís molestando, me voy a toma el té a mi cuarto", que decirle que se va a tener que ir de la mesa, cuando mi hijo mide y pesa más que yo. A veces nos vemos forzados a usar métodos drásticos, como llevarnos el transformador o el control remoto; para que, efectivamente, se cumpla la consecuencia.

☺ cuando eligen pagar las consecuencias, aunque de todos modos se enojen con nosotros, en el fondo **saben que ese enojo no tiene razón de ser** ya que ellos eligieron desobedecer y atenerse a las consecuencias.

☺ **les transfieren a ellos el control y la decisión**: nosotros no les decimos lo que tienen que hacer. De ese modo **les enseñamos cómo pensar**; que es lo que realmente queremos lograr.

De todos modos, hay situaciones en las que no hay consecuencias aceptables; en las que no podemos ofrecerles una alternativa: para ir al casamiento del primo "se tienen que poner camisa y corbata", "no pueden manejar el auto hasta que tengan registro", "no se pueden meter en la pileta si hace frío"… Esto tiene que ver con la **regla de plata** (que ya vimos antes): que nadie se perjudique seriamente. Tendremos que tener una reserva de autoridad para que en esos pocos casos hagan lo que decimos nosotros; y porque, cuando y como lo decimos.

¿Cómo deberían ser las consecuencias lógicas/naturales?
- ☺ cortas y sencillas (sostenibles y cumplibles): en los más chiquitos un minuto por año de edad,
- ☺ inmediatas (preferentemente: ahora, no mañana o el fin de semana),
- ☺ activas y reparadoras: que les permitan aliviar la culpa,
- ☺ en relación con el hecho (lo más posible),
- ☺ proporcionales al hecho,
- ☺ valiosas para aprender (que no los llenen de enojo),
- ☺ razonables y respetuosas,
- ☺ anunciadas o preacordadas.

Es probable que estemos ante una penitencia 'disfrazada' cuando no se cumplan estas condiciones.

Atención: El sufrimiento no es requisito indispensable. Lavar el auto de papá con el objetivo de juntar plata para pagar el sweater que perdió, puede ser muy divertido; y sigue siendo una excelente consecuencia que le sirve para aprender a cuidar sus pertenencias.

Penitencias o consecuencias mal elegidas despiertan:
- ✋ rencor: los lleva a pensar que es injusto; que no se puede confiar en los adultos, en lugar de aprender de esa consecuencia,
- ✋ enojo y deseos de venganza,
- ✋ desconexión con nosotros: "¡Qué me importa!", "¿Y qué?",
- ✋ rebeldía: "Ni pienso", "Hago lo que quiero",
- ✋ retracción con astucia: "La próxima la hago mejor para que no me pesquen",

✋ retracción con baja de autoestima: "Soy una mala persona", "Mi mamá no está contenta conmigo",
✋ tristeza, desánimo, desesperanza: "Es inútil", "Nunca voy a poder".

Las consecuencias bien elegidas no impiden que nuestros hijos sientan estas cosas, pero no será todo el tiempo ni con tanta intensidad y, detrás de sus enojos, deseos de venganza, etc. sabrán que lo que estamos haciendo es razonable. Incluso pueden gritar muy fuerte para no escuchar una voz que desde adentro les dice que papá y mamá tenemos razón.

Soborno ≠ recompensa

Ésta es otra diferencia importante que tenemos que considerar:
Soborno ("corromper con dádivas", dice el diccionario Pequeño Larousse en color) implica que yo intento convencer a mi hijo con una condición. Nuestras frases empiezan con "si...". Queda claro que no creo tener el poder para lograr que me obedezca. El riesgo que corro es que diga que no le interesa: "Si te dejás vacunar, después te compro un regalo". Nuestro hijo puede elegir no recibir el regalo... ¡pero entonces se queda sin vacunar! "Si te bañás, podés ver televisión", a lo que contestan "¡no veo televisión!" Estamos en problemas cuando descubren esa alternativa.

La segunda dificultad es que los sobornos son cada vez más grandes a medida que ellos se dan cuenta de que nosotros no tenemos verdadero poder (ya que necesitamos hacer uso de esta estrategia).

Premios o recompensas, en cambio, no implican una condición. Se enuncian "cuando...": "cuando te hayas bañado podés ver tele"; "cuando termines con los deberes, podés salir a jugar". Con el simple cambio de la palabra 'si' (condicional) por 'cuando' recuperamos mucha fuerza para poder llevarlos a hacer lo que les pedimos. Puede ocurrir, de todos modos, que un chiquito especialmente astuto o tozudo se pase un par de días sin bañarse; pero esto implica que también va a estar dos días sin ver televisión, y muy pronto va a recuperar las ganas de obedecer (o de estar limpio).

También ofrecemos premios o recompensas no anunciadas: "¡Hoy se portaron tan bien en la casa de la abuela, que estaba enferma, que vamos a celebrar tomando un helado!".

De todos modos, no exageremos tampoco con los premios; porque empiezan a pedirlos por todo y entonces pierden valor. Sólo funcionan si los usamos muy de vez en cuando.

¿Qué hacemos cuando se enojan ante nuestra puesta de límites?

Ninguna de las estrategias propuestas debe ser la única. No todas funcionan en todas las edades. Cada una ofrece una alternativa que nos puede ayudar en momentos distintos.

En todos los casos, **debemos comprender lo que sienten**: el enojo, la ofensa, o la tristeza, es decir, lo que provocamos con nuestra puesta de límites. En el momento, cuando están muy ofuscados, no vale la pena decírselo: basta con aceptar lo que sienten, e impedir que las 'actuaciones' de ese enojo u ofuscamiento vayan más lejos de lo aceptable para nosotros. Al rato, cuando ya más tranquilos nos puedan escuchar, es bueno poner también en nuestras palabras aquello de lo que nos damos cuenta o nos parece que sienten. De esta forma validamos su mundo interno y ellos confirman que los queremos y aceptamos, a pesar de su enojo con nosotros.

Veamos algunas alternativas:

- ☺ **Penitencias, supresión de privilegios, consecuencias naturales o lógicas**: este punto tiene un apartado entero dentro de esta parte del libro.
- ☺ **Separarlos de nosotros (*time-out*)**: usado no como castigo sino para protección mutua, o como una de las con-

secuencias lógicas que se nos podrían ocurrir. Cuando ambas partes levantan temperatura, cuando los ánimos se caldean, a veces es preferible pedirle al chico que se vaya a su cuarto hasta que se calme, o hasta que pare de gritar o llorar. O llevarlo nosotros a su cuarto, si es chiquito. También puede ser la mamá la que se vaya a dar un baño, y tome distancia de la situación, para pensar con más claridad. Esta estrategia, muy útil cuando son chiquitos, la seguimos usando con los adolescentes: cuando nos levantamos de la mesa del té, cansados de oírlos pelearse. Y también entre adultos: por ejemplo, discuto con mi marido; y, llegado un punto, me levanto de la mesa a buscar más agua, o el postre, para concederme espacio y tiempo. Lo mismo ocurre cuando nos vamos a dormir enojados: es muy difícil dormirse; circula mucha emoción negativa hasta que, finalmente, nos amigamos; o uno de los dos se levanta y se va a leer un rato. Este aire fresco nos calma, y le da al otro la misma oportunidad de serenarse.

☺ **Distraerlos**: es ideal para los más chiquitos. Ante una pataleta furibunda porque quieren el vaso verde que tiene la hermana, hacemos un chiste, cambiamos de tema, o los interesamos en otra cosa para desviar su atención. También sirve en algunos casos con chicos más grandes: los papás se van de viaje; no vale la pena que los chicos vean cómo parten en el auto, lleno de valijas, con una mamá que tiene intensas emociones mezcladas (ganas de irse y también de quedarse con los chicos)… Se despiden y los chicos se van con la abuela a comer afuera. Ya saben que, cuando vuelvan, los padres no van a estar. **¡Ojo! Aunque resulte tentadora para evitar el sufrimiento de los chicos, ésta no puede ser la única; si siempre los distraemos y nunca los acompañamos a conocer y tolerar el enojo o el dolor, les impedimos fortalecerse y adquirir recursos para enfrentar los contratiempos de la vida.**

☺ **Darles opciones**: ya vimos en otro apartado ("Opciones para que digan sí y toleren el no") que muchas dificultades surgen porque los chiquitos quieren conservar el poder de decidir, y simplemente, por esa razón, se oponen a muchas de nuestras órdenes. Para 'sortear' este inconveniente, podemos ofrecerles opciones; no negociamos el tema principal y, en cambio, ofrecemos alternativas para una cuestión secundaria. Ellos conservan el poder de decidir algo, aunque la cuestión principal no se discute (irse a bañar, abrigarse, salir del agua) y, al mismo tiempo, van aprendiendo a elegir. Quedan encantados, porque sienten que decidieron ellos; y es verdad, ¡lo hicieron!

☺ **Abrazo hasta que se calman**: incluye cualquier tipo de abrazo, que permita a los más chiquitos volver a la calma, sostenidos por los brazos de sus padres. Es una experiencia que vale la pena tener, de vez en cuando, con ellos; nos hace bien a todos: a ellos, porque es maravilloso volver a la calma sintiéndose sostenido y protegido de sí mismo; para los padres, porque es una experiencia inigualable.

No siempre es sencillo porque, en su furia o pataleta descontrolada, no dejan que nos acerquemos. En ese caso habrá que agarrarlo de modo tal que no nos pueda lastimar ni se lastime él mismo. ¿Cómo se hace? Lo sentamos en nuestra falda, mirando hacia adelante, le tomamos los brazos cruzados con nuestras manos (como en el chaleco de fuerza); y, si es necesario, sostenemos sus piernas con las nuestras. Quedan "como cucaracha panza arriba". No pueden hacer nada; salvo pegar cabezazos para atrás (pueden ser muy fuertes), o mordernos (se resuelve teniendo sus brazos y los nuestros bajos, lejos de su cabeza). En un primer momento, se enojan más todavía; pero al ratito, al sentirse sostenidos sin violencia de nuestra parte (ésa es la clave: nada de lo que hacemos les duele), y a medida que escuchan nuestra voz serena, van pasando del grito al llanto; y ahí sí podemos abrazarlos como siempre, y empezar a hablar de lo que pasó y que los hizo enojar tanto.

Esta experiencia cansa física y emocionalmente a los padres; por lo que no podemos hacerlo todo el tiempo. Vale la pena reservarla para alguna de las furias más rabiosas de los más chiquitos; y hacerlo cuando estemos en un día con mucho 'resto' de energía y de humor, porque no es fácil.

☺ **Palmadas, palizas**: El estilo 'tradicional' es eficaz, pero no colabora con la autoestima, la confianza o la seguridad de los chicos. La violencia genera violencia; el maltrato genera maltrato. No le puedo enseñar a mi hijo a no pegar... pegándole.

Muchos padres dicen que funciona. Después de intentar por otros caminos, les pegan a los chicos y ellos empiezan a portarse bien. Incluso agregan que se estaban buscando la paliza. Funciona porque los chicos se asustan; o porque ya se sentían culpables de molestar tanto, y se calman con el castigo... Pero el precio que pagamos es alto. No se nota al principio; pero se quiebra la confianza básica, la seguridad del apego.

Podríamos darles una palmadita para que aprendan a no tocar los cables, o en otras situaciones peligrosas. A veces una sacudida ayuda a un chico a conectarse con lo que le estamos diciendo. **En ningún caso podemos pegarles para descargar nuestro enojo, o porque nos descontrolamos**; aunque nos veamos tentados. Son chiquitos; no se pueden defender y se asustan mucho. Y corremos el riesgo de que, cuando crezcan un poco y nos pierdan el miedo, nos peguen de vuelta, ¡y ahí vamos a estar en problemas!

☺ **Sordera y ceguera selectivas**: nuestros hijos reciben muchas órdenes, indicaciones, recomendaciones, por día. Es una buena idea acordarnos de los tres monos sabios que mencioné antes: no veo, no oigo, no digo, ante aquellas cosas que no sean importantes. **Elijamos nuestras batallas** para poder pelearlas con todas nuestras fuerzas. Dejemos pasar oportunidades educativas porque, con seguridad, se van a volver a presentar.

Coherencia, estructura, rutina, anticipación y planeamiento para generar colaboración

A cada rato los padres estamos dando órdenes, y muchos chicos lo viven mal y protestan. Especialmente si queremos que las cosas sean **ya**, como suele ocurrir con las madres. Hablando de este tema con un grupo de mamás, una de ellas nos contó que esa mañana, mientras desayunaban, su marido le había pedido que se bañara ella primero. En ese momento ella había podido entender lo que les pasa a los chicos cuando no quieren sacar la basura 'ahora', o venir a la mesa 'ya', o entrar 'en este instante', o hacer la tarea 'después del té'... Ella quería seguir tomando un café tranquila; y la presión de su marido la incomodaba, y mucho (y no fue: ¡se tuvo que bañar él primero!).

Esto mismo les pasa a los chicos. Por eso vale la pena planear las cosas de antemano; de modo que sepan lo que va a ocurrir en las próximas horas, ¡y no en los próximos cinco minutos!

Hábitos y rutinas permiten este planeamiento, y facilitan las relaciones. Si ya saben que comemos a las ocho de la noche, les va a ser más sencillo hacer caso; logran organizarse mejor con sus cosas, y no pueden decir que no sabían que iba a estar la comida, porque es el horario de siempre.

Anticiparse es otra fórmula que ayuda mucho a que acepten mejor nuestras órdenes: "En quince minutos te toca bañarte", "en veinte minutos está la comida" les permite ir preparándose para hacer caso. A medida que crecen, resulta más práctico este modo de pedir las cosas; porque cada vez les cuesta más hacerlas exactamente cuando y como queremos los padres. Éste es un entrenamiento para ambas partes.

Anticipación y planeamiento pueden incluir papeles pegados en la heladera con los horarios rotativos de baño, o los días en que cada uno elige lo que ven en televisión, o en los que les toca poner la mesa. Vale la pena pautar, escribir y exhibir, en un lugar público, aquellas discusiones que se repiten todos los días, para que todos las recuerden. Podemos empezar desde los tres años; sólo que, a esa edad, haremos dibujos, en lugar de escribir; para que ellos también

161

puedan 'leer' esos convenios. Representamos a Pedro con sus anteojos; a María, con el pelo largo; al bebé, con sus rulitos. Cada uno adentro de la bañadera, si ése es el acuerdo que estamos graficando.

De este modo vamos ofreciendo un sistema coherente y estructurado, y muchas cuestiones dejan de ser tema de discusión.

¿Y CUANDO SE PORTAN BIEN?

¡No olvidemos reforzar la conducta positiva de nuestros hijos! Muchas veces los chicos se portan mal o desobedecen para llamar nuestra atención. Dos ejemplos clásicos: suena el teléfono cuando María (5) y Feli (3) jugaban muy tranquilas; al minuto empiezan a pelear; porque no toleran que mamá hable por teléfono, y pelearse es la fórmula infalible para que deje de hacerlo. O viene nuestra amiga de visita, Juan y Miguel (4) jugaban lo más bien, hasta que perciben que el interés de mamá está en otra parte. Muy fácilmente podemos quedar atrapados en este círculo vicioso: se portan mal para que les prestemos atención, y terminamos mirándolos sólo cuando se portan mal (cuando están tranquilos preferimos dejarlos y disfrutar ese rato de paz).

Aprendamos a acercarnos a ellos cuando estén bien, tranquilos, jugando. Reforcemos muchas veces esas conductas deseadas; y, de esa manera, no van a necesitar (tanto) atraer nuestra atención con conductas no deseadas.

Otras consideraciones

Los límites son para proteger a los hijos, para que se sientan seguros, cuidados, sostenidos, contenidos. Como explica Jaime Barylko en *Los hijos y los límites*, marcan el camino; como las líneas de la ruta, que nos permiten saber exactamente cuándo podemos pasar a otro auto y cuándo no, qué parte del piso es camino y qué parte es banquina, cuál es nuestra mano y cuál la contraria.

Ya vimos en capítulos anteriores que los cinco años son un hito en cuanto a la forma en que establecemos límites.

Hasta los cinco años ponemos freno o límite físico: siempre que podemos, impedimos la mala conducta, nos hacemos cargo, incluso usando el cuerpo. Ellos obedecen al adulto, quien los lleva a 'portarse bien'.

Desde los cinco o seis años en adelante, con figuras de padres ya internalizadas, los chicos saben (o deberían saber, lo que no siempre ocurre) que los padres **deben ser obedecidos**. Ya no hace falta que los padres tomemos un papel tan activo, y aparecen las consecuencias en caso de que no lo hagan.

También vimos que, en algunas circunstancias, usamos las consecuencias antes de los cinco años, o 'impedimos' la mala conducta de los más grandes.

¿POR QUÉ INSISTEN LOS CHICOS ANTE NUESTRA NEGATIVA?

a) Lo hacen **cuando descubren que, con su insistencia, logran que cambiemos de idea**. Muchos padres, cansados de escucharlos, decimos: "¡Sí, podés ver televisión!", o "¡Sí, te compro las figuritas del mundial!". Nos ganan por cansancio, o porque a los adultos nos cuesta ser vistos como 'los malos de la película'. Una vez superada la edad de las pataletas (alrededor de los tres años), hacen falta unos quince días sin ceder a ellas para que desaparezcan.

b) Los chicos insisten porque **es una manera de postergar la aceptación de la respuesta negativa**. Mientras siguen insistiendo, no necesitan enojarse o ponerse tristes: Mariana (14) le contestó mal a su mamá reiteradas veces, hasta que la mamá se cansó y la dejó sin la fiesta que tenía esa noche; Mariana insistía, se bañó, se cambió, hasta se maquilló, mientras esperaba convencerla. Cuando llegó la hora de salir y se dio cuenta de que se quedaba, se fue al cuarto a llorar furiosa, ¡que es lo que habría debido hacer horas antes!

c) **Algunos chiquitos, muy seductores, insisten porque han encontrado, en la sonrisa, en la charla simpática, en la persua-**

sión suave o en el encanto, excelentes herramientas para no aceptar las negativas. Años de haber crecido cautivando al mundo con seducción y 'hechizos' no les permiten, cuando grandes, acostumbrarse a los no de la vida y fortalecer sus recursos; por lo que tienen muy baja tolerancia a la frustración y capacidad de espera o de esfuerzo para alcanzar objetivos. Son verdaderamente encantadores, y uno termina descubriendo que siempre hicieron lo que quisieron con esa sonrisa seductora, ¡y sin un solo grito!

Encontramos dos estilos de resistencia a los límites: activa y pasiva. La resistencia activa es fácil de descubrir: son los chicos frontales. Sabemos lo que quieren y pelean por ello; con ellos la batalla por los límites es clara y visible. Y, finalmente, suelen ser los más dóciles. La resistencia pasiva es la que ejercitan los chicos seductores, y también los más callados, que dicen: "Sí, mamá, ya voy"... ¡y no van nada! Y tardamos en darnos cuenta de que hacen lo que quieren.

Estemos atentos porque, a veces, cuando finalmente nos damos cuenta, nuestro hijo (que usa esta resistencia pasiva) lleva años saliéndose con la suya.

HAY TIEMPO PARA EDUCAR, TODO LLEGA

Especialmente al hijo mayor (a los demás, un poco menos; pero también) solemos educarlo como si hubiera que resolver todo **ahora**. En el tema de la mesa por ejemplo: que mastiquen la comida con la boca cerrada, que no vuelquen los vasos, que se queden sentados hasta que todos terminen... Los chicos viven muchos años con nosotros; cada año tiene muchos días, y cada día más de una comida; por lo que podemos repartir un poco (bastante, mucho...) las indicaciones para que ellos adquieran buenos modales.

De todos modos, existe una edad **estadísticamente** esperable para que las cosas ocurran (por ejemplo: lavarse los dientes, tener

164

buenos modales en la mesa, o irse a bañar sin que se lo recuerden). Unos llegan antes y otros, más tarde, a cumplir con nuestras expectativas. Así como María perdió su primer diente de leche a los cinco años (y José, a los siete), incorporar reglas y hábitos de conducta también varía mucho de chico en chico. Más aún: **con dolor tendremos que aceptar que difícilmente ellos alcancen todas nuestras expectativas.** En la estadística influyen muchos factores: maduración, diferencias individuales de constitución o temperamento, distracción, el modelo que se les presenta, la situación en la que viven, los cambios por los que transitan, la modalidad defensiva, la confianza básica, los vínculos de apego, y muchos otros. De todos modos, hasta que lo logren, nos seguiremos ocupando nosotros; y, en lo posible, con sonrisas y sin (o con poco) enojo.

Para la pareja de padres:

☺ **Decir que sí todas las veces que sea posible, para poder luego sostener los no.** Es más fácil sostener cinco 'no' que veinte; y muchas veces el 'no' es simplemente una respuesta automática, que podemos revisar y descartar antes de abrir la boca: "No se saquen los zapatos" (cuando estamos adentro, con alfombra y buena calefacción), "no tomen Coca-Cola" (y hace un calor terrible y nosotros también tenemos ganas de tomar), "no se saquen el sweater" (¿cómo sabemos que ellos no tienen calor?). Y otros muchos ejemplos de todos los días... (ver "Opciones para que digan sí y toleren el no").

☺ **Intentar un frente común entre los padres. De no ser posible, o en la duda, prevalece el no.** Esto resulta muy organizador. Si como progenitor estoy acostumbrado a que mis negativas no van a ser tenidas en cuenta todas las veces, probablemente diga muchas veces que no; así alguno 'pasa'. En cuanto sabemos que nuestra negativa vale, sólo diremos los 'no' absolutamente necesarios. Padres temerosos a quienes todo los asusta o preocupa ("¿puedo salir a andar en bici?", "¿puedo prender el horno para hacer una torta?") tendrán que hacerse fuertes y confiar para no decir excesivos 'no'.

⊚ **La habitual 'cinchada' entre los padres puede convertirse en un proceso dialéctico enriquecedor.** ¿En qué consiste la cinchada? Habitualmente los padres toman roles contrarios; por ejemplo, uno autoritario y otro permisivo. El autoritario se pone más estricto para compensar a su cónyuge, quien, desde su punto de vista, arruina a los hijos. El permisivo cede cada vez más, para contrapesar el autoritarismo (así lo considera el permisivo); con lo cual las distancias entre ellos se agrandan. Ambos hacen mucha fuerza para que los temas se resuelvan como cada uno quiere; hay peleas, bandos y partidos, divisiones dentro de la familia, ¡y chicos que se sienten culpables! La realidad más probable y habitual es que la buena solución esté a mitad de camino entre las que propusieron: papá quiere jugar con los chicos cuando llega de trabajar, mamá no quiere que se acuesten tarde. Si pueden 'pensar juntos', lograrán una buena síntesis que tenga en cuenta las necesidades de todos: papá se compromete a llegar temprano dos veces por semana, mamá acepta que otra vez por semana se demore la hora de acostarse para esperar a papá; pero no más allá de una hora determinada. Basta que dos personas pasen un tiempo juntas para que empiecen a funcionar en 'cinchada': el puntual es cada vez más puntual, porque el impuntual se relaja, ya que su compañero (de cinchada) le va a avisar cuando se haga tarde; y él no necesita preocuparse. Lo hacemos sin pensar porque resuelve nuestro conflicto interno entre los dos aspectos, aunque sólo en la superficie; ya que, en realidad, profundamente nos quita el poder de decidir y resolver: si yo soy puntual, no registro mis ganas de quedarme un ratito más viendo tele, porque ese aspecto mío lo 'juega', lo representa, mi marido. Y esto me permite no hacerme cargo, y procesar mis propias ganas de quedarme un rato más en casa. (Esto ya lo vimos cuando hablamos de los hermanos seguidos del mismo sexo y la forma en que se complementan en "¿Por qué son tan distintos nuestros hijos?"). La cinchada dificulta también el proceso dialéctico (siguiendo a Georg W. F. Hegel), por el cual podemos tomar lo mejor de lo que piensa cada uno y hacer una buena síntesis, al rato aparecerá otra antítesis y habrá que lograr una nueva síntesis, etc. Veamos un ejemplo: papá quiere que Mariana participe de la carrera de natación para la que se viene preparando, mamá quiere que Mariana se cure de una vez la tos y el resfrío que viene arrastrando, por lo que no quiere que vaya a la carrera. Una buena síntesis sería que vaya y compita y enseguida vaya al vestuario a cambiarse y secarse el pelo con secador. Para salir de la cinchada ambos padres dan un paso al centro y acercan posiciones, y éstas pasan de ser irreconciliables a ser conciliables.

⚉ **No criticarse uno al otro; hacerse cargo o retirarse**: es un convenio que puede acordarse entre los padres, y que funciona impecablemente. **La crítica hace mucho daño.** Lo único que le falta a una madre desbordada que intenta calmar los ánimos de los chicos en la bañadera es un marido que se para en la puerta del baño, con cara de superado, y opina acerca de lo que ella 'debería' estar haciendo. ¡Esa mamá tiene suficiente con su propia sensación de ineptitud, para verla además reflejada en la cara de su marido! La crítica nos paraliza, nos obliga a defendernos, nos sentimos desvalorizados… ¿En qué consiste este convenio? No vale criticar lo que el otro hace; por lo que nos quedan dos alternativas: le digo que yo sigo ("dejá, mi amor, andá a tomar un café"), y mi pareja se retira agradecida; o me voy (si no puedo o no tengo ganas de hacerme cargo) a un lugar donde no vea y no escuche lo que pasa. Porque si elijo retirarme, **no vale criticar, y tampoco vale pretender que el otro haga las cosas como yo quiero.** Si quiero que sean a mi manera, las tengo que hacer yo. Aquí tenemos que ser honestos: hacernos cargo algunas veces, y retirarnos otras. ¡No vale ser el que siempre se retira! No criticarse no significa que más tarde no podamos hablar de lo que pasó, y pensar juntos alternativas u opciones. De todos modos, hablo de situaciones de la vida diaria que no impliquen algún tipo de abuso físico o emocional de los chicos; ya que, en esos casos, nuestra obligación es intervenir e impedir que éste continúe.

- ¡**Podemos dejar pasar algunas cuestiones!** Lo que no vimos (porque no ocurrió justo delante de nosotros), podemos hacer de cuenta (siempre que no sea realmente peligroso, dañino o antiético) que no lo notamos (le sacó el juguete al hermanito, por ejemplo). Lo mismo ocurre con lo que no oímos: si insultó a la hermana detrás de mí, cabe la posibilidad de que yo decida no hacer nada al respecto. También podemos decidir cerrar la boca algunas (bastantes) veces, ¡y cómo nos cuesta a las mamás! Siempre habrá oportunidades de volver sobre esos temas: "Sentate derecha", "no digas malas palabras". Es un alivio tomarnos (y ofrecerles) pequeños descansos de nuestro 'furor educativo'.

- **Dejar que se equivoquen** (obviamente cuando no haya consecuencias serias): ¡aprenden a pensar! Y pierden el miedo al error. No me canso de insistir en este punto, ya que los prepara para el futuro: cuando, en la etapa de colegio primario o en la adolescencia, todavía inmaduros, de todos modos anden por el mundo, tomando decisiones lejos de la mano o de la mirada de mamá o papá.

Padres e hijos quedamos muchas veces atrapados en círculos viciosos de acusaciones mutuas, aunque no sea fácil de detectar a simple vista: Manuela se porta mal y sigue portándose mal hasta que logra 'sacar' (descontrolar) a su mamá. Cuando llega ese momento puede decir: "Pobre de mí, víctima de esta mamá... injusta, loca, mala, etc.". Manuela logra así 'olvidarse' de que es ella la que inició el conflicto, y con esto consigue no sentirse culpable, acusar a su mamá de todo, sentirse mal tratada; y, para colmo de males, no aprender nada de la situación. ¿Qué hace la mamá? Cuando se siente acusada, inmediatamente toma la ofensiva (con muchos y muy buenos recursos; ya que, no en vano, es mayor y es la mamá) para que quede claro que la culpable es Manuela y no ella. Se niega a hacerse cargo de la culpa (y tiene razón, ya que todo esto lo empezó Manuela). Entonces hace sentir culpable a la hija, que vuelve a no tolerar sentirse así y vuelve, también, a portarse mal, hasta lograr sacar a su mamá... Y así puede seguir la historia muchos años: tirándose la responsabilidad de la 'culpa', y sin que logren hacerse cargo y aprender de la experiencia.

¿Cómo empieza esto?

☺ Probablemente por una necesidad emocional insatisfecha del hijo, quien se siente no visto, no querido, no tenido en cuenta, ¡o simplemente necesita que se ocupen de él ahora mismo!

☺ Pide atención como puede (por ejemplo, se porta mal para que lo miren aunque sea mal, ¡no importa!, con tal de que lo miren), ya que prefiere atención negativa a nada; y no confía en ese momento en sus recursos para obtener atención positiva.

☺ El padre intenta que el hijo obedezca, también como puede. Hace diversos intentos que fallan, uno tras otro (porque el objetivo inconsciente del hijo es que su progenitor pierda la calma, para poder liberarse de la culpa que siente por haberse portado mal, acusando al adulto).

169

◎ La situación se va complicando y la caída es en círculos; y los dos caen juntos con sus autoestimas incluidas.

◎ Todo este esquema aumenta en el hijo la necesidad emocional insatisfecha, y recomienza el ciclo.

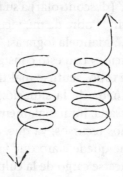

El de la izquierda es un círculo vicioso. El de la derecha es un círculo virtuoso, que logramos cuando podemos dar vuelta ese 'juego' en beneficio de nuestros hijos (y también nuestro), de modo de sentirnos cada día mejor.

¿Cómo se resuelve? Con padres que aprenden a funcionar como frontón, que no entran en este circuito de culpas.

Los chicos no tienen otro camino que hacerse cargo de su propio enojo o mal modo, o mal trato a papá o mamá. Los padres no pierden la calma (por lo menos lo intentan), no 'se despeinan', comprenden lo que le chico siente, y delimitan la conducta.

Al principio, cuando empezamos a cambiar este juego circular, muchas veces los chicos se desesperan y se portan cada vez peor, intentando vanamente que sus padres vuelvan al juego habitual de acusaciones mutuas. A medida que pasan los días y empiezan a entender esta nueva manera de responder de sus padres, se alivian. Porque se sienten comprendidos; porque **es un gran alivio para ellos saber que no dañan a sus padres con su conducta y que sus padres tienen recursos para calmarlos e impedir la mala conducta** (que varían según las edades, como vimos antes); **y también porque, al no poder acusar a sus padres, se tienen que hacer cargo de sus propios exabruptos y descontroles** (¡lo que los lleva a bajar el tono de los mismos en cuanto se dan cuenta de que no les sirven para 'desquiciar' a mamá y poder decir que todo es culpa de ella!).

No hay educación sin frustración y sin enojo de los hijos: hasta que no entendamos y aceptemos este concepto, nos será muy difícil poner límites y educar a nuestros hijos. Ellos se van a enojar con nosotros y se van a sentir frustrados, no una sino muchas veces. Porque se saben queridos incondicionalmente, nuestros hijos piden, reclaman, exigen... Cuando son chiquitos, porque desde su egocentrismo infantil normal y saludable, se sienten dueños de nuestras personas y de nuestro tiempo y dinero. A medida que crecen, lo siguen haciendo por si acaso... nos encuentran distraídos. La tarea de decir que 'no' es nuestra. (Algunos chicos eligen 'cuidar' a sus padres no pidiendo, haciendo lo que se espera de ellos; pero, en realidad, están haciendo de padres de sus propios padres [por razones que habría que investigar], en lugar de jugar y pedir como hijos.)

Así ellos circulan por la vida tranquilos y confiados de que sus padres se ocupan de las cuestiones de seguridad, o de lo que se puede o no hacer; de que marcan las líneas de la ruta, y están atentos a que los chicos no las pasen. Y se hacen fuertes aprendiendo a frustrarse de la mano de papá y mamá. Lo que los prepara para cuando, más adelante, la vida inevitablemente los frustre; y ellos tengan que sostenerse con los recursos aprendidos en la infancia.

¿Cuál es el objetivo de los buenos límites? Lograr que los chicos lleguen de noche a la cama, diciendo: mis papás están contentos conmigo, entonces yo estoy contento conmigo mismo. Y esto conduce a autoestimas sólidas, a adecuados recursos defensivos, a crecimientos saludables.

Algunas cuestiones prácticas para los más chiquitos:

- **Pocas cosas prohibidas**: sólo las que realmente valgan la pena; de todos modos, van a ser muchas. Y no va a ser sencillo sostenerlas.

- **Casa a prueba de niños** (no tienen un yo fuerte que les permita elegir bien): habrá tiempo para que aprendan a moverse entre 'obstáculos', como enchufes y ceniceros de cristal. Si nuestro primer hijo no nos forzó a sacar los adornos de la mesa del living, ¡no nos hagamos ilusiones! No fue nuestra habilidad para educar, sino simplemente buena suerte. Ya vendrá otro con quien deberemos hacer nuestra casa 'a prueba de niños'. El precio que se paga es que hay que cuidarlos un poco más en la casa de las abuelas; pero la tranquilidad del resto de la semana justifican ese pequeño esfuerzo.

- **Hablar claro y concreto de modo que entiendan lo que les pedimos**: son chiquitos, y muchas veces se portan mal porque no entienden lo que les pedimos.

- **Dejarlos que se equivoquen** (lo más posible, sin riesgo serio).

- **No estarles encima**, respirándoles en la nuca y observando cada paso y cada mal paso que dan.

- **Estructura, rutina, anticipación**: sin convertirnos en esclavos, éstos son tres pilares para que los chicos obedezcan; porque saben a qué atenerse. Estructura y rutinas les permite saber cómo se desarrollan los días y así no se resisten tanto (el baño, las tareas, preparar el uniforme, etc.). La anticipación les permite ir preparándose. La respuesta es muy distinta cunado decimos: "Andá a bañarte ya", que cuando empezamos con "en diez minutos te vas al agua"… "en cinco minutos te vas al agua"… antes de llegar al "ya".

◎ **Evitar enfrentamientos en situaciones en las que podemos no ganar:** comida, sueño, control de esfínteres. No es posible obligar a los chicos a comer lo que no quieren comer, ni a quedarse dormidos (sí a acostarse y permanecer en la cama), ni a hacer sus necesidades en el momento y lugar en que nosotros les pedimos. Son temas ideales para establecer luchas por el poder que nos pueden hacer sufrir mucho a todos, y que se convierten en síntomas y fuente de problemas de todo tipo. Una vez que nos demos cuenta, aprenderemos a resolver los enfrentamientos habituales de maneras diferentes: con cuentos, juegos, charlas… (ver los apartados relacionados con cada uno de estos temas).

Acuerdos

Desde que el bebé nace se van negociando acuerdos entre él y su mamá, aunque ninguno de ellos se dé cuenta. Cuántas veces come por día, si "vale" despertarse de noche; y muchos otros temas que se resuelven según las posibilidades de los dos.

Sobre esa base, se van estableciendo acuerdos entre padres e hijos con zonas para conversar (¿puedo no bañarme un día de la semana?), zonas que deciden los padres (hay que ir al colegio), y otras que resuelven los hijos (voy al cumple de mi amiga Sofía o al de mi prima).

La zona de los hijos debería ir aumentando a medida que crecen. Ellos tienen que practicar la toma de decisiones durante la infancia, para saber hacerlo cuando anden solos por la vida (chiquitos: ir al supermercado con mamá o quedarse en casa; adolescentes: tomar un taxi o guardarse esa plata y caminar).

El criterio para los acuerdos (igual que en la regla de plata) es que nadie se perjudique. Tanto el hijo, como los padres, un hermano, otras personas; incluso algún objeto.

Ejemplos: Un chico puede acostarse un poco más tarde si al día siguiente se despierta bien, rinde en el colegio y no está muy cansado a la tarde para hacer sus tareas.

El hijo tiene que seguir demostrando que está a la altura de la libertad que se le concede, o pierde ese derecho; sin enojo de nadie: significa que todavía no estaba listo. Podríamos acordar, con un adolescente, que falte al colegio según algún sistema estipulado de antemano. El chico se comprometería a no quedarse libre, a no bajar el rendimiento; y siempre nos queda el recurso de cancelar el permiso si no hace buen uso de ese derecho.

Podemos agregar que en este momento ésta es nuestra decisión. Que a medida que vaya creciendo, podemos revisarla; o que, si las condiciones cambian, también podríamos volver a hablar. Incluso poner fecha para hacerlo: cuando cumpla 14, o a fin de año, o en seis meses.

Revisemos permanentemente nuestras decisiones para estar seguros de que las tomamos en beneficio de nuestro hijo. Por su seguridad o bienestar, por cuestiones éticas, incluso por cuestiones legales. Y no por nuestros miedos o inseguridades. Sepamos que nuestros hijos se van a enojar con nosotros. Es imposible hacer siempre acuerdos que nos conformen a todos.

¿Cómo educamos a nuestros hijos sin dañar su autoestima?

¡Muchas veces los chicos se portan mal para que los miremos!, ya lo dijimos. ¡Es un sistema muy eficaz para que mamá deje de hacer lo que está haciendo! Y es tan importante que les preste atención a ellos (y no al teléfono, a la abuela, a la computadora, a la comida, a sus preocupaciones, etc.), que no importa si es para retarlos, ni las consecuencias que puedan padecer.

Cuidado: el enojo, la desilusión, la tristeza, la ofensa, la herida, la preocupación, o hacer sentir culpa son herramientas eficaces de los padres, para que los hijos obedezcan, pero corroen la autoestima.

Cómo reaccionar (nosotros): con firmeza, claridad, humor, confianza y fortaleza.

Cómo no reaccionar (nosotros, en lo posible): con enojo, ofensa, herida, desilusión, tristeza, miedo o inseguridad.

Cómo reaccionar (hacia ellos): con respeto, estímulo, ofreciendo ayuda (antes de que las cosas ocurran), disciplina y reparación.

Cómo no reaccionar (hacia ellos): humillándolos, avergonzándolos o con amenazas, sobornos, venganza; haciéndolos sentir culpables (después de que ya ocurrieron); con castigos.

Educamos sin dañar la autoestima cuando les ofrecemos amor incondicional; cuando ellos notan que los queremos, independientemente de su conducta. Es agotador vivir tratando de alcanzar la mirada positiva de los otros. Nuestro amor incondicional les permite mantener su eje; mirar dentro de ellos mismos para saber lo que quieren o necesitan, o lo que les hace bien.

Los límites puestos con amor incondicional favorecen en los hijos:

a) el desarrollo de la autoestima,

b) el pensamiento crítico y la toma de decisiones (porque pueden buscar la respuesta en su interior),

c) la internalización de padres protectores más que sancionadores.

Los chicos notan nuestro amor incondicional cuando nos acercamos a ellos en momentos en que no lo piden, cuando les ofrecemos ratitos de nuestro tiempo, cuando estamos disponibles para ellos, cuando nos acordamos de sus temas importantes, cuando comprendemos lo que sienten, cuando recordamos separar sus actos de sus personas, cuando no los juzgamos. Podemos así mostrarles lo maravillosos que son para nosotros.

"Mirá, mamá": es la frase más escuchada cuando los chicos son chiquitos. Recuerdo haberme ido un fin de semana con mi marido (sin mis hijos) y seguir escuchando detrás de las puertas ese 'mamá' y 'mirá, mamá'. El cerebro se desarrolla con el estímulo, ¡y se ve que los chicos lo saben! "¡Mirá, mamá, cómo salto en un pie... cómo bailo... cómo me tiro de cabeza en la pileta... qué rica me salió la torta... qué linda estoy... qué buena nota me saqué en el examen!" Las madres solemos estar cerca y disponibles para ofrecer esta retroalimentación positiva, que los chicos necesitan y piden a cada rato. ¡Da ánimos saber lo útil que es para ellos! (porque para nosotras es cansador).

Sigue ocurriendo cuando crecemos aunque, en general, ya podemos estar contentos con nosotros mismos sin la permanente confirmación externa; y tenemos otras fuentes de confirmación, que nos permiten no llamar a nuestras madres a cada rato diciendo: "Mirá, mamá...".

Educamos sin dañar la autoestima **cuando aceptamos lo que sienten, piensan, desean, imaginan; y cuando regulamos lo que dicen y hacen,** de distintas maneras según su edad y la fortaleza de sus recursos. No podemos pretender que ellos estén de acuerdo con nosotros, **sí** que obedezcan. Una de las dificultades que tenemos los padres para esto es que suponemos que comprender significa estar de acuerdo. Podemos comprender muchos deseos, anhelos, sueños, sentimientos y, de todos modos, poner freno a la conducta. Este concepto nos libera para poder comprender **todo** y, aun así, ¡regular su conducta!

Educamos sin dañar la autoestima **cuando podemos escu-charlos, comprenderlos y delimitarlos.** En el esquema de las flechas enfrentadas (que sería conveniente eliminar de todas las relaciones humanas), padres e hijos, sin escucharse dicen cada vez más fuerte lo que quieren:

Mamá: "Andá a bañarte"   Hijita: "No quiero"
Mamá: "¡Andá a bañarte!"   Hijita: "¡No quiero!"
Mamá: "¡Andá!"   Hijita: "¡No!"

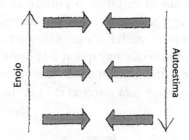

Van hablando cada vez más fuerte, sin escucharse, y suben el volumen en un intento vano de que la otra oiga.

El enojo asciende, la autoestima baja. ¿Por qué?

En el adulto el enojo sube porque no se siente escuchado y se exaspera, y en el hijo porque tampoco se siente escuchado ni comprendido. Esto es una suma de monólogos, no una conversación.

Por otra parte, la autoestima baja en el adulto porque se da cuenta de que no puede lograr que su hijo le obedezca. En los hijos, porque sienten que sus padres no están contentos con ellos (en este caso sería porque no tiene ganas de irse a bañar la chiquita). En este esquema los hijos no escuchan a los padres... ¡pero los padres tampoco escuchan a los hijos!

Veamos, una vez más, esta alternativa que no hace subir el enojo ni arruina la autoestima:

Hijita: "No quiero ir a la cama ahora" Mamá: "¡Qué pocas ganas, justo ahora que estabas divertida, mamá viene a buscarte para ir a la cama!". Si, al ponernos en su lugar, descubrimos que podría no irse a la cama ya (porque no es tan tarde, porque mañana no hay que madrugar, porque es fascinante lo que está haciendo y no queremos interrumpirlo, etc., todas cuestiones que sólo podremos descubrir si nos ponemos un ratito en su lugar y miramos el mundo como lo ve ella en este momento) podemos contestar: "Quedate un ratito más pero a las diez te vas a la cama" y se terminó el problema (por lo menos por un rato).

Si decidimos que tiene que acostarse ahora porque mañana hay clases, o porque ya es tarde, o porque es la hora, después de comprenderla agregaremos: "No te podés quedar un rato más, porque…", la chiquita vuelve a protestar, la mamá la vuelve a comprender y confirma que hay que ir a la cama (ya sin tanta explicación), esto se repite unas cuantas veces hasta que a la chiquita le queda claro que no zafa y acepta ir (o es llevada) a la cama.

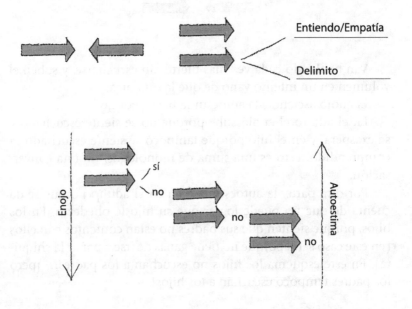

178

En este segundo esquema el enojo baja porque

a) cuando nos escuchan no necesitamos levantar el tono de voz ni enojarnos,

b) además, padres que escuchan y se ponen en el lugar del hijo enseñan a los chicos a hacer lo mismo (escucha y empatía), lo que facilita la comunicación,

c) el beneficio principal de este cambio es la suba de la autoestima en los hijos porque los padres confirman que vale no tener ganas de bañarse (aunque a veces no hay más remedio que hacerlo), vale que no quieran irse a la cama, vale que no quieran hacer la tarea, o no tengan ganas de ir a la casa de la tía Porota. (Como vimos en "Las dos caras de los seres humanos", todo se puede sentir, pensar, desear, pedir, imaginar, y papá y mamá deciden lo que se puede, o no, hacer). Probablemente también suba la autoestima de la madre porque por este camino le va a resultar más fácil sentirse escuchada y ser obedecida.

También educamos sin dañar la autoestima **cuando ponemos pautas claras**, que permiten a los chicos saber a qué atenerse y lo que esperamos de ellos. Pautas que no cambian según el día, el humor, los hechos anteriores, el cansancio, el miedo a la reacción. Pautas que, de todos modos, vamos cambiando con flexibilidad cuando vemos que la situación varió en algún aspecto.

Lo hacemos **cuando hablamos desde nosotros**. Con mensajes de 'yo' o 'a mí'; que explican lo que me pasa a mí, sin meterse con la persona entera del chico. En cambio, los habituales mensajes de 'vos' y 'a vos' implican críticas y acusaciones de la persona entera de nuestro hijo. Es muy distinto decir (o escuchar): "Me molesta encontrar el baño desordenado", o "quiero que se bañen antes de comer", que "siempre el mismo desordenado, ¡cuántas veces te tengo que repetir lo mismo!"; o "sos un irresponsable". Es simplemente cuestión de acostumbrarse a hacer los planteos de una forma distinta a la que, seguramente, usaron nuestros padres. Y la diferencia para la autoestima de nuestros hijos es enorme. Con esta pequeña variación semántica, podemos mostrar nuestro desacuerdo con su conducta, sin generalizarla a su persona entera: "No quiero que me mientas, me gusta saber que puedo confiar en vos" suena muy distinto a: "¡Sos un mentiroso, siempre el mismo!".

Por último, lo hacemos **cuando los padres somos modelo de conducta y de autoestima alta para nuestros hijos.** Modelos de conducta, porque ellos hacen lo que ven. Modelo de autoestima alta no sólo por el ejemplo, sino también porque nos permite tolerar en ellos muchas 'fallas' que no podemos soportar en el caso de que los necesitemos a ellos para reforzar nuestra propia autoestima.

Se educa más con el ejemplo que con la palabra. Dicen las investigaciones que, entre el ochenta y el noventa por ciento de lo que enseñamos, es a través del modelo que ofrecemos, y de nuestro cuerpo y gestos; y sólo el diez o el veinte se transmite con la palabra. Por lo que... ¡menos palabras y más acción!

Los chicos se identifican con el trato que reciben. En este tema influyen las experiencias que **predominen** en nuestra relación con ellos. Límites con amor y respeto por sus personas los ayudarán a sentirse queridos, queribles y respetables. Aunque esto no significa que nunca se nos pueda 'salir la cadena' (como a la bicicleta). Ellos pueden sobrevivir a unos cuantos gritos, errores o desconsideraciones nuestras.

¿A qué llamamos portarse bien?
¿Y portarse mal?

Muchas veces nos encontramos diciendo a nuestros chicos: "Portate bien en la casa de tu amigo" o "No te portes mal en el colegio", "¡Te estás portando mal!".

Después de muchas recomendaciones, un chiquito de seis años le preguntó a su mamá: "¿Qué es portarse mal?". Este portarse mal es una bolsa que puede incluir muchas cuestiones tales como:

- ✋ no hace caso;
- ✋ no se queda quieto, no presta atención, no se concentra;
- ✋ está todo el día adentro, mirando tele;

- ✋ cuando algo le sale mal, tira todo por el aire;
- ✋ no puede estar solo;
- ✋ deja todo tirado;
- ✋ se pelea con los hermanos;
- ✋ no controla su humor (no regula los propios estados emocionales);
- ✋ no es respetuoso.

Cada familia tiene su lista de lo que es portarse mal. Incluso, dentro de la misma familia, cada progenitor evaluará la conducta de sus hijos de acuerdo con su experiencia personal.

Tratemos de hablar muy concretamente de lo que no nos gusta o queremos que modifique. Los chiquitos no pueden distinguir entre uno y otro. Suelen ser habilidades a desarrollar, y no defectos a destacar, tomémoslas como oportunidades y desafíos.

Para los chicos es más constructivo que hagamos énfasis en "divertite mucho" (en la casa de tu amigo), o "que aprendas muchas cosas nuevas" (cuando sale para el colegio), en lugar de decir "portate bien" o "no te metas en problemas": frases desinfladoras de autoestima; y que, incluso ellos, no tienen muy en claro qué significan (como le ocurrió al chiquito del comienzo). Recién después de haberle deseado lo mejor para su día, y sólo si nos parece indispensable, hagamos una recomendación concretísima que le pueda ser útil: "Acordate de que a la mamá de Pedro no le gusta que corran adentro de la casa", o "cuando te quieras levantar en clase, pedile permiso a la maestra". Ellos van a salir de casa muchas veces; por lo que tendremos oportunidad de hacer también muchas recomendaciones que lo irán ayudando, con el tiempo, a 'portarse bien' según nuestros parámetros. "Portate bien", "no te metas en problemas" son recomendaciones que hacemos las mamás cuando nos asusta que a nuestro hijo no lo vuelvan a invitar, o lo echen del colegio, o que renuncie la persona que los cuida a la tarde mientras mamá trabaja; es decir, cuando estamos inseguras de lo que hemos hecho y podemos hacer como mamás. El problema es que, en lugar de fortalecerlos, con esa recomendación los debilitamos. Confiemos en lo que ya hicimos y en todo lo que todavía podemos hacer para que nuestros chicos se 'porten bien', y para que las maestras y otras mamás digan "¡qué bien educado, ese nene!". No es necesario que lo digan ya, ¡y tampoco cada vez que lo ven! (salvo a veces para la autoestima 'en reparación' de la mamá).

Decía Freud que el inconsciente no conoce la palabra 'no', no reconoce las frases negativas, por lo que nuestros hijos chiquitos, que todavía no tienen un yo suficientemente fuerte o una conciencia moral establecida, pueden entender nuestro "no salgas" como invitación a salir, "no te metas en la pileta" como "metete", "no te portes mal" como "portate mal". Acostumbrémonos a hacer las recomendaciones con frase afirmativas: "Quedate adentro porque estás con tos".

LA VIDA DIARIA

El destete: chupete, dedo, amamantamiento, mamadera

Pese a que son netamente pediátricos, recibo muchas consultas en relación con estos temas.

A los padres nos cuesta ver sufrir a los chicos; y si queremos que dejen el chupete, la mamadera, o dejen de chuparse el dedo, lo vamos a pasar mal, ¡por lo menos por un rato! (tanto ellos como nosotros). No hay otro remedio.

Muchos padres esperan a que lo hagan solos, o se los 'olvidan' en la casa de veraneo, o dejan pasar el tiempo hasta que se rompe el último chupete… Es decir, no se hacen cargo de estas decisiones, y no se dan cuenta de que, aunque las 'esquiven', en algún momento (en muchos, en realidad) no van a tener otra alternativa que sostener el dolor de los chicos, darles la mano para transitar por ese lugar, y ofrecerles recursos para hacerlo. Por eso les recomiendo a los padres que tomen una posición activa y se ocupen de que sus hijos dejen chupete y mamadera en el momento en que, asesorados por el pediatra, decidan que esto es lo mejor para sus niños. Dado que a lo largo del tercer año de vida son muchos los cambios y despedidas que tienen que procesar (chupete, mamadera, pañales, pasar de cuna a cama, dejar de dormir siesta, eventualmente el nacimiento de un hermanito o el ingreso al jardín de infantes), vale la pena ir empezando por alguno de estos temas para que no se junten todos hacia el final, al cumplir tres años.

Desde mi lugar de 'madre vieja' sugiero algunos tiempos que, en algunos casos, ni siquiera coinciden con mis teorías psicológicas. Son cuestiones prácticas que me sirvieron a mí y a muchas otras madres que acompaño.

El chupete

El chupete es un excelente compañero para los bebés durante las veinticuatro horas hasta que se ponen de pie. Si lo siguen usando (cuando están despiertos) más allá de esa época, se convierte en un tapón que les cierra la boca y demora los intentos de empezar a hablar para comunicarse. Esto no significa que lo dejen del todo, sino que, a partir de ese momento, lo usen sólo para dormir. Es decir, que quede en la cuna (o en el ropero si son muy fanáticos y lo roban de la cuna) apenas se levantan. Aunque la etapa del chupeteo teóricamente termina alrededor de los dos años y ésa sería la edad recomendable para que lo dejen, sugiero que lo sigan usando para dormir hasta que dejen la siesta; ya que, en cuanto les sacamos el chupete, ¡chau siesta! Habitualmente esto ocurre alrededor de los tres años.

Un chiquito de dos años que llora se calma sólo unos segundos cuando le ponemos el chupete y enseguida empieza a llorar de nuevo; ya que le sigue doliendo el lugar que se golpeó, o la ofensa porque mamá no lo deja tocar el enchufe. En cambio, si no contamos con ese recurso/tapón, nos ocuparemos de averiguar qué le pasa, nos acercaremos a él, lo mimaremos, y nos daremos cuenta de que nosotros podemos calmar a nuestro hijo. Esta confianza en nuestra capacidad es muy placentera para los padres e indispensable para los hijos.

¿Cómo hacerlo?

Que no lo use de día es simplemente cuestión de dejar el chupete en la cuna o en el ropero cuando se despierta (y acostumbrarnos nosotros a hacerlo) y ¡antes de que tenga edad suficiente para pedirlo!

Para sacárselo a la hora de dormir podríamos empezar, unos días antes, con el cuento de un oso/muñeco que crece y que ya no necesita chupete para dormir, y que sus papás lo llevan a la juguetería a canjearlo por un juguete, reforzado por el juego de poner a dormir a ese oso/muñeco sin chupete porque está grande. Una o dos semanas más tarde, cuando el chiquito haya entendido (y aprehendido) bien la historia, le contamos que él también está grande y que vamos a hacer lo mismo que el oso: cambiar su chupete por un juguete. A la vuelta de la juguetería nos preparamos para un par de noches (o un par de semanas) difíciles hasta que se acostumbre/resigne a que no hay más chupete. Tratemos de mostrarle, durante ese tiempo, tanto lo lindo de crecer y de ser grande como el dolor de dejar las cosas de chiquito; podemos hacerlo con ejemplos de muchos temas, no sólo del chupete.

El cuento podría ser diferente: alguna mamá puede preferir que el oso/muñeco/hijo le regale el chupete a Papá Noel, o lo lleven a algún programa de tele (como el chupetómetro de Carlitos Balá de los años setenta), o se lo regalen al primito recién nacido; pero no al hermanito recién nacido: los celos naturales son suficientes como para agregar otros factores innecesarios.

Lo central es que mamá y papá explican, juegan, cuentan; y, cuando llega el momento, se hacen cargo de la decisión y toleran y acompañan el enojo y el dolor del chiquito. No recomiendo en cambio "se perdió", o "se rompió", o "te lo olvidaste en la casa de la abuela", o "se lo llevó un pajarito"; o cualquier opción que libere a los padres de la responsabilidad de la decisión y, por lo tanto, de la mirada acusadora de su hijo. Es más seguro para la autoestima de un chiquito enojarse con sus padres (que sobreviven a ese enojo) que con ellos mismos, porque fueron tan tontos de olvidarlo, perderlo o romperlo.

¿Y CUANDO SE CHUPAN EL DEDO?

La mayoría de los bebés que se chupan el dedo lo hacen desde la panza de su mamá y es muy difícil, por no decir imposible, cambiar ese hábito por el de usar chupete. Hasta los dos incluso tres años no hay ninguna razón para que dejen de hacerlo. El dedo tiene grandes ventajas para nosotros: no se cae, no se pierde, no hay que esterilizarlo, no necesitamos levantarnos a la noche para ponérselo en la boca; sumadas a las ventajas para ellos: el dedo está siempre disponible, nunca está ocupado, ni hablando por teléfono, ni se fue a trabajar, ni está en la ducha, ni está enojado, como le puede pasar con su mamá. Del mismo modo que el chupete, el dedo les permite calmarse o consolarse 'como si estuvieran con mamá' sin estarlo, y es un gran aliado en la crianza.

El problema surge a la hora de que dejen el hábito: no podemos dejarlo en la cuna o sacárselo como hacemos con el chupete. El dedo en la boca tuerce los dientes, deforma el paladar, se acostumbran a consolarse con el dedo en lugar de pedir ayuda o consuelo a una persona grande; incluso pueden 'desconectarse' cuando están con el dedo en la boca, se los suele ver ensimismados. Por esto, entre los dos y los tres años, conviene comenzar también, con cuentos y juegos, a ocuparnos de impedir que se lo chupen, ofreciendo alternativas (que veremos más adelante en el apartado "Malas costumbres"). Al igual que el chupete, cuanto más esperamos, mayor será el 'vicio' (parecido al del cigarrillo, en algún aspecto), y más difícil será que lo dejen.

DEJAR DE AMAMANTAR

No puedo dejar de agregar algunas líneas porque el capítulo quedaría incompleto; pero éste es un tema para el pediatra y no para el psicólogo.

El destete muchas veces va ocurriendo solo; ya que algunas mamás dejan de tener leche cuando se reincorporan a la vida anterior al nacimiento, o dejan de darles porque se les hace muy complicado, o les duele cuando el bebé empieza a morderla, y estas cuestiones facilitan la decisión. El pecho se puede ir dejando de a poco y, a medida que el bebé come menos veces, la mamá va teniendo menos leche, y esto también facilita el proceso.

De todos modos es un hito, tanto para la mamá como para el bebé. La mayoría de las veces el destete transcurre sin dificultad de la mano del pediatra, que hace las recomendaciones pertinentes. Algunas (pocas) veces a la mamá o al bebé les cuesta, y el proceso se hace un poco más largo. Pero el médico irá acompañando a la mamá en ese despegue doloroso y necesario, o hará la derivación a un especialista si a ella se le hace complicado.

No se me ocurre una edad 'ideal' para dejar de dar de mamar. Son muchas las variables que intervienen para hacerlo en un momento u otro de la vida del bebé. En nuestro medio pocos chicos son amamantados más allá del primer año de vida, y casi ninguno después de los dos años.

Sugiero sacar la mamadera a partir del año (o año y medio), cuando el bebé ya se sienta bien y toma en vaso o taza. Si demoramos más que eso, la mamadera con leche calentita se convierte en un 'paquete completo'; y cuando finalmente se la sacamos, nuestro hijito probablemente deje también de tomar leche, porque le gustaba en ese envase y no la quiere en otro.

A esa edad todavía no cabe la posibilidad de cuento o juego (todavía no los entenderían). Al principio les damos en vaso a la tarde por unos días y después también a la mañana, y sacamos de la vista (y de la heladera, incluso de la casa) las mamaderas. Se paga un alto precio porque no les podemos alcanzar una mamadera a las seis de la mañana para que tire un rato más en la cama, pero... todo no se puede. En cambio es muy cómodo que dejen de pedir 'mema' a cualquier hora de la noche y tener que ir a prepararla entre sueños.

Los dientes, agradecidos; ya que no es bueno que haya restos de leche en la boca, por la posibilidad de caries. El sistema digestivo, también agradecido; ya que puede descansar durante la noche. Y no corremos el riesgo de que la mamadera se convierta en un 'somnífero' o inductor del sueño indispensable para nuestro hijo.

Si el chiquito llega más allá de los dos años tomando mamadera, podemos usar el sistema de cuento y juego que sugerí antes para dejar el chupete.

Chupetear es una necesidad básica del ser humano (y de otros mamíferos) durante los primeros meses de vida, incluso hasta los dos años. Si el chiquito continúa, más allá de esa edad, buscando la satisfacción a través de la boca y el chupeteo, 'desperdicia' energía y no la tiene disponible para crecer, divertirse, jugar, aprender.

Esto no significa que el placer que obtenemos a través de la boca desaparezca; continúa, transformado, en muchas instancias: cuando hablamos, cuando damos besos, cuando comemos algo rico, cuando tomamos un helado sin cucharita, cuando comemos un caramelo o un chupetín, cuando incorporamos conocimientos, etc. Para que el placer oral se vaya transformando en maneras más ricas y complejas de disfrutar, el bebé tiene primero que abandonar esa satisfacción concreta e intensa de chupetear; y para eso requiere de nuestra ayuda y sostén. Es otra de las zonas en las que lo acompañamos a salir de la postura de 'su majestad el bebé', porque sabemos que lo que sigue es igual de bueno o mejor para él (aunque él pueda no estar de acuerdo en el momento).

¡A comer!

Hablaremos de la comida a partir del primer año, cuando el pequeño ya come prácticamente lo mismo que el resto de la familia.

Cuando los más chiquitos no comen en la mesa con papá y mamá, es importante que uno de ellos se siente y los acompañe iniciando lo que luego será el encuentro familiar. Para ellos es muy distinto que mamá aproveche su hora de comer para hacer unos llamaditos, a que ella se siente y conversen, los ayude a cortar la carne, les vaya explicando con qué mano se toman el tenedor o el vaso. Les fascina que mamá no atienda el teléfono "porque está comiendo con los chicos"; les dan más ganas de quedarse, de terminar el plato, de esperar sentados hasta que termine la hermanita.

Pensemos qué pasa cuando los adultos comemos solos: la comida pasa a ser un trámite que disfrutamos muy poco. Comemos apurados, distraídos; resulta bastante triste. Cuando lo hacemos en buena compañía, nos quedamos más tiempo en la mesa, comemos más y realmente disfrutamos del momento. De hecho, los adultos nos reunimos alrededor de la mesa: "Salgamos a comer el viernes", o "vengan a casa que hago un asadito", o "vamos de picnic al Tigre". Casi todas las celebraciones, tanto laicas como religiosas, también lo hacen: cumpleaños, casamientos, Navidad, Año Nuevo, inauguraciones, recepción de títulos, etc.; las festejamos con comidas.

Cada familia decidirá a qué edad los chicos pasan a comer con 'los grandes' (especialmente a la noche; ya que, durante el día, todos los que están en casa comen juntos en general). No hay una regla fija para decidirlo. Mientras son chiquitos es cómodo darles su comida y acostarlos para que, después, coman los padres solos. Sentarse con ellos mientras comen implica servirles, cortarles la carne (si hace falta) que no vuelquen el agua, que coma el inapetente y que no coma tanto el ansioso, que no se peleen, y, además, conversar, es decir, ¡muchas cuestiones a la vez! Más fáciles de resolver si mamá y papá no están, además, tratando de que no se les enfríe su propia comida. Llega un momento, cuando los hijos menores tienen entre tres y cuatro años, en que ya empieza a ser fácil comer en familia.

PARA LOS MÁS CHIQUITOS

La mayoría de las veces habrá que traerlos a la mesa. No es un gran programa para ellos dejar la televisión, o el juego, para venir a comer; por lo que suelen necesitar un papá o mamá, 'yo-auxiliar', para hacerlo. Primero los llamamos, y después, sin enojarnos (ya que son chiquitos y no tienen fortaleza interna, voluntad suficientes), los vamos a buscar. Esto ahorra muchas peleas innecesarias.

Comamos sin televisión y sin juguetes, ya que la hora de comer tiene que convertirse en un momento especial, de intercambio humano. Es verdad que la tele y el juego son grandes recursos para los inapetentes; pero no se trata de embucharlos, sino de acompañarlos hasta que aprendan a disfrutar del encuentro y la comida. Hasta los dos años, mientras les damos de comer, quizás sigamos jugando al avioncito o a "un bocado para papá, otro para mamá"; pero, en cuanto empiezan a comer solos (y cuanto antes mejor), se acaban los juegos. Además, a la mamá se le complica si tiene que hacer jueguitos para que coman Pedrito (3) y Manuela (1). No alcanzan las manos.

Confiemos en que el cuerpo pide comida. Es el combustible que nos da energía para seguir andando. No hay que hacer nada especial, para que los chicos coman lo suficiente, salvo crear un ambiente agradable y sin presiones.

Dice un dicho: **el ser humano es el único animal que obliga a sus hijos a comer**. No es necesario. Los animales saben cuándo comer y cuándo ayunar (porque no se sienten bien). Al obligarlos a hacerlo, les impedimos que se conecten con las señales que su cuerpo les envía. Los adultos, habitualmente, tampoco hacemos caso a esas señales. Hace años que mi cuerpo me pide que no tome café, y no dejo de tomarlo, por ejemplo. Es enorme la diferencia cuando uno está atento y respeta esos mensajes del mundo interno físico.

Muy rápidamente la comida se puede convertir en un campo de batalla lleno de ansiedad entre padres e hijos, que se eterniza en el tiempo; ya que no comer es una excelente manera de que "mamá me preste mucha atención".

Si los padres:

- ☺ no nos preocupamos,
- ☺ disfrutamos nosotros la hora de la comida,
- ☺ tenemos hábitos de alimentación balanceada,
- ☺ les permitimos que nos ayuden a cocinar,
- ☺ los invitamos a que cocinen ellos o aceptamos sus ideas: "¿Hacemos una torta?",
- ☺ les proponemos que elijan el menú de una o dos comidas en la semana,
- ☺ no les ofrecemos comidas alternativas cuando no les gusta lo que hay,
- ☺ ponemos en la mesa dos o tres opciones de modo que haya siempre algo que les gusta; por ejemplo, carne, puré y ensalada, o fideos y dos ensaladas,

☺ no les permitimos comer entre horas (especialmente a los inapetentes, o a los que no comieron la comida),
☺ no nos ven a nosotros picotear entre horas,
☺ no los llenamos de golosinas o de bebidas azucaradas,
☺ no les damos de comer en la boca más allá de la edad lógica para ello

... es probable que, en un par de semanas, nuestros hijitos coman razonablemente bien. El doctor Christopher Green, en *Socorro, un angelito en casa* nos informa que hacen falta sesenta y cuatro días de ayuno para morir de inanición; es decir que ¡podemos despreocuparnos!

De todos modos, es indispensable el control pediátrico más sistemático de los chicos que comen muy poco; por si en algún (raro) caso pudiera afectar el crecimiento.

PARA LOS QUE NO PARAN DE COMER

Ahora veamos el tema del sobrepeso. Hay chiquitos que comen con ansiedad, o apurados (ambas cosas llevan a comer de más); o que son más comilones que otros, o que se mueven poco.

Si los padres:
☺ conservamos la calma,
☺ les servimos platos medianos,
☺ les enseñamos a masticar bien y a dejar los cubiertos entre bocado y bocado, y a no volver a tomarlos hasta haber tragado el anterior,
☺ les ofrecemos comida nutricionalmente balanceada,
☺ llevamos a la mesa cantidades normales y no fuentes para alimentar a un ejército,
☺ les permitimos repetir una porción pequeña,
☺ los acompañamos a aumentar el movimiento, en lugar de achicar mucho las porciones de comida,
☺ hacemos todas las cosas anteriores con idea de que coman bien y no centrados en que bajen de peso,

☺ esperamos y confiamos en que (simplemente con no subir de peso) con el correr del tiempo se van a ir estilizando

… realmente los estaremos ayudando a tener hábitos de comida sanos y, sobre todo, un ambiente familiar no contaminado por las ansiedades de los padres.

En este caso es indispensable la consulta al pediatra, ya que el sobrepeso puede tener tanto causas como consecuencias que conviene controlar.

A TENER EN CUENTA

La comida es hoy el principal lugar de encuentro familiar. Nos reunimos para alimentar nuestro cuerpo; pero es una gran oportunidad para muchas otras cosas que ocurren alrededor de la mesa: conversamos, nos interesamos mutuamente por nuestras vidas, dejamos de lado el teléfono, el trabajo, las preocupaciones, los amigos, los parientes, para **dedicar un rato a estar plenamente ahí**. Aprovechar estas ocasiones vale la pena para todos los integrantes de la familia; rápidamente se hace un hábito, y todos tienen ganas de venir a la mesa y de compartir ese rato agradable con el resto de la familia.

Estemos atentos a que los más chicos no se aburran. Dejemos las conversaciones de trabajo con nuestro cónyuge para más tarde, dejemos la fiscalización del desempeño escolar para otro momento, y también los sermones (mis hijos los llamaban "lecciones de vida"), de modo que la charla sea entretenida para todos y así tengan ganas de ir a la mesa.

Un punto especial son los modales. Ellos tienen que aprender a comer bien: quedarse sentados, comer con la boca cerrada, no hablar con la boca llena, tomar correctamente los cubiertos, limpiarse la

194

boca con la servilleta… Pero tenemos muchos años para enseñar estas pautas. No es necesario ametrallarlos con recomendaciones que arruinen el clima de la mesa. Suelo sugerir a los padres hacer 'campañas' mensuales, en las que todos (ellos incluidos) se comprometen, por ejemplo, a no hablar con la boca llena. Como ya se dijo, es muy divertido ver cómo los chicos nos descubren haciéndolo, y cómo se esfuerzan todos para no ser 'encontrados' hasta que se acostumbran a tenerlo como hábito. Con el correr de los meses y de las campañas, ellos van internalizando los modales que tanto trabajo da instalar de otra manera. La campaña permite que no señalemos a ninguno en particular; es probable que sea siempre el mismo el que come mal, por lo que viviríamos señalándole los errores. En cambio, así, es para todos; ¡y no le arruinamos a nadie la autoestima!

Consideremos que hay cuestiones, ajenas a la voluntad de los chicos, que afectan su forma de comer:

- Feli no respira bien y le cuesta comer con la boca cerrada
- la madurez motriz de Juan deja mucho que desear, y esto lo complica para tomar bien los cubiertos;
- a Marina le cuesta quedarse quieta, y es para ella un esfuerzo enorme estar un rato sentada en la mesa;
- Pedro, que no muerde bien y necesita ortodoncia, no quiere comer carne porque le da mucho trabajo masticarla.

… Ésos son algunos de los ejemplos que se me ocurren para que entendamos que no siempre se trata de retarlos cuando comen mal.

Los chiquitos pueden intentar hacernos 'picar el anzuelo' comiendo de más, o no comiendo, o peleando en la mesa, o comiendo mal.

Intentemos, como padres, todo lo que esté en nuestras manos para no morder ese anzuelo, para que las comidas sean cordiales y agradables, a fin de que todos tengan ganas de ir a la mesa cuando mamá llama: "¡A comer!". Es lo mejor que podemos hacer para prevenir desórdenes alimentarios, o problemas de comunicación, que vienen creciendo de un modo alarmante en estos últimos años.

Bárbara Coloroso, en su maravilloso libro *Padres respetuosos, hijos responsables*, recomienda que, una vez por mes, pongamos la mesa con nuestra mejor vajilla para comer en familia. "Atesore recuerdos y no vajilla" es su sugerencia, que vale la pena seguir.

Otras cuestiones relacionadas con la comida

¿LES DAMOS DE COMER EN LA BOCA?

A los bebés les damos de comer en la boca porque no saben hacerlo solos; en cuanto se interesan por la cuchara, conviene darles una para que ellos también vayan intentando comer solos. Indudablemente esto implica que se van a ensuciar un poco; mientras les damos nosotras, no manchan el babero, ¡y mucho menos la ropa! Es muy interesante y divertido para ellos hacer 'como los grandes'; y, aunque sea un poco más de lío y manos y ropa sucia, conviene alentar su independencia en esa área. **Si les seguimos dando nosotras cuando ya pueden comer solos corremos el riesgo de que se acostumbren a comer lo que les da mamá, y no lo que su cuerpo de verdad les pide.**

Cuando tenemos un chiquito inapetente o muy lento para comer, nos tienta darle en la boca y mirando televisión o jugando. Con esto interrumpimos esta conexión con su mundo interno. En cambio, cuando los dejamos comer solos, a partir del año y medio o dos, puede que alguna vez se levanten sin haberse saciado; pero en la siguiente comida, se recuperarán comiendo un poco más. A más tardar en un par de días, empezarán a tener hambre y a comer por sus ganas de hacerlo; y no por las ganas de mamá. Es una de las oportunidades que se nos presentan para no 'fabricar' síntomas. Salvo raras excepciones (de las que se ocupará el pediatra), los chicos comen lo que necesitan. Pasar un par de días comiendo poco ayuda a resolver el problema de inapetencia o de fiaca.

A más tardar a los veinte minutos levantamos el plato (haya comido lo que haya comido), le damos un solo postre y... **a no comer hasta la próxima comida.**

No prueba cosas nuevas

A muchos chicos les cuesta probar comidas nuevas, por muchas razones:
- ✋ A los dos años es una de las zonas (o una zona más) en la que imponer su voluntad.
- ✋ Cuando son más grandes miran a papá, que no prueba el pescado, y no quieren comerlo.
- ✋ Miran a mamá que sólo come ensalada.
- ✋ ¡Desconfían de lo nuevo, especialmente si es verde!
- ✋ Les da fiaca masticar.

Los chicos mañeros para comer suelen tener madres ansiosas, que no pueden esperar a que prueben o pasen un poquito de hambre y ya les están ofreciendo alternativas.

Intentemos:
- ☺ que ayuden a cocinar estas comidas nuevas,
- ☺ que prueben varias veces un solo bocado: les podemos contar que no es posible saber si un sabor nuevo nos gusta (o no) hasta haberlo probado diez veces. Por ejemplo, que el puré sea abundante cuando les damos hígado por primera vez, de modo que no haya que hacer otra comida. Con paciencia, y probando, de a poco se van a ir acostumbrando a los sabores nuevos. Pero no a todos: a nosotros tampoco nos gusta todo,
- ☺ inventemos un cuento donde un chiquito no se anima a probar... el dulce de leche (o cualquier otra comida que a nuestro hijo le encante) por miedo de que no le guste, ¡y cuando se animó, le gustó!

Hora de ir a la cuna: cómo llevarlos a dormir durante los primeros dos años

Dormir es una necesidad básica del ser humano. Las mamás de bebés pequeños suelen padecer (y mucho) cuando no logran organizar el sueño de sus hijos, ya que esto les impide dormir la cantidad de horas que necesitan para descansar y reponerse ellas mismas.

Me gustaría compartir mi experiencia profesional y personal en relación con este tema, hablando de lo normal; es decir, de un bebé sano que todavía no ha regulado su ciclo de sueño y vigilia.

Durante los primeros tres meses de vida los bebés duermen, cada uno a su modo, muchas horas, sin distinguir el día de la noche. Se despiertan por hambre, o por dolor de panza, o quizás también buscando mimos; pero no los molestan la luz, ni los ruidos, ni los cambios del ambiente físico. En cambio sí son sensibles a la ansiedad de sus madres, o a las variaciones de su capacidad de sostén; y las mamás recorren el mundo con el bebé en su moisés.

Ellas van descubriendo las necesidades particulares de su bebé y van aprendiendo a regularlo, y el mismo bebé va aprendiendo también a regularse. Esto no siempre es fácil de lograr (ya sea por dificultades del bebé o de la madre); pero, en la mayoría de los casos, una serena confianza se va gestando entre ambos en ese primer tiempo.

Durante esos meses, todavía no vale la pena intentar pautar los ciclos de sueño. Lo que se busca es que la mamá encuentre la forma de estar descansada y tranquila, para que pueda estar disponible para su bebé. En mi experiencia, esto significa dormir cuando él duerme; algo muy fácil con el primer hijo, pero no tan simple con los siguientes. A veces las madres no confían en que vale la pena postergar otras cosas, en aras de su buen humor y de su buen estado físico y emocional. Cuesta hacerlo con el primer hijo porque es fuerte el contraste entre la libertad anterior al nacimiento y la 'esclavitud' cundo él nace. ¡Dan muchas ganas de estar despierta y hacer otras cosas cuando finalmente se durmió!

Con los hijos siguientes es más complicado aún, porque los hermanos también necesitan a su mamá.

En estos primeros meses no nos preocupamos por el lugar o el modo en que se duerme. Hay pocas experiencias tan ricas y reaseguradoras (para ambos) que acunar un bebé, o dormirlo en brazos, o arrullarlo hasta que se duerma. A medida que se va instalando esa callada certeza de que la mamá está muy cerca y muy disponible para él, podremos ir comenzando a instalar hábitos de sueño.

A partir de los tres meses el bebé empieza a regularse por el ritmo circadiano (de veinticuatro horas, en el que se distinguen el día y la noche). Nosotros podemos colaborar, y mucho, en el aprendizaje de esta distinción: al acostarlo a la noche, la habitación estará oscura, habrá silencio; que no cuidaremos tanto durante el día. Lentamente también tendrá que descubrir que de día se come y de noche, no. De día, cuando se despierta, lo levantan, juegan con él; mientras que, de noche, la mamá sólo intentará que se vuelva a dormir. Hacemos todo esto casi sin pensar, pero una excelente manera de afianzar este proceso de regulación es la instalación de hábitos; es decir, haciendo las cosas aproximadamente de la misma manera todos los días.

Entre los tres y los nueve meses se va acostumbrando a dormir tres siestas durante el día; entonces lo levantamos cuando se despierta, y dejamos la cuna exclusivamente para dormir. Es probable que las siestas cortas no las haga en la cuna; pero vale la pena que el lugar elegido sea aproximadamente el mismo todos los días; por ejemplo, siesta y noche en la cuna; y siestas de media mañana y media tarde, en la silla de paseo.

También es importante que el esquema de la tardecita sea especial y distinto: bañarlo (ayuda a relajarse), darle de comer, jugar con él un rato, y acostarlo. Así irá conociendo la diferencia entre el día (para jugar, comer, estar alerta, aprender cosas nuevas, recibir atención y caricias, iniciar y sostener nuevos vínculos, eventualmente dormir siestas cortas, etc.) y la noche (para descansar muchas horas seguidas). Puede llevar varios meses que el bebé deje de comer de noche; esto depende tanto del bebé como del tipo de alimentación, y son temas para charlar con el pediatra.

Hablemos ahora de **los acompañantes a la hora de dormir** a partir de los tres meses. Antes de elegirlos, cabe una importante aclaración: el ser humano es 'un animal de costumbres'; si el bebé (ya más grande), se duerme en la cama de los padres, al despertarse de noche querrá volver a esa cama; lo mismo sucede con el hecho de acunarlo, o sacarlo a pasear, dormirlo en brazos, tenerle la manito, o meterse en su cuna hasta que se duerma. Estos recursos son muy eficaces en el momento, pero complicados a mediano o largo plazo. Elijamos entonces objetos (para acompañar al bebé en el proceso de quedarse dormido) que estén allí cuando se despierte a la noche. Las opciones son varias: chupete, trapito, un osito, una cajita de música, un móvil. Creo que cada mamá encontrará la ecuación que le sea más cómoda a ella y a su bebé. Lo importante es que esos objetos permanezcan a lo largo del tiempo. Personalmente, prefiero un chupete sujeto al piyama, y un animalito de peluche (siempre el mismo). Al principio es más difícil para la mamá, porque el chupete se le cae, y el bebé no lo encuentra. Pero pronto aprende a hacerlo. Los bebés que se chupan el dedo presentan un problema menos en esta etapa; pero muchas veces se complica, más adelante, el proceso de dejar de chupárselo. De todos modos, no se puede hacer nada al respecto; ya que estos bebés, como se dijo, suelen descubrir su dedo en la panza de la mamá, y es muy difícil que lo dejen hasta unos años después.

A partir de los nueve meses empieza a ser conveniente dejar el chupete en la cuna, para que el bebé lo asocie con el dormir. Aunque calma el llanto durante el día ya vimos que la atención de la mamá lo calma mucho mejor. En cambio, cuando está cansado y lo acostamos, se va encantado a buscar el chupete que, así resulta un excelente y deseado acompañante para dormirse; de esta manera vamos instalando un ritual que se convierte en seguro, predecible y confiable: una canción de cuna, un beso, arroparlo y salir del cuarto dejándolo tranquilo y despierto, en compañía de su chupete y del oso preferido; objetos que el bebé encontrará a su lado cuando se despierte en mitad de la noche, y que lo ayudarán, de a poco, a volver a conciliar el sueño sin ayuda de su mamá.

Si, en cambio, se durmió en la cama de los padres, cuando se despierte querrá ir a esa cama para volver a dormirse. Lo mismo ocurrirá si se duerme con la mamá junto a él, o teniéndole la manito. Es preferible entrar diez veces a consolarlo y a calmarlo, repitiendo una versión reducida del ritual de besos, canciones, oso y chupete, y salir del cuarto, dejando al bebé tranquilo, pero no dormido. Así se acostumbrará a conciliar el sueño solo, y podrá volver a hacerlo si se despierta durante la noche.

Evidentemente hay excepciones: dientes, malestares, cambios en el ambiente, etc. Lo importante no es hacer siempre esto. No podemos ser esclavos de nuestros hábitos y rutinas; a los hijos y a las madres nos pasan cosas que, a veces, lo hacen imposible. Si estamos realmente atentos a sus necesidades, reconoceremos momentos en los que habrá que volver a dormirlos en brazos, o a quedarse con ellos hasta que se duerman. El tema es que tienda a predominar esta rutina, que al chiquito le resulta organizadora.

¿Por qué es tan esencial?

Porque una mamá cansada e irritable después de una mala noche, no puede estar disponible y relajada para su hijo durante el día siguiente. Esto comienza a provocar un circuito de ansiedad, en ambos, que no les permite disfrutar uno del otro; de esta manera, el hijito no recibe lo que necesita durante el día y, muy probablemente, esto lo lleve a despertarse durante la noche para encontrar a esa mamá disponible que le faltó. He aquí el círculo vicioso en el que suelen iniciarse las dificultades de sueño de origen emocional.

En el área del sueño, como en todas las cuestiones de la evolución de los seres humanos, no hay avances sin retrocesos o estancamientos. El bebé irá haciendo 'ensayos' de separación y de autorregulación cada día más eficaces, prolongados y placenteros, tanto para él como para la madre.

Aparecerán los dientes, o la angustia del octavo mes, o algún cambio de alimentación que los desorganiza, y pueden volver a despertarse.

Es fundamental que los padres no perdamos la calma, no nos asustemos ante estos retrocesos, ya que lo què se logró va a volver y se va a instalar; si podemos esperar, tolerando nuestra ansiedad, veremos que los retrocesos (como volver a despertarse durante la noche) se irán haciendo más breves y más espaciados; y los estancamientos (por ejemplo no lograr dormir más de seis horas seguidas sin despertarse para comer) aparecerán como momentos de toma de fuerza para el siguiente cambio que, con seguridad, se está gestando.

Un tema para conversar con el pediatra es en qué momento dejar de darles de comer durante la noche. Es probable que los bebés que son amamantados, sigan comiendo de noche más tiempo; pero, en algún momento, los padres y el pediatra resolverán juntos (y ellos se lo enseñarán al bebé) que de noche no se come; y esa pasará a ser una más de las diferencias entre el día y la noche.

La hora de acostarse después de los dos años

Como dijimos en el apartado anterior, dormir es una necesidad básica del ser humano; tanto de los hijos como de los padres. Por eso es muy importante que organicemos hábitos de sueño en nuestros hijos que nos permitan descansar y, también, tener un rato de intimidad entre los padres cuando los chicos ya se durmieron.

La intención es **reforzar en ellos la idea de que su cuarto y su cama son 'de ellos' exclusivamente.** Tienen su olorcito, sus objetos preferidos. Me cuesta pensar en algo más maravilloso que meterme en mi cama cuando tuve un día difícil o largo; me siento segura, protegida, es 'mi' lugar. Esto es lo que tenemos que lograr que ellos sientan. Evidentemente van a protestar, porque papá y mamá duermen juntos y ellos lo hacen solos (sobre todo, si les toca ser únicos hijos o único varón o mujer de la familia). Como en muchos temas de la paternidad, no podemos pretender que estén de acuerdo con nuestros criterios y decisiones ni que los agradezcan. Lo importante es que los padres tengamos claro por qué y para qué hacemos las cosas. Entonces, las podremos transmitir y sostener.

Al año, es probable que tenga ya una rutina instalada a la hora de dormir. Como duerme en la cuna, no puede salir de allí; de manera que hay poco tránsito nocturno de cama en cama. El problema empieza entre el año y medio y dos, cuando deja la cuna porque se tira de cabeza y hubo que sacar los barrotes; o porque se niega a quedar encerrado en esa jaula; o porque tuvo un hermanito y necesitamos la cuna. Mi propuesta es insistirle que no se levante para venir a nuestro cuarto, sino que nos llame y nosotros iremos a ver qué necesita.

Los adultos solemos despertarnos durante la noche, sólo que no lloramos reclamando a nuestra mamá, ya que contamos con recursos propios para volver a conciliar el sueño. Y ésta es una de las muchas cosas que enseñaremos a los hijos a hacer desde el primer año de vida.

Uno de los hitos de este aprendizaje es que los chicos puedan confiar en la disponibilidad de sus padres. A medida que esta confianza se consolide, probablemente se despierten y piensen: "Si la llamo, mi mamá viene"; esta les permita dormirse sin llamarla. En cambio, cuando se levantan y van al cuarto de los padres y entran en la cama grande como ladrones furtivos, o cuando llaman y los padres van enojados, no confirman esta disponibilidad y siguen reclamando presencia física noche tras noche.

A partir del año y medio tendremos ya dos rutinas bien definidas:

Una para la hora de acostarse (para todos los hijos juntos), que dura entre veinte y treinta minutos con una mamá o papá totalmente disponible en el cuarto de los chicos (con

203

la cola en el piso, piden ellos) para charlas, canciones, cuentos, mimos, oraciones, etc. Aunque intentemos que la hora de acostarse dure menos, es probable que, de todos modos, nos lleve ese tiempo; y es más fácil si de entrada lo asumimos y 'entregamos' esa media hora. Luego iremos dejándolos a cada uno en su cama, arropados por nosotros y con un último beso de buenas noches. Evidentemente los más grandes, a partir de ese momento, se quedarán en su cuarto leyendo. No podemos pretender que el chico de nueve se acueste a la misma hora que el de cinco. Al rato entraremos a recordarles a los más grandes que es hora de dormir, o les avisaremos desde nuestro cuarto para que apaguen la luz.

La segunda rutina es para cuando se despiertan de noche: insistir en que no se levanten y en que llamen desde la cama, y acercarnos a su cama cuando eso ocurre. Esta 'visita' y las siguientes (si son necesarias) son cortitas; llevan el tiempo de resolver el problema, arroparlo, darle un beso e irse dejando al hijo despierto y tranquilo. Es importante que acudamos a su cuarto con buen humor, sabiendo que es una etapa pasajera. Al principio es probable que llamen varias veces para reconfirmar nuestra disponibilidad; pero muy pronto dejan de hacerlo, salvo cuando realmente necesitan algo.

Un tema importante: en lo posible **no pongamos televisión en el cuarto de los chicos ni la usemos para hacerlos dormir.** Cuando son chicos se acostumbran a dormirse con la tele y quedan 'atrapados' en el hábito, y quieren prenderla en el medio de la noche cuando se despiertan... Luego, cuando crecen, es muy difícil controlar lo que ven (y hoy ése es un tema serio).

La ayuda de los papás a la hora de acostarse:

Los papás tienen un tono de voz fuerte, son grandotes, inspiran respeto, tienen la autoridad menos gastada que mamá al final del día, realmente ayudan a que los chicos no se levanten. Cuando la acostada de los chicos se hace de a dos es más rápida y más eficaz, ¡y más llevadera!

¡Por favor! no inicien juegos excitantes y divertidísimos justo a la hora de acostarse. La última media hora antes de ir a los cuartos y el ritual de la acostada son para ir bajando el tono, para que ellos bajen las revoluciones, se relajen y se duerman.

Dejar los pañales

Cómo y cuándo dejar los pañales es un tema a conversar con el pediatra, que conoce a nuestro hijo y a nosotras, y que será el mejor 'compañero de ruta' para las madres en este aprendizaje que despierta enormes ansiedades; sobre todo con el primer hijo. Dado que recibo muchas consultas por dificultades en el control de esfínteres, ya sea durante el proceso de dejarlos o después de (supuestamente) haberlos dejado, hago un pantallazo de lo que yo como psicóloga puedo aportar al proceso.

En algún momento alrededor de los dos años, empieza esta ardua tarea de acompañarlos a dejar los pañales.

¿Por qué ardua?
- porque despierta las inseguridades de los padres, sobre todo cuando encaramos el tema por primera vez,
- porque aparece en un momento de la vida de los chicos en el que están especialmente resistentes a obedecer, a hacer caso; ya que acaban de descubrir que son personas separadas de sus padres y están empeñados en hacer su voluntad,
- porque el control de esfínteres es una de las batallas importantes en el proceso de convertirse en personas y abandonar la postura de 'su majestad el bebé'; y ellos a veces se resisten,
- porque tiene muchas variables: de día, de noche, el pis, la caca,
- y, por último, porque los tropiezos son visibles, molestos e incómodos para todos los participantes.

Los ayuda: que compartamos su interés por el hecho de hacer pis: alrededor de los dos años empiezan a avisar que están haciendo o que hicieron. Esto no significa que estén listos para dejar los pañales, sino que comienza una etapa; un tiempo después (pueden ser varios meses) realmente se interesan por ir al baño.

Los ayuda también que los hagamos participar de la tirada de su pañal a la basura o de su caca al inodoro, que aprieten el botón y le pierdan el miedo al ruido y vean irse el agua con el pis o la caca. Así los acercamos al tema y despertamos su interés sin que se sientan presionados para entender y 'hacer' antes de tiempo. Y, cuando les llegue el momento, habrán perdido parte del miedo.

También los ayuda que permitamos y fomentemos el jugar con agua, arena, barro, témperas, plasticola, plastilina; y dejarlos que se mojen, se enchastren, se ensucien.

Cuando veamos que se acerca el momento de que dejen, ya sea por su interés, o por la edad:

- ☺ comprar un librito que hable del tema y contárselo, sin presiones, como uno más de sus libros,
- ☺ inventar cuentos donde los protagonistas están dejando los pañales,
- ☺ contarles un cuento que hable de este tema a su oso o muñeco favorito, y que nuestro hijo escuche (es a veces más fácil que escuchen el cuento que mamá cuenta al oso que cuando se lo explican a él, porque así no se siente presionado),
- ☺ contarles historias de las dificultades de papá o mamá para ir al baño, o de un amigo, o de la abuela (de ese aprendizaje, o de otros que nos dieron trabajo; por ejemplo, andar en bici o nadar).
- ☺ jugar con ellos a ir al baño 'como los grandes', y llevar sus muñecos y sus osos a hacer lo mismo,
- ☺ hacerles saber cuando vamos nosotros al baño (no es ne-

cesario que nos vean); y que acompañen a primos, hermanos y amigos cuando lo hacen.

En los cuentos y en los juegos contarles también acerca del proceso de la digestión, del comer todos los días y varias veces por día, de la comida como combustible para tener fuerza y crecer, y de cómo lo que no sirve se elimina por la orina y las heces. Y, también, de la rutina de ir al baño todos los días, o varias veces por día.

Cuando jugamos a llevar al oso al baño ponemos en boca del oso las ansiedades que podría tener nuestro hijo con el tema:

- 🖐 no sale,
- 🖐 tengo miedo de caerme al inodoro,
- 🖐 se me va a vaciar la panza,
- 🖐 tengo miedo de no poder hacerlo,
- 🖐 me va a doler la cola,
- 🖐 estoy incómodo,
- 🖐 ¿y ese ruido? (del agua que corre, o de su panza),
- 🖐 ¿y si sale un bicho de adentro?,
- 🖐 ¡me da asco, me voy a ensuciar! (a veces tienen miedo de que lo que salga sea feo, sucio o malo; de hecho, 'huele' mal),
- 🖐 ¡NO PUEDO! o ¡NO SÉ!: por miedo al fracaso (es uno de los primeros y grandes desafíos que les hacemos a los chicos),
- 🖐 ¡NO QUIERO!: etapa de tozudez y necesidad de hacer lo que quiere; que, muchas veces, es un intento de decir: aquí estoy yo, no me quiero rendir, es mío y no te lo doy,
- 🖐 tener ganas y aguantarlas (retener), me hace cosquillitas y me gusta,
- 🖐 no quiero dejar de jugar (o de hacer algo divertido) por ir al baño.

Bárbara Coloroso habla de las **tres P** del control de esfínteres: preparación (lo que venimos viendo), práctica y paciencia; indispensables hasta que ellos adquieran esta destreza, que, como todos los aprendizajes, lleva tiempo hasta que se hace automática y sin 'accidentes'.

¿Cuándo?

Entre los dos y los tres años el control llega solo, por el proceso normal de maduración del sistema nervioso central. A los dos años empiezan a interesarse por el tema, y nos avisan cuando hacen (o cuando acaban de hacer) pis o caca. Esto significa que el proceso está comenzando. Incluso pueden pedir que les cambiemos el pañal. Ése es el momento de empezar a estimularlos, como ya dijimos, con cuentos, juegos, conversaciones y el ejemplo de otros. Si a los dos años y medio no muestran ninguna señal de interés, empezamos igual con los juegos y cuentos para que se despierte ese interés.

En algún momento van a empezar a pedir ir al baño y a protestar porque no quieren usar más pañales. Habrá que llevarlos cada hora o cada dos horas durante unos días, hasta que 'entiendan' de qué se trata. **Va a haber accidentes.** Son inevitables. No aprendimos a andar en bicicleta sin caernos varias veces, y tampoco aprendimos a controlar esfínteres sin 'hacernos encima'.

Por último, a la noche habrá que sacarles los pañales recién cuando hayan amanecido varias noches secos (pueden pasar varios meses más). Algunos pediatras recomiendan sacar los pañales de día y de noche a la vez. Es un tema para conversar con el pediatra antes de decidir qué postura tomar.

Hábitos, rutinas y rituales en la infancia

"Los ritos son necesarios… un rito es
lo que hace que un día sea diferente a otro;
una hora, de las otras horas…"
ANTOINE DE SAINT-EXUPÉRY

Nuestra vida está organizada según los hábitos y rutinas que fuimos adquiriendo desde que éramos chicos. Es importante revisarlos para conservar aquellos que nos fueron útiles y descartar los que nos hacían sentir 'apresados' en una rutina que no nos gustaba. Pongo dos ejemplos de mi vuelta del colegio cuando era chica: mi padre me insistía en que me cambiara el uniforme cuando llegaba (él se cambiaba la ropa cuando llegaba del trabajo); yo odiaba esa rutina y nunca les pedí eso a mis hijos. A esa misma hora el té estaba servido en la mesa, y eso me encantaba; y conservé esa costumbre en mi propia casa.

Una vida con buenos hábitos es como una biblioteca ordenada por temas: es fácil buscar y encontrar lo que necesitamos. Ofrece una estructura consistente a la que es muy sencillo acomodarse.

No tenerlos es equivalente a la biblioteca cuando nos acabamos de mudar: todo está puesto de cualquier manera, con el criterio de que los libros no molesten el paso, y podemos pasar largo rato intentando encontrar lo que buscamos.

Los hábitos permiten confiar, esperar, saber a qué atenerse: 'saber' que comemos a las ocho y media me ayuda a organizar mi tarde/noche; 'saber' que papá llega de trabajar a las siete y media me permite esperarlo sin ansiedad; 'saber' que mamá viene a darme un beso antes de acostarse me permite irme tranquila a la cama. **También ahorran tiempo,** porque sabemos en dónde están la tijerita de uñas o las llaves del auto, si cada vez las pongo en su lugar, por ejemplo.

Esto no implica ser esclavos de la rutina, sino tenerla; y tener también la flexibilidad suficiente para apartarnos de ella cuando haga falta o valga la pena.

Hábitos y rutinas, muchas veces, se relacionan con los límites; pero hay algunos hábitos que nada tienen que ver con portarse bien, sino con cuidarse bien y aprender a cuidar bien a los demás o a tenernos mutuamente en cuenta. Pensemos algunos hábitos:

- de saludarnos al llegar e irnos, al despertarnos e ir a la cama,
- de contacto físico y mimos,
- de cercanía e intimidad,
- de comunicación,
- de juego: el mejor 'antibiótico' para crecer y curar,
- de lectura: de los adultos, de padres a hijos, de hijos cuando van creciendo,
- de higiene y de cuidado del cuerpo;
- de comida: no sólo para una alimentación balanceada sino para comer en familia y conversar,
- de sueño,
- de independencia,
- de orden,
- de responsabilidad,
- y muchos otros…

Hábitos y rutinas implican hacer las cosas de todos los días aproximadamente de la misma forma y en los mismos horarios; son esenciales para los chicos. Les enseñan a organizarse, a tener noción del tiempo, a regular su día. Les permiten anticiparse y prepararse para lo que viene después. **La meta de hábitos y rutinas es la continuidad.**

¿Y LOS RITUALES?

Becky Bailey, en su libro *I Love You Rituals*, llama rituales a un grupo especial de rutinas más complejas y organizadas que no se relacionan con el orden, los límites o la continuidad, sino con las interacciones con los demás en la vida diaria, que construyen un espacio de unión entre nosotros. Toda la vida recordamos estos rituales de nuestra infancia, y se los enseñamos a nuestros hijos.

Son rituales:
- 🖐 salir juntos a andar en bicicleta los sábados a la tarde,
- 🖐 contar cuentos y rezar a la hora de acostar a los chicos,
- 🖐 que papá los tire por el aire cuando llega del trabajo,
- 🖐 ir a misa los domingos,
- 🖐 cocinar tortas fritas los sábados de lluvia,
- 🖐 cantar en el auto en los viajes largos,
- 🖐 escribir la carta a Papá Noel para pedirle los regalos,
- 🖐 esconder el diente bajo la almohada para que el ratón Pérez deje plata a cambio,
- 🖐 lo que hacemos en Nochebuena (que el abuelo se disfrace de Papá Noel, o que suene la campanita afuera para que los chicos salgan a ver mientras los grandes hacen aparecer los regalos),
- 🖐 esconder los huevos de chocolate en Pascua para que los chicos los busquen,
- 🖐 el brindis de fin de año,
- 🖐 los regalos y festejos de cumpleaños.

Mis hijos (ya adultos) todavía recuerdan encantados una época en la que los domingos a la noche comíamos pizza y veíamos una película de Disney por televisión, y también la sala de espera del pediatra cuando jugábamos siempre al mismo juego de adivinanzas. Muchos juegos, poesías y canciones repetidas a lo largo de la infancia se convierten en rituales ("las señoras van al paso…" o "estaba la pájara pinta…"): les permiten aprender la letra y el juego que corresponde a esa canción, anticipar el resultado y la diversión, y sentirse muy seguros y muy cerca de mamá o papá.

Los rituales facilitan la conexión entre nosotros, fortalecen los vínculos (muchas veces también el contacto físico), ayudan en los momentos de separación. Por ejemplo: en un jardín de infantes un chiquito pudo aceptar que su mamá se fuera cuando la maestra y él organizaron un ritual de saludarla por la ventana al salir. También curan ("sana, sana, colita de rana, si no pasa hoy pasará mañana", ¿ya pasó?; ir a visitar el cementerio donde está un ser querido; hablar por teléfono, todos los días a la misma hora, con papá, a quien extrañamos porque está de viaje, etc.). Los rituales religiosos sostienen y fortalecen nuestra fe, o nos ayudan a creer.

En muchos momentos importantes de la vida hay ritos y rituales que nos acompañan, nos preparan, nos dan tiempo; nos ayudan a entender, a aceptar, a organizarnos o a disfrutar (todas las culturas los tienen): los cumpleaños, la muerte de un ser querido, los casamientos. Rituales chiquitos, como buscar a mi hijo en el colegio y llevar su mochila hasta el auto; o grandes rituales, como la ceremonia y fiesta de casamiento de nuestra hija, que preparamos con meses de anticipación y nos ayuda a 'dejarla ir' a su nueva vida. Otras veces marcan los cambios, las transiciones en la vida (Ratón Pérez y los dientes, fiesta de graduación, o de despedida, etc.). Nuestra sociedad cambia muy rápido: los rituales nos dan el tiempo y la oportunidad para acomodarnos a esas transiciones.

Para tener en cuenta:
☺ Estemos atentos a observar rituales que puedan gustarnos de otras familias, como para agregarlos a nuestra vida familiar.
☺ Retomemos con nuestros hijos los rituales de nuestra infancia.
☺ Inventemos nuestros propios rituales.
☺ Tomémonos el tiempo para esos rituales. El apuro en que vivimos atenta permanentemente contra ellos.

Becky Bailey recomienda momentos en los que vale la pena organizar rituales:
☺ al despertarse o al irse a dormir,
☺ cuando se van al colegio o cuando llegan,
☺ cuando nos vamos o llegamos de viaje, y otras bienvenidas o despedidas;
☺ en momentos de cambios vitales (nace un hermano, empieza el colegio, mudanzas, etcétera);

🌀 en momentos familiares especiales, o cuando se enferman (en mi casa de chica había libros para cuando estábamos enfermos, ¡todavía los recuerdo!)

🌀 en las celebraciones, sean o no religiosas (cumpleaños, Navidad, Pascua, etc.); en las grandes y también en las pequeñas celebraciones; por ejemplo, para marcar que es sábado y nadie trabaja ni va al colegio.

Los recordaremos toda la vida como momentos de mucha calidez y conexión.

Malas costumbres

Meterse los dedos en la nariz, tocarse los genitales, comerse las uñas, masticar con la boca abierta, hablar con comida en la boca, eructar, comer con la mano, estornudar sin taparse la boca, insultar, levantarse de la mesa sin permiso, dejar el baño hecho un desastre, no saludar al llegar, morder, pegar, interrumpir a los grandes, revolear los juguetes, lloriquear... La lista es interminable.

Son muchas las conductas que tenemos que lograr que nuestro hijos sí hagan, o que no hagan, o que hagan en privado, o que sepan cuándo, dónde, cómo o con quién hacer.

Lo primero a tener en cuenta es que **tenemos mucho tiempo para lograrlo.** La mayoría de las dificultades surge cuando, apurados por que nuestro hijito sea el más educado de los primos, o por ser considerados los mejores padres de la cultura occidental (deseos bastante habituales entre padres primerizos), **nos apuramos y presionamos a los chicos antes de tiempo y con demasiada fuerza, y convertimos la crianza en un campo de batalla que deja poco espacio para el disfrute.**

La realidad es que **lo que realmente importa es el modelo** que les ofrecemos, mucho más que las palabras. A la larga, los modales de nuestros hijos van a ser muy similares a los nuestros. La cuestión es que nosotros tengamos una autoestima suficien-

213

temente buena como para tolerar que Andy (un año y medio) siga comiendo con las manos mientras su primito Pedro, de la misma edad, lo hace con cuchara y a la perfección, y su mamá nos mira con cara de superioridad; y, lo que es peor, nuestra suegra es también mudo testigo de cómo su hija educa bien a su nieto, mientras su nuera deja mucho que desear como madre (aunque sospecho que sería peor todavía si fuera nuestra propia madre la que está mirando).

Estos logros llegan con el tiempo y con la maduración viso-motriz, que es muy diferente de un chico a otro. Las diferencias surgen porque los deditos de Andy no son tan hábiles como nos gustaría para tomar bien la cuchara o el vaso.

Otras veces ocurre que no pasó el tiempo ni las experiencias suficientes para que Manuel incorpore que no debemos meternos los dedos en la nariz en público. O no tiene aún la madurez o los recursos necesarios para dejar de pegar o morder.

En algunas ocasiones, como en el caso del orden del baño o del cuarto, o el baño diario, o la lavada de dientes, hace falta el ejemplo de los padres, y que ellos acompañen y ayuden a ordenar o a bañarse, el tiempo suficiente hasta que se instale como hábito (esto puede llevar de cinco a dieciocho... años).

Lo importante, en todos los casos, es que no seamos los padres los que convertimos el tema en un problema. Los psicólogos decimos que los síntomas se negocian. ¿Qué significa esto? **Los chicos hacen y luego dejan de hacer algunas cosas, simplemente porque no causaron ningún efecto en nosotros.** Mili pasa mucho tiempo con su mamá, y sabe que atrae inmediatamente su atención cuando se mete el dedo en la nariz; y, en cambio, no pasa nada si toca la comida con las manos; lo que la lleva a seguir metiéndose el dedo en la nariz (sabe que logra esa atención instantánea de su mamá), pero, a la vez, a aprender a comer como los grandes; porque la mamá no 'arruinó', con su ansiedad, la situación de la comida. A la mamá de José la pone muy mal que pegue o muerda, y con sus reacciones 'fija' el tema. En cambio, ella sabe que decir malas palabras es sólo una etapa, y no le presta atención; y, al poco tiempo, José deja de decirlas.

La cuestión es:
1. que seamos modelo, ejemplo sistemático de todo aquello que queremos que nuestros hijos aprendan,
2. que nos demos el tiempo suficiente para, sin ansiedad, ni enojo, ni desilusión, explicarles qué, cómo, cuándo, por qué y dónde hacer, o no hacer, determinadas cosas, y
3. que los vayamos acompañando de buen modo hasta que internalicen hábitos tales como ordenar o bañarse todos los días.

Las malas costumbres se 'curan' con tiempo, y con padres que enseñan en un clima cordial y amable. Llevar a un chiquito a lavarse los dientes a los gritos, hace que se enoje mucho y que no aprenda lo que queremos. Al día siguiente va a tener ganas de molestar a esa mamá; quien, además, le dio servido en bandeja el tema para que pueda hacerlo: ¡y otra vez se va a la cama sin lavarse los dientes!

Morder, pegar, tirar los juguetes, incluso llorar son (muchas veces) actos de impotencia de un chiquito que no tiene los recursos suficientes para expresar y resolver lo que le pasa. No se resuelven con retos, tampoco haciendo lo mismo que él: gritándole o pegándole. En la medida en que aprenda y se anime a hablar de lo que siente, y pueda encontrar otras soluciones, irán desapareciendo estas conductas.

Juan (7) entra llorando del jardín donde jugaba con sus hermanos mayores. Si me enojo y lo reto, agravo el problema. Si puedo entender que su llanto es de impotencia (los hermanos juegan con su pelota y no lo dejan jugar con ellos, por ejemplo), podemos hablar de ese enojo y de esa impotencia. Al instante deja de llorar y encontramos juntos una solución o una salida para su problema. **El llanto de los chicos (de más de cuatro años, cuando ya**

215

pueden hablar de lo que les pasa) suele ser de este tipo; de rabia contenida, que no se animan a expresar. Cuando les allanamos el camino para hacerlo, los potenciamos; los ayudamos a sentirse fuertes, y entonces ya no necesitan llorar y pueden 'hacer': explicar, defenderse bien, buscar una alternativa, etcétera.

Encontramos que ciertos hábitos, como comerse las uñas, enrularse el pelo, incluso arrancárselo, chuparse el dedo más allá de la época de lactancia, tocarse los genitales, algunas veces 'se aprenden' por imitación o identificación con padres, u otras personas de su entorno cercano, que también lo hacen. De todos modos, ya sea que lo hayan copiado o se les haya ocurrido a ellos, probablemente sean señales de ansiedad que tampoco se resuelven con enojos o retos.

Cada uno de esos hábitos puede cumplir también alguna 'función' que colabora para que se perpetúen (o complica para que lo dejen). Por ejemplo, en el comerse las uñas podría haber un componente de enojo consigo mismo. En el tocarse los genitales, un pedido implícito de mayor información acerca de la sexualidad.

En algunas 'malas costumbres' podría haber más de un motivo y/o sentido inconscientes; cuanto mejor los conozcamos, más fácil nos resultará ayudarlos a dejarlas. Cuando no elaboran esos motivos inconscientes, corremos el peligro de que dejen un hábito para instalar otro, porque la ansiedad subyacente sigue presente y está necesitando una puerta de salida.

Suelen ser sistemas de autocuidado. Los chicos se llenan de una ansiedad que no logran descargar por las vías habituales y, por alguna razón (porque les resulta más seguro, o no se sienten merecedores de cuidado, o no ven a los padres disponibles), **en lugar de ir a buscar consuelo y ayuda a sus padres, se 'arreglan' solitos.**

Cuando los veamos haciéndolo, reemplacémoslo por mimos, sacando su mano de la boca, o de la cabeza, o de sus genitales; una y otra vez, sin retarlos, ayudándolos a descubrir que el mimo, el masajito y el abrazo (de mamá o papá) son más completos y placenteros; y, también, más eficaces para disminuir la ansiedad que sus autocuidados. Podemos, además, poner en palabras lo que creemos que lo puso nervioso: "¡Qué susto que sea hora de ir al doctor!", o "¡qué nervios cuando el gato casi alcanza al pajarito en el dibujito animado!", o "¡qué rabia que tu primo te haya hecho un gol!", o "¡qué ganas de andar a caballo y a la vez qué miedo!". Veremos que, muchas veces, podemos reconocer aquello que lo llenó de ansiedad, como para que ponga en acción esos mecanismos a fin de autocalmarse; y que podemos ofrecerle nuestros brazos, nuestras manos, nuestro amor, nuestra comprensión. (Cuando, en cambio, lo retamos, agregamos una nueva fuente de ansiedad, nuestro descontento con él, y lo alejamos de nosotros; exactamente lo contrario de lo que de verdad lo calmaría).

Puede resultar útil, algunas veces, ocupar sus manos o cambiar la situación: tirarle algo para que lo ataje, pedirle ayuda con lo que estamos haciendo, invitarlo a hacer otra cosa, alcanzarle un pañuelo de papel si tiene el dedo en la nariz, limarle la uña que tiene en la boca, etc.; es otra manera de ayudarlos a cortar una costumbre sin que se sientan mal mirados o criticados. Es una forma más informal, ligera de abordar el tema, ya que reemplazar por mimos y poner palabras para lo que sienten puede resultar cansador cuando lo tenemos que hacer muchas veces por día.

Pataletas o berrinches

Son esperables, incluso deseables, entre los dos y los tres años porque:

a) señalan el comienzo de la fase de la separación-individuación, se 'descubren' separados de su mamá y quieren hacer su voluntad con mucha fuerza;

b) aunque a esa edad ya puedan hablar, todavía no pueden expresar lo que sienten y piensan o defender sus ideas con palabras.

Señalan debilidad y no verdadera fuerza. Cuando el chico sabe que tiene derecho a lo que pide, o confía en sus padres, ya no patalea. Es vital tener esto en cuenta porque la respuesta es muy diferente si lo vemos fuerte, atropellador, que si podemos ver indefensión, inseguridad y fragilidad detrás de tanto ruido.

Puede ocurrir que los primeros hijos no tengan berrinches a esa edad o que los posterguen hasta que el segundo hijo empieza a ocupar un lugar importante en la casa. Esto sucede por varias razones. Porque los padres los educamos de más y no 'habilitamos' el berrinche, ya que es demasiado importante para nuestra dudosa autoestima de padres primerizos que se porten bien. Además, porque el primer hijo tiene menos razones para patalear, su mamá es suya sola, es el príncipe por excelencia; en cambio, con los siguientes tenemos menos tiempo para educar e impedir la pataleta. Ellos tienen que hacer más 'ruido' que el hermano mayor para tener un lugar propio, nosotros estamos más seguros como padres y no nos asustan tanto sus berrinches.

Cuando continúan más allá de los tres años (o tres y medio) habitualmente tiene que ver con padres que ceden ante las pataletas. Los chicos las siguen usando en la medida en que sean un medio eficaz para hacer lo que ellos quieren.

Cuando estamos decididos, los berrinches se resuelven en (aproximadamente) quince días de no ceder ante ellos. De todos modos, no lo vamos a lograr hasta que hayan cumplido dos años y medio o tres; es decir, hasta que no hayan tenido un año entero de pataletas.

Cuando decidamos hacerlo, tratemos de decir muchas veces que sí y los no indispensables, de modo de poder sostenerlos. Cuando decimos que no, hablemos también de lo que ellos nos están 'diciendo' con su descontrol; prestémosles palabras para que, de a poco, vayan pudiendo decir con ellas: "No quiero", "me da rabia", "¿por qué?", "¡lo quiero ya!" **La mejor vacuna para (con el tiempo) evitar berrinches es un vocabulario emocional amplio, que les permita hablar de lo que sienten; y padres que puedan tolerar no sólo que lo sientan, sino también que lo digan.** Pero esto rara vez ocurre antes de los tres o cuatro años.

Sepamos también que los chiquitos aprovechan para tirarse al piso en los momentos y en los lugares más molestos e inoportunos para los padres. Son muy sensibles a la pérdida de capacidad de sostén que registran cuando estamos apurados, o preocupados; o inconscientemente 'saben' que en lugares públicos (supermercado, por ejemplo), o con público (como nuestro jefe, la abuela paterna o la directora del colegio), los padres nos sentimos más inseguros para enfrentarlos, y ellos tienen más posibilidades de ganar en esas situaciones. Al mismo tiempo, se angustian al darse cuenta de que tenemos menos capacidad de sostenerlos; y eso los lleva a patalear más fuerte para 'curarnos' de nuestra debilidad, para encontrarnos fuertes.

Algunas cuestiones que podemos relacionar con berrinches en chicos un poquito más grandes:
- 🖐 los que llamamos malcriados (como Veruca Salt en la película *Charlie y la fábrica de chocolate*),
- 🖐 un yo no suficientemente fuerte, que implica baja tolerancia a la frustración; pobre capacidad de espera y de esfuerzo,
- 🖐 falta de recursos para resolver situaciones,
- 🖐 habla no suficientemente desarrollada (no pueden explicar ni explicarse lo que les pasa),
- 🖐 exceso de mecanismos de acción (se enojan y, por ejemplo, automáticamente tiran el control remoto por el aire), sin darse el tiempo para la reflexión,
- 🖐 padres permisivos,
- 🖐 falta de confianza o esperanza de que sus pedidos sean escuchados,
- 🖐 problemas familiares: económicos, de salud, de pareja de padres, etc., momentos en los que no hay espacio para mirar a los hijos y el recurso que les queda es la pataleta.

Las pataletas son un medio altamente eficaz para que miremos a nuestros hijos; cuando estamos muy preocupados o ensimismados por algún tema, ¡una pataleta es infalible para atraer nuestra atención!

Como beneficio extra: a los chicos los angustia menos que mamá esté enojada con ellos, que darse cuenta de que mamá tiene una preocupación y que son 'transparentes' para ella, que está metida en su mundo, en sus problemas y ni los mira. Y patalean para lograrlo. "No importa si se enoja conmigo, ésta es la mamá que conozco, la que me asusta es esa otra, que no me ve ni me oye."

Un caso especial son aquellos chicos que, a pesar de que los padres no ceden ante los berrinches y se ocupan de desarrollar las fortalezas necesarias en los chicos para que vayan desapareciendo, no dejan de tenerlos. Conviene hacer una consulta al pediatra, quien evaluará qué puede estar pasando y verá la necesidad de hacer otro tipo de intervención.

El dinero en la infancia

"¡Mamá / papá: comprame, comprame, comprame!" (jugue-tes, golosinas, lo que ven en las propagandas de televisión, desde postrecitos hasta zapatillas, pasando por todo lo que se le ocurre a la sociedad de consumo, que es mucho…)

Los chicos son hoy los principales consumidores, y las empresas invierten tiempo y dinero para que ellos quieran comprar y pidan a papá y mamá, entonces ¡no nos enojemos con ellos! Debemos hacernos fuertes para decir que no cuando nos parezca la respuesta adecuada, y para tolerar sus caritas tristes y su insistencia. "Todos lo tienen" es la letanía. Parece que no pudieran vivir sin ese objeto; y además tendríamos que salir a comprarlo rápido, antes de que se acaben, o antes de que a nuestro hijo le dé un ataque porque no lo tiene (¡o a nosotros, ante su insistencia!)

Hoy debemos ayudarlos a desarrollar el pensamiento crítico. Que sepan que no todo lo que ven es como aparece en la propaganda, que vean si el costo vale la pena, que descubran si no les están vendiendo 'piedritas de colores'.

Un buen ejemplo pueden ser los famosos álbumes de figuritas. Hace años salían uno o dos por año, y había tiempo para comprar de a cinco paquetes por semana, para pegarlas, para

cambiarlas en el recreo, para jugarlas... Todos adorábamos co-
leccionarlas, tachar las que habíamos conseguido; ¡era fascinante
abrir cada paquete para ver si venía la difícil que esperábamos!
Hoy las campañas duran muy poco tiempo; por lo que, en cuanto
nos queremos acordar, ya no se venden más esas figuritas (con la
consiguiente frustración para los chicos). Así las empresas intentan obligarnos a comprar los paquetes de a veinte (lo que muchos
padres hacen); a comprar pocos sabiendo cómo termina la historia; o a explicarles la situación a los chicos y elegir, en todo caso,
un solo álbum por año para poder completarlo.

Aprendamos a decir que no cuando vaya contra nuestras
reales posibilidades (he visto padres que hacían esfuerzos dispa-
ratados para que su hijos tuvieran las zapatillas de moda o el celular más moderno); también cuando lo que los chicos piden no
nos parezca correcto, oportuno o razonable. Somos más grandes, sabemos más que ellos: confiemos en ese saber que permite
que nos demos cuenta de que ese trompo tan promocionado no
justifica lo que cuesta, y que sólo les va a interesar un ratito y nada
más. De todos modos, nosotros elegimos el medio en el que se
mueven nuestros hijos: colegio, club, barrio; y les presentamos
un estilo de vida. Tengamos cuidado cuando los elegimos, ya
que nuestro hijo no puede ir siempre a contramano de todo su
grupo. Aunque sea válido nuestro criterio (como podría ser el de
no comprar ropa con marca a la vista, por ejemplo), no podemos
ponerlos en un entorno en el que todos sus amigos sean 'marque-
ros', porque lo van a pasar mal, y son chicos para poder sostener
nuestra postura.

Casi siempre es posible lograr un final razonable cuando no
nos enojamos ante sus demandas. Podemos comprenderlos sin
tratar de convencerlos de que ése es un deseo 'equivocado'; y, de
todos modos, comprar (o no) según nuestro criterio de adulto.
He visto chiquitos muy preocupados porque no se animaban a
desear, o a hablar de lo que deseaban, por miedo a desilusionar a
sus padres. Es más fácil para ellos y mejor para su autoestima que
pidan, y que nosotros tengamos la fortaleza para decir que no y
tolerar su enojo.

Los chicos tienen derecho a pedir. ¡Pero eso no significa que tengamos que comprar todo lo que piden! Para nosotros es fascinante soñar con un auto nuevo, o con la remera que vimos en un negocio; pero tenemos una fortaleza interna (un yo) que nos permite elegir, priorizar. Fuimos desarrollando esa fortaleza al crecer. Lo dijéramos o no, cuando éramos chiquitos queríamos todo lo que veíamos, igual que nuestros hijos; sólo que en otras épocas no cabía la posibilidad de pedirles a nuestros padres que nos compraran. Esperábamos con paciencia hasta que fuera Navidad, el cumpleaños o el día del niño para tratar de acceder a nuestros sueños. Al tener que esperar, podíamos repensar muchos de esos sueños y, al cabo del tiempo, muchos incluso dejaban de ser interesantes. El tiempo de espera puede ser un buen filtro para que nos quede más claro, a todos, cuáles pedidos realmente valen la pena.

¿Cómo nos ven ellos?

Veamos la situación desde los ojos de nuestros chicos: los adultos tenemos plata en la billetera. Ellos no saben si es para verdura o para comprar lo que queremos; por eso protestan e insisten en sus pedidos. Desde su punto de vista (obviamente subjetivo), nosotros compramos lo que se nos ocurre. No pueden leer nuestro pensamiento y saber que soñamos con un viaje que nunca llega, o con un auto mucho mejor que el que tenemos. Más aún, por una cuestión de educación no les contamos acerca de todo lo que nos gustaría comprar a nosotros, creyendo que con eso los educamos, ¡sin darnos cuenta de que ellos terminan suponiendo que son los únicos que desean algo, o muchas cosas sin poder acceder a ellas!

Los chicos chiquitos no tienen noción de lo que significa ganar plata. Creen que el cajero automático la regala, o que papá la trae de la oficina. No tienen idea de que la cuenta entra en rojo si gastamos más de lo debido, ni de que lo que compramos con tarjeta después hay que pagarlo; ni que la plata tiene que alcanzar hasta fin de mes, incluyendo emergencias e imprevistos.

A partir de los seis años (cuando ingresan a la primaria y hay kiosco en el colegio) vale la pena darles una pequeña semanalidad para que aprendan a distribuir y a decidir en qué gastar. Para los más chiquitos el dinero vale en función de cantidad de billetes o monedas, y no del valor real; tienen un pensamiento concreto que los lleva a creer que diez es más que uno, aunque sean diez billetes de $2 y uno de $50. **El ir manejando pequeñas cantidades de dinero los ayuda a empezar a interesarse y a entender los valores reales.**

Los primeros años será muy poquito, y para gastar. Ellos todavía no saben guardar y cuidar dinero, y es mejor que lo aprendan con cantidades chiquitas. El ideal sería que, a medida que crecen y les damos cantidades mayores, gastaran una parte y ahorraran otra. Incluso podrían reservar una parte para caridad, como sugiere Bárbara Coloroso.

Hay niños de todo tipo: los que gastan todo el primer día y sufren hasta la próxima semana, los que ahorran todo y no se animan a gastar, los que no le dan valor al dinero y lo dejan tirado por ahí (y lo terminan perdiendo), los que reclaman la semanalidad todos los domingos, y los que ni se acuerdan de pedirla.

Volviendo al ejemplo de las figuritas: cuando saben que los paquetes salen de su semanalidad, son mucho más criteriosos para comprarlas que cuando salen de la billetera 'canilla libre' de papá o mamá.

Iremos aumentando esa cuota cuando crecen, de modo que en la adolescencia ya puedan decidir qué programa hacen o dejan de hacer en función de su presupuesto semanal. De hecho, que este presupuesto sea ajustado nos ayuda a protegerlos de los excesos (alcohol, cigarrillos, etcétera).

En la adolescencia de mis hijas mujeres nos costaba mucho ponernos de acuerdo en cuanto a la ropa que se querían comprar (y al precio). Obviamente deseaban las 'mejores' marcas, que a mí me parecían disparatadamente caras. Finalmente lo resolvimos con un presupuesto mensual (que los padres acordamos) para ropa, de modo que se compraran lo que ellas querían. Y ocurrió como con las figuritas: aprendieron a cuidar ese presupuesto y a estirarlo al máximo. La mayor compraba pocas cosas y más caras, la menor prefería muchas prendas más baratas. Y aprendieron mucho sobre dinero y presupuestos.

El estilo que tenemos de gastar se traslada a otros ámbitos (probablemente venga de otros ámbitos): el chiquito que gasta todo es el mismo que se toma el helado rápido y disfrutándolo, que se 'come' la vida; el que guarda es el que toma el helado despacito, es más cuidadoso, planifica. No hay uno necesariamente mejor que el otro. A veces ocurre que uno de los progenitores es de una manera y el otro, de la otra; y ellos estén identificándose con ese aspecto.
Los chicos irán aprendiendo a medida que crezcan: el que gasta empezará a cuidarse después de haberse quedado unas cuantas veces sin plata, por gastarla impulsivamente sin pensar; el que ahorra todo, al cabo del tiempo, se dará cuenta de que es divertido gastar un poco. Yo, de chica, era 'cuidadosa' del dinero (y de los helados) y tenía un beneficio secundario inesperado: ¡la rabia que le daba a uno de mis hermanos que el helado me durara más que a él! También me comía la yema de huevo entera, de un bocado, para no desperdiciar ni una gotita. Hoy aprendí a tomar el helado sin cuidarlo tanto, porque estoy tranquila de que voy a tomar muchos más; y rompo la yema sobre las papas fritas sin preocuparme. Lo paso mejor, pero me llevó años aprenderlo; y en muchos otros temas sigo muy cuidadosa…

Hay chicos muy demandantes: no se conforman con nada, nada les alcanza, basta que tengan algo en la mano para que, en lugar de disfrutarlo, pidan otra cosa; parece que hubieran nacido con su bocaza abierta, imposible de satisfacer o de llenar; **estos chicos demandantes encuentran en el dinero una fuente inagotable de conflictos, y piden de todo y a cada rato.** No significa que haya que darles más, sino entender que el problema está en otro lado y usar esa dificultad, como muchas otras, para no enojarnos, comprenderlos, y acompañarlos a que aprendan a tolerar los **no** de la vida.

Relaciones entre hermanos

*"...el ámbito fraternal es el primer lugar
en donde te mides como persona: para ser tú,
tienes de algún modo que serlo contra tus hermanos."*
La loca de la casa, ROSA MONTERO

Celos y peleas son los motivos de consulta más habituales en las relaciones entre hermanos.

¡LOS CELOS!

Los celos son normales. Lo dicen los libros, y nos cuesta entenderlo. Dorothy Corkille Briggs, en *El niño feliz*, nos explica que implican que el chico se siente en desventaja. Son inevitables. Nuestra tarea de padres no es convencer a nuestro hijo de que está equivocado, sino comprender lo que siente: su ofensa, su dolor "porque papá salió a comer con mi hermano", o "porque mamá está ocupada con el bebé y no me puede bañar", o "porque es su cumpleaños y no el mío". **No hay 'razones razonables' que valgan**; sólo acompañar el dolor hasta que se le pase; o hasta que se sienta comprendido y pueda, solito, o con nuestra ayuda, aprender a tolerar la situación.

Revisemos lo que estamos haciendo para ver si no colaboramos con los celos al mostrar preferencias, o al hacer comparaciones innecesarias entre nuestros hijos: "¡Por qué no serás simpático como tu hermano!".

Todos anhelan (¿o anhelamos?) ser el favorito. Aun los hijos únicos van a sentir celos; de alguno de sus padres, de sus abuelos, de la ahijada de mamá, del trabajo de papá, de aquellas cosas o personas que distraen la mirada de sus padres. Una autoestima elevada brinda una confianza y una seguridad interna que protegen contra los celos más fuertes. Es probable que los celos excesivos sean fruto de autoestima baja, ya que como el mismo chico se siente 'menos' que sus hermanos encuentra todo el tiempo que lo miran menos o peor, que es justamente lo que teme merecer.

Ante los celos por el nacimiento de un hermanito menor, suelen aparecer regresiones o detenciones madurativas (especialmente en el que era el menor hasta ese momento) en ciertos momentos clave: al volver del sanatorio, cuando el bebé empieza a interactuar más a los 4-5 meses, a los 7-8 meses, etc. Llamamos útiles a estas regresiones porque pueden servir para:

1. juntar fuerzas para enfrentar el momento de cambio,
2. identificarse con el bebé o imitarlo como forma de elaboración, y forzar a los padres a ocuparse de él,
3. intentar que los padres entiendan cuánto les cuestan estas adaptaciones (compartir, asumir nuevas responsabilidades, dejar de ser el único o el bebé).

Estas regresiones durarán el tiempo necesario para permitirles fortalecerse y volver a su edad. Para ellos tampoco son cómodas; por lo que las abandonarán lo antes que puedan (salvo que produzcan algún efecto en sus padres que les resulte, por algún motivo, interesante). Nuestras reacciones de enojo y nuestra dificultad para tolerarlas y esperar pueden servir para que queden fijadas, en lugar de resolverse solas, que es lo esperable en la mayoría de los casos.

Evitemos las comparaciones, los favoritismos (mayor/menor, varón/mujer, deportista/intelectual, sociable/tímido, simpático/antipático, egoísta/generoso, responsable/irresponsable, colaborador/vago, etcétera).

Valoremos y respetemos las individualidades.

Ayudemos a nuestros hijos a expresar los celos, aunque nos resulten racionalmente absurdos, para ellos no lo son.

Ofrezcamos ratos cortos de encuentro con papá y con mamá a cada uno de nuestros hijos.

¿Y LAS PELEAS ENTRE HERMANOS?

Tampoco podemos evitar las peleas entre hermanos: ¡también son normales! En casa aprenden a defender su lugar, a hacerse respetar: algo indispensable para la vida.

A los padres suele molestarnos que nuestros hijos se peleen sin darnos cuenta de que **la casa es su escuela de vida**. Ellos aprenden a defender su posición, y también a ubicarse cuando la fuerza del otro los supera. Cuestiones que les sirven mucho cuando salen al mundo; ya sea al colegio como al trabajo, más adelante. "Los hermanos sean unidos porque ésa es la ley primera", está en el *Martín Fierro*. En la vida real los hermanos compiten, celan, luchan por su territorio. Esto no significa que no se quieran; de hecho, el simple hecho de vivir juntos hará que se tengan cariño, ya que uno ama lo que conoce. Nos enojamos con aquellos a quienes queremos: lo contrario del amor es la indiferencia y no el enojo (como podríamos creer). El tema es darles la libertad de sentir amor/odio, tan habitual entre hermanos. Los hermanos que han tenido la libertad de quererse y de pelearse cuando eran chicos estarán, en la adultez, mucho más cerca que aquellos que se vieron obligados a negar y reprimir sentimientos normales de celos, enojo o rivalidad.

Probablemente fuera de casa, y lejos de los padres, se defiendan y protejan entre ellos, ellos se saben familia y se quieren, lo que les permite armar un frente común en el mundo externo.

¿QUÉ HACEMOS LOS PADRES?

No tomar partido, e **intervenir lo menos posible** apenas el más chiquito tiene la posibilidad de defenderse o de alejarse del lugar. En cuanto mamá entra como juez de la situación (tarea de por sí muy difícil, ya que no siempre el aparente culpable es efectivamente culpable), los chicos se distancian más que antes y se esfuerzan, cada uno, por convencer a mamá de que tienen razón. Nuestra intervención como jueces habitualmente complica y agrava el problema, en lugar de ayudar a resolverlo. Salvo injusticias flagrantes o sistemáticas, dejemos que ellos intenten resolver las cosas por su cuenta. Y, si no lo logran, seamos equitativos con los dos en nuestra decisión. Evidentemente vamos a ser injustos con uno de ellos; pero, enojados los dos con mamá, se hacen amigos muy rápido. Además, aunque hoy estemos siendo injustos con uno, en el mediano a largo plazo, la situación se empareja.

Entonces, mientras nadie se perjudique demasiado y 'no corra sangre', vale la pena dejarlos librados a sus recursos; para que la batalla no pase a ser por "el respaldo de mamá a mi postura", "por convencerla de que yo tengo razón", lo que radicaliza las posiciones en lugar de acercarlas.

En cambio, intervenimos cuando alguien se perjudica demasiado o realmente no puede defenderse; o cuando la situación se sale de cauce; y también cuando estamos por perder la paciencia. Si no pueden encontrar una solución pacífica y nos empezamos a cansar, resolvamos algo de modo que los dos se perjudiquen por igual. Por ejemplo: "Tienen dos minutos más para resolver qué programa de televisión ven; si no lo logran, la apagamos".

Mientras son chiquitos (menos de dos años), no queda más remedio que intervenir para evitar las confrontaciones, ya que todavía no pueden controlarse ni defenderse bien.

Y sepamos que no siempre el buenito es tan santo ni el ruidoso tan culpable; a veces los buenitos provocan hasta 'sacar' a su hermano y, en realidad, el origen de la pelea era muy distinto del que nos imaginábamos. Es tarea de ellos aprender a resolver sus problemas.

Resulta muy útil hablar con ellos por separado, y a solas con cada uno; para que, por ejemplo, el chiquito entienda que no se puede hacer el vivo con su hermano grande porque el otro lo va a pasar por encima (enseñarle a cuidarse y a ser realista); y hablar con el más grande para que no se aproveche de su situación de mayor y sea un tirano con sus hermanos menores. ¿Por qué a solas? Para no darles más argumentos en las protestas a sus hermanos. Cuando lo hacemos en presencia del otro, le damos 'letra' al que no es retado; quien, desde atrás, ¡quizás hasta se burle de su hermano a quien mamá está retando!

Un caso particular son los hijos mayores que celan y pelean a sus hermanos menores. Ellos tuvieron mucha exclusividad, y la perdieron. Sus hermanos no la reclaman porque nunca la conocieron; por eso vale la pena que ofrezcamos algunas ventajas o derechos al hijo mayor, justamente por ser el mayor. Acostarse un rato más tarde, tener una semanalidad un poco más alta, o, ya más grandes, bañarse después de comer o tener permiso para chatear, etc. Los ayuda a encontrar su lugar y a estar menos enojados con los que lo siguen.

UNA RECOMENDACIÓN ÚTIL

Los hermanos no son buenos aliados para ayudar en la mejoría psicológica unos de otros:

No les podemos pedir que comprendan o le tengan paciencia al hermano que está pasando por un mal momento; a lo mejor lo hace durante unos días, pero en la primera de cambio le van a decir: "Mamá me dijo que estás mal, ¡pero igual me tenés harto!

Sí podemos, con una línea más directiva, verticalista, exigirles, que no lo molesten.

Cuando les pedimos ayuda, se sienten muy bien mientras lo hacen; pero ellos también son chicos: se van a cansar de ser 'buenos hermanos', y se van a sentir muy culpables de no hacerlo. Por eso es más fácil no darles alternativa. Paco (5) se burla de su hermanita Julieta (4) porque "saca los brazos de las orejas" cuando dibuja. En un montón de otros temas ella es más fuerte que él; pero ella es más chiquita y puede dejar de dibujar si él la sigue molestando. Los padres intervienen para impedir que se burle: "Dejala tranquila, vos dibujabas igual que ella cuando tenías su edad"; no le dan opciones, tampoco le piden ayuda (como sería decirle: "Entendé que es chiquita, pobrecita, ayudala"). Si además le señalan en privado (lejos de ella) sus propias características valiosas, a Paco le será más fácil dejar en paz a Juli, porque se sentirá más seguro de sí mismo.

IR CON CUENTOS A MAMÁ

Los chicos vienen con cuentos para que nos enojemos con su hermano; por lo que potenciamos sus reclamos cuando los atendemos. Al hacerles caso, las diferencias entre ellos se agrandan; y la situación se complica.

Consideremos el cuento como 'información mal habida', que no puede ser usada en contra del acusado, igual que en los juicios. En poco tiempo dejarán de acusarse unos a otros si no tiene el efecto deseado: ¡que mamá se enoje con mi hermano y lo castigue!

Sólo vale (ir con cuentos) cuando hay un riesgo serio: "¡Está colgándose afuera de la ventana!", "salió a la calle" (y tiene cuatro años), etcétera.

Así los ayudamos a ocuparse de sus propios asuntos; y a no tratar de mejorar su imagen ante mamá, arruinando la del hermano.

¡Y no siempre, igual que con las peleas, el que viene a contar es tan santo ni el acusado tan culpable! Como no somos adivinos ni jueces, dejemos que se arreglen solos ("¡es mi turno de la computadora!", "¿por qué me sacaste la lapicera?") e intervengamos sólo cuando nos cansamos de oírlos gritar, o cuando la situación se descontroló, "pasó de castaño oscuro", como diría mi abuela.

Conflicto significa crisis. El ideograma chino para crisis incluye los caracteres de peligro y oportunidad. Aceptemos el conflicto entre nuestros hijos como un desafío y una oportunidad para crecer.

Prestemos atención al modelo de resolución de conflictos que les ofrecemos nosotros: si nos rendimos con facilidad, si nos ofendemos, si estallamos, si nos descontrolamos, si luchamos a capa y espada defendiendo nuestros 'derechos'... nuestros hijos nos ven y aprenden.

Ritmo de vida

"Hay un momento para todo y un tiempo para cada cosa bajo el sol."
Eclesiastés 3,1

El ritmo de vida se acelera año tras año y se acortan los momentos que promueven la comunicación.

Por razones laborales los padres estamos cada vez más horas fuera de casa. Nos levantamos con el tiempo justo, los chicos almuerzan en el colegio. Las actividades extracurriculares aumentan año a año y comienzan a edades cada vez más tempranas; con lo que, incluso las madres que no trabajan, pasan la tarde llevando y trayendo chicos de una clase a otra.

Todos tienen actividades que los alejan de sus casas en horarios muy dispares, a caballo de una sociedad que hoy favorece el movimiento, la acción y el tener por sobre la reflexión y la comunicación, el hacer por sobre el ser o el ser-con (el otro).

En nuestra cultura individualista, narcisista, egocéntrica, pesan más la fuerza y la juventud que la sabiduría de la experiencia, "por lo que no vale la pena" comunicarse. Se vive hacia fuera. Se privilegia salir con amigos, hacer deportes; y se van perdiendo tradiciones como el almuerzo familiar, el domingo como día de familia, los juegos o charlas de sobremesa.

La televisión atrapa por igual a padres e hijos. Entra en los dormitorios donde, cada vez más, los chiquitos se duermen mirando dibujitos; o se instala en el comedor y entonces no se conversa a la hora de comer.

Un nuevo recurso tecnológico, los PDA (*personal digital assistants*), teléfonos inteligentes que se conectan a Internet, con los que se puede leer y contestar mails, navegar, escuchar música, e incluso chatear, ya se sientan a la mesa o interrumpen la sobremesa, y lo mismo ocurre con las notebooks. Los chicos nos miran y no va a ser tan fácil que ellos dejen, cuando los tengan, esos recursos un rato, si los padres no hacemos lo mismo mientras ellos son chiquitos.

Muchos adultos concurren a cursos de comunicación empresarial; pero les cuesta dejar por un rato el diario, el noticiero o la computadora cuando llegan a casa, para tomarse un rato y conversar en familia, Esos adultos, cuando vuelven de trabajar, quieren, y con razón (ya que trabajaron muchísimas horas), un tiempo para ellos mismos: para hacer deportes, para encontrarse con amigos, para ver televisión, para no hacer nada.

A veces olvidamos que la primera prioridad en nuestras vidas es la familia.

Los padres debemos estar conscientes de que somos, para nuestros hijos, modelo de estilos de vida y comunicación. Ellos aprenden viendo lo que hacemos nosotros. Si estamos atentos, disponibles y sabemos escucharlos, ellos sabrán también que cuentan con nosotros. Sólo en el contacto íntimo con otro ser humano pueden descubrir que valen, que son queribles y merecedores de amor y atención.

Para complicar más las cosas aparecen agendas sociales llenas, tanto para padres como para hijos, sin tiempo para descansar, aburrirse, inventar, estar en casa... (Ver también "¿Entretenerlos siempre?".)

Los padres hacemos más cosas que las que de verdad tenemos tiempo de hacer. Por un lado no queremos renunciar a nada y, por otro, sentimos la obligación de cumplir (con nuestro cuerpo, con nuestra pareja, con nuestros hijos, con nuestro trabajo, con nuestros amigos, con nuestros padres, etc.) por la temida amenaza (interna y muy pocas veces real) de que dejen de querernos; por lo cual vivimos apurados y apurando a nuestros hijos. Lamentablemente no escuchamos nuestras propias quejas ni las de nuestros hijos, porque allí la amenaza de abandono no es tan fuerte: nosotros no nos vamos a abandonar a nosotros mismos (aunque lo hacemos al cuidarnos mal); y nuestros hijos tampoco nos van a dejar, porque son chiquitos y nos necesitan. Por eso hacemos los recortes justamente allí... ¡donde no habría que hacerlos! Podríamos levantarnos unos minutos antes, por ejemplo, para no pasar

232

el ratito que compartimos a la mañana con nuestros chicos diciendo "¡dale, apurate!". Pero eso implicaría acostarnos más temprano y no contestar el mail de mi amiga, o no ver una película, o no hablar por teléfono con mamá, o no hacer los doscientos abdominales que hago por día para mantener a raya la pancita.

Revisemos la larga lista de 'tengo que'; prioricemos, aprendamos a postergar algunas cosas y a renunciar a otras. Nosotros mismos, y nuestros hijos, agradecidos. La vida promete ser larga (así dice el índice de esperanza de vida que crece año tras año), y tendremos tiempo de retomar los temas que quedaron 'en el tintero' cuando nuestros hijos eran chicos.

Estilo de vida

En el mundo actual aparentemente todo se resuelve, el dolor puede evitarse. Todo se alcanza, van cayendo las barreras de tiempo y espacio por los avances de la tecnología. Y resulta difícil recordar que el sufrimiento y la frustración, el esfuerzo, la capacidad de esperar, son también partes de la vida y de la educación de nuestros hijos.

Padres que quieren todo hoy, que no se privan de nada, que buscan permanentemente la autorrealización (en un mundo moderno donde eso es posible (estudiar inglés mientras se duerme, trabajar en casa gracias a la computadora, comer sin engordar, comprar sin dinero, viajar por Internet o con pasajes cada día más accesibles, etc.), tienen que rever el modo de criar a sus hijos desde los primeros meses de vida.

Resulta muy tentador trasladar esta filosofía a los hijos: que no se frustren, que no sufran, que tengan todo lo que piden; pero lo que los padres están olvidando es que su infancia fue diferente: con televisión de aire, aburriéndose en las vacaciones de invierno en la vereda en lugar de ir a esquiar o a Disney, sin tarjeta de crédito ni computadora ni Internet, **ni padres que creían que todo**

era posible. Nosotros conocimos otra manera de vivir, los chicos no tienen forma de saber que existe otra.

La organización de la personalidad y del estilo de relacionarse con los otros seres humanos, y también con los objetos, se plasma en los primeros años. La tarea de acompañar a un hijo para que vaya abandonando la posición de ombligo del mundo (o 'su majestad el bebé') tiene importancia central para la evolución hacia la vida adulta. Esta manera de vivir (en la que todo se puede) no ayuda en el proceso de aceptar con dolor que no somos los únicos (ni los más importantes), sino integrantes de una comunidad humana con derechos y también obligaciones.

¿CÓMO LLEGAMOS A ESTO?

Después de la Segunda Guerra Mundial apareció el libro del doctor Benjamin Spock *Baby and child care* (del que años más tarde se disculpó). Él quiso salir de un extremo autoritario, pero se pasó al extremo permisivo. Hoy sabemos que la mejor ecuación está a mitad de camino entre estos dos estilos:

a) límites y 'no' claros y coherentes (como el autoritario) y
b) empatía y comprensión (como el permisivo).

Los chicos se preparan mejor para la vida cuando aprenden a pedir lo que necesitan o desean, y cuando pueden tolerar un **no** como repuesta. Es decir que lo van a pasar mejor cuando sean grandes aquellos chicos que puedan esperar y esforzarse para lograr sus objetivos y, al mismo tiempo, aceptar las frustraciones inevitables de la vida. Estemos atentos también a los que no piden nada, porque quizá nos estén cuidando en lugar de dejar que los cuidemos nosotros a ellos.

Si me dan todo lo que quiero, si dicen sí a todo lo que pido, voy a sufrir más el día de mañana, porque no voy a haber aprendido a tolerar el dolor cerca de mamá y papá (con su consuelo y acompañamiento). Mi yo no va a ser fuerte, mínimas frustraciones me van a derrumbar, ¡y no voy a querer crecer!

Mis papás me enseñan a salir de la posición de bebé/puro placer, para entrar al lugar de hijo, en realidad, de persona que habita el planeta.

Satisfacer todas mis necesidades apenas se presentan me impide, además, mirar más lejos, canalizar esa energía hacia objetivos más elevados, no tan concretos (en términos psicológicos: sublimar).

_____

La falta de frustraciones saludables en la infancia probablemente sirva para explicar, por lo menos en parte, por qué los adolescentes de hoy muy pocas veces tienen 'sueños imposibles', o ideales personales o comunitarios que vayan más allá del Ipod, o la Playstation o el teléfono celular. Por suerte hay proyectos como "Un techo para mi país", los grupos de misión en muchas parroquias, los apoyos escolares, o las cajas navideñas de Caritas que convocan a muchos de ellos.

¿Cómo lo implementamos?

En primer lugar **siendo nosotros coherentes y consistentes, con el ejemplo de un estilo de vida que coincida con lo que les enseñamos.** Para que ellos acepten nuestros 'no' tienen que ver que nosotros también aceptamos los no de la vida: paro en el semáforo rojo, espero mi turno, no compro el teléfono celular de última generación si no lo puedo pagar, no pretendo hacer tres programas la misma noche, etc. Ellos hacen lo que ven mucho más que lo que les decimos.

Con ellos: comprender lo que sienten (vale enojarse cuando me dicen que no o cuando pierdo), y delimitar la expresión de eso que sienten (patadas, insultos, desbordes de cualquier tipo).

En la vida real nadie puede tener todo lo que quiere. Aunque tuviéramos todo el dinero del mundo, igual no podemos obligar a que la persona que amamos nos quiera, ni podemos evitar enfermarnos, ni podemos tener exactamente la vida que deseamos. Muchas cosas (mal que nos pese) no están en nuestras manos. Y si nuestros hijos notan que en casa sí todo es posible, no van a querer salir de ese paraíso donde todo es como ellos quieren, ¡y los padres nos vamos a arrepentir! Cuando crecen ya no resultan tan graciosos con sus berrinches para obtener lo que quieren. Esto queda retratado muy clara y graciosamente en la película francesa *Grupo de familia*, en la que Tanguy, un joven de cerca de treinta años que vive con sus padres, sigue 'inventando' postgrados para no empezar su vida de adulto. Vemos cómo esta aparente viveza o fortaleza del hijo es, en realidad, debilidad; y vemos también la desesperación de los padres cuando pasa el tiempo y 'su majestad Tanguy' nunca se decide a levantar vuelo.

Tareas en casa y actividades extraescolares

Es importante lograr un equilibrio para el buen uso del tiempo de nuestros hijos. Van muchas horas al jardín de infantes o al colegio, donde las actividades son pautadas por adultos; por lo que el tiempo que les queda (especialmente durante el año lectivo) es poco. Juego libre solos, con hermanos o con sus padres, lectura, televisión, computadora o Playstation; es decir, actividades que les diviertan y, también, tareas en la casa necesitan tener un espacio en sus vidas.

Un punto especial es la colaboración de los chicos en los 'trabajos' del hogar. Cuando son muy chiquitos, les divierte hacerlo; y pedirles que nos 'ayuden' (las comillas hablan de que más que ayudarnos nos entorpecen) a limpiar o a cocinar nos permite llevar a cabo estas tareas, por lo menos un rato. A medida que crecen aumenta la resistencia a colaborar: nuestra función de padres es lograr que lo sigan haciendo, por varias razones:

☺ Un chiquito que ayuda a poner la mesa o a preparar la ensalada se siente grande, útil, necesario en su familia, valioso; aunque sea muy chiquito siempre hay algo en que nos puede ayudar.

- 🌀 Una chiquita que prende las luces de afuera o baja las persianas cuando oscurece, siente que su casa es también de ella, y no sólo de papá y mamá; y que tiene un lugar muy importante allí.
- 🌀 Un chiquito que ayuda a guardar sus juguetes, o, cuando es un poco más grande, que ordena su ropa, que cuelga la toalla después de bañarse, que prepara el uniforme o la mochila para el día siguiente va adquiriendo hábitos que le servirán toda la vida. (¡Además lo piensa dos veces antes de sacar todos sus juguetes si sabe que después los va a tener que ordenar!).

Al principio es más difícil hacer estas tareas con ellos que hacerlas nosotros solos, por lo que nos tentamos con la idea de no pedírselas. Pero los chicos van creciendo y nos empieza a molestar que no colaboren. Es más sencillo instalar estos hábitos en la infancia temprana que más adelante. Además, en la adolescencia será muy complicado pedirles colaboración si no lo hicieron desde chicos.

Mi propuesta no es utilizar a nuestros hijos como 'mano de obra barata', sino que **a cada edad, a medida que vayan creciendo, disfruten haciendo cosas para las que estén capacitados, y que los hagan sentir integrantes importantes y necesarios de su casa y de su familia.**

Y si no lo hicimos cuando ellos eran chiquitos (o si lo hicimos y se olvidaron), y hoy nos encontramos enojados y protestando porque nuestros hijos no colaboran, pidamos su ayuda en lugar de desilusionarnos porque no se les ocurre espontáneamente. No importa si hay que decirlo muchas veces. Pedir ayuda no arruina su autoestima y les da la oportunidad de hacerlo; incluso, a lo mejor, la próxima vez ¡se les ocurre a ellos!

Todos los chicos necesitan logros y miradas positivas. Aprovechemos para buscarles actividades que ofrezcan eso; muy especialmente para los chicos que no van bien en el área académica.

A los tres y cuatro años pueden tener una actividad semanal, además de las tres o cuatro horas que pasan en el jardín de infantes.

Cuando empiezan la doble escolaridad (habitualmente a los cinco o seis años) es preferible que no tengan actividades extras, ya que necesitan tiempo libre para jugar; y eso es muy difícil cuando pasan ocho horas en el colegio. A partir de los siete, ya pueden volver a tenerlas y a disfrutarlas.

El criterio de los chicos para elegir una actividad no siempre es adecuado: porque va su mejor amiga, porque todos van, porque le gusta la idea de tener una guitarra, pero no tiene ni idea de lo difícil que puede ser tocarla. Veamos primero si realmente les interesa antes de comprometernos a comprar equipos, o a pagar todo el año adelantado.

El criterio de los adultos puede no ser el mejor:
- cuando queremos que haga lo que nosotros no pudimos hacer y siempre soñamos,
- cuando queremos que hagan lo que sí hicimos (¡pobres hijos de ex deportistas exitosos!, no es fácil decir que no quieren hacerlo; y tampoco es fácil tolerar que no le vaya tan bien como a su progenitor),
- cuando queremos favorecer una amistad (con otra chiquita que hace baile),
- cuando privilegiamos la comodidad (¡es en la otra cuadra!).

Muchas madres se quejan de los chicos 'inconstantes': empiezan una actividad y la abandonan, se entusiasman al principio y luego la dejan. Depende mucho de la edad y de la actividad. Revisemos si es acorde a la edad, y si el profesor nos/les gusta; si está cómodo con el grupo o con su desempeño en la actividad.

Cuidemos que no tengan demasiadas actividades. Tener que esperar, insistir, planear qué hacemos este año y qué dejamos para el próximo es un buen mecanismo para confirmar el interés verdadero; ¡incluso se disfrutan más las cosas muy esperadas!

Está bueno que se comprometan, por lo menos un cuatrimestre, para verdaderamente conocer la actividad y para no rendirse ante la primera frustración de cualquier tipo. Muchas veces renunciamos (hasta los grandes) porque nos desanimamos ante las primeras dificultades.

Busquemos, para los más chiquitos, actividades que sean poco pautadas, que les permitan inventar, crear, descubrir y divertirse; como expresión corporal, taller de arte, o de música.

A medida que crecen, podemos incorporar otras más pautadas; como deportes en equipo, baile de cualquier tipo (ballet, jazz, etc.). De todos modos, vayamos a ver la actividad antes de anotarlos; porque muchas veces un taller de fútbol parece inadecuado para un chiquito y, cuando vemos el trabajo, es lo suficientemente poco pautado como para que él se divierta. O tal vez una actividad se promociona como poco pautada y, cuando vemos la clase, descubrimos que no es así.

El aprendizaje escolar
(lo que puede aportar una psicóloga)

Las autoestimas de los chicos pueden irse dramáticamente a pique cuando empiezan el colegio; o, por lo menos, su autoestima para el aprendizaje. Ellos suponen que sus padres 'saben' lo que ellos pueden hacer, lo que les conviene, lo que les hace bien; años de experiencia junto a sus padres les dicen exactamente eso: "Cuando me mandaron a la cama contra mi voluntad... tenía sueño", "cuando mamá me dijo que saliera de la pileta porque hacía frío... tenía razón, aunque me diera rabia", "cuando papá me dijo que fuera al baño porque yo tenía ganas de hacer pis... era verdad". Cuando los chicos no alcanzan los objetivos escolares, a ellos no se les ocurre pensar que los adultos se equivocaron en algo: lo que piensan es que ellos están 'fallados' porque no pueden responder a esas expectativas de sus padres o maestros.

Estemos atentos a que nuestro hijo se sienta cómodo y a nivel con lo que la maestra enseña. Y si no lo está, estimulémoslo hasta que lo esté; pero... sin presiones, ¡jugando! Es muy distinto (¡y tanto más fácil!) aprender el concepto de suma en el jardín de infantes si ya en casa me divertía viendo cuántas naranjas había, o jugando a juegos que implicaran sumas fáciles. Esto ocurre sin nuestra ayuda con los chicos que tienen hermanos mayores. Pero los primeros hijos tienen menos estímulo en estas áreas, ya que probablemente no se nos ocurre, en la cocina, plantearles problemas simple como: "Fijate cuántas naranjas hay, traéme una que hacemos jugo, ¿cuántas quedan?". Nuestros primeros hijos tampoco son testigos de las tareas de hermanos mayores, que también funcionan como estímulo. Incluso muchos chiquitos de jardín piden 'tarea' a sus mamás para sentirse iguales a sus hermanos. Cuando la maestra empieza a plantear la suma, si el chiquito ya tuvo varias experiencias de ese tipo, el tema le va a resultar muy fácil e interesante. En cambio, si es la primera vez que escucha acerca del concepto, le va a resultar difícil y (probablemente) poco interesante.

Cada chico tendrá áreas fuertes, en las que se siente seguro y que no será necesario estimular; y otras más flojas, que vale la pena explorar junto a él.

La mochila no es nuestra, sino de nuestros hijos; y la tarea, también. Es muy divertido abrirla (sobre todo con los primeros) cuando llegan del colegio. Pero... ellos muy rápidamente se acostumbran a que mamá se fije lo que tienen que hacer o comprar, y dejan en sus manos esta tarea. Y además se pueden quejar: "Mamá, no me pusiste el protector bucal con la ropa de gimnasia", "no me hiciste estudiar el dictado y me saqué mala nota", "¡no me compraste el mapa y le pusieron mala nota a todo mi equipo por tu culpa!"

Como la mochila es de ellos, la abren **ellos** delante de mamá, y **ellos** se fijan lo que tienen que hacer y lo que mamá tiene que firmar. Así se van haciendo cargo. Mientras son chiquitos abren la mochila con mamá, un poco más adelante lo hacen cerca de mamá, o con una mamá que les recuerda que lo hagan, hasta que llega el momento en que ya lo pueden hacer solos.

Dejemos que se equivoquen, que traigan incompletos y notas por no estudiar o completar, para que se vayan haciendo conscientes de que la tarea no se hace sola.

Y que tampoco haya una mamá esclava que se las 'prepara' y facilita al máximo.

Una queja habitual: "Mi hijo no quiere hacer las tareas, lo tengo que perseguir hasta que logro que se siente y las haga":

No olvidemos que **cuanto más nos preocupamos nosotros, ¡menos lo hacen ellos!**

Los más chiquitos necesitan apoyo, sostén, mirada interesada de mamá; pero no críticas. **Es la maestra la que corrige; mamá se ocupa de que hagan las cosas; no necesariamente de que las hagan bien.** Si lo hacemos de otro modo, van a huir de nosotros y nos van a decir que no tienen nada, porque hacer tareas con mamá es un castigo y tardan un montón, ¡ya que mamá no se queda tranquila hasta que todo esté perfecto, prolijo, pintado, subrayado! Agotador para todos. En cambio, cuando vuelva la tarea (por ejemplo las cuentas mal hechas) para rehacer, puede que nuestro hijo la próxima vez nos pida que nos fijemos si están bien hechas.

Resulta muy útil planear con ellos en qué momento de la tarde (en la semana) o del fin de semana se van a sentar para hacer las tareas escolares o a revisar la mochila. Una vez acordado un horario, está bueno 'formalizarlo' poniendo en la heladera un calendario semanal que incluya las actividades de los integrantes de la familia, y en el que incluyamos las horas de televisión, baño, tareas, etcétera.

La mayoría de los chicos que no van bien en lo académico tienen algún problema que tendremos que descubrir, ¡no son vagos! Pueden ser problemas visuales, auditivos, de límites, de concentración, de aprendizaje, de motricidad, de integración social, autoestima baja, depresión, impulsividad, etc. Recomiendo empezar por una visita al pediatra para descartar las cuestiones clínicas y, asesorados por él, seguir investigando para saber lo que conviene hacer. Veo muchos padres que se enojan y castigan a sus chicos porque no tienen buenas notas, suponiendo que es pura irresponsabilidad o fiaca. Siempre habrá tiempo para decir "Éste era sólo vago" después de una buena evaluación.

¡La maestra es una mala!

Hace años los padres consideraban que el colegio siempre tenía la razón. A ningún progenitor se le ocurría 'creerle' a su hijo que la maestra había sido injusta, o había tomado en la prueba temas que no había explicado. El mundo de los adultos era sólido e inamovible (quizás, excesivamente).

Hoy los chicos se sienten con derecho a discutir las notas y las normas del colegio; entre otras razones, porque sienten el aval de sus padres.

Todos los extremos son malos: el progenitor que dice: "La maestra tiene razón, algo habrás hecho", no escucha a su hijo ni lo ayuda a entender; sólo lo invita a defenderse de una acusación redoblada: la de la maestra más la de mamá; el progenitor que dice: "Pobrecito mi nene, voy a hablar con esa bruja", lo convence de que el mundo es malo, de que la maestra es injusta y de que él es chiquito y necesita papás que lo defiendan. En ese intento (de defenderlo) aumentan la inseguridad, la indefensión, la desconfianza y las ideas persecutorias del hijo.

El progenitor 'ideal' no se ocupa del mundo real y objetivo; es muy difícil para los padres saber cómo fueron los hechos, tendemos a verlos subjetivamente: "Me fue mal en la prueba porque la maestra no avisó que había que estudiar ese tema", "dejé la bici afuera porque iba a volver a salir y no me dejaste, por eso me la robaron"; ese progenitor ideal que no se ocupa de los hechos reales, no habla del hijo irresponsable (estaría acusando al hijo) ni de la mala maestra (con lo que acusaría a ella), sino que se pone en el lugar del hijo e intenta comprender lo que siente, y lo acompaña para que pueda revisar lo ocurrido; lo que podría haber hecho y lo que puede hacer ahora o a partir de lo que entendió y aprendió en esta experiencia.

No creo que en esta época los colegios sean más estrictos, sí que muchos padres tienen hoy dificultades con las normas y el respeto a la autoridad. Y eso se nota en los hijos: la chiquita que trata mal a su amiga es (a menudo) hija de una mamá o de un papá que deja, en la puerta del colegio, su auto en doble fila, e interrumpe el paso de otra gente; que no se puede poner en el lugar del otro, y por lo tanto tampoco puede enseñar a su hija a hacerlo.

Lo que estos padres no entienden es que en la adolescencia (incluso antes) la situación se les puede volver en contra, ya que los chicos van a dejar de respetarlos a ellos del mismo modo que no respetan al colegio o al policía de la esquina.

Además, muchos padres hoy no quieren ser autoritarios ni que sus hijos sufran. No pueden ver ni reconocer el valor de **acompañar** el sufrimiento de sus hijos; por lo que tienden a ponerse en el lugar de los chicos y a justificarlos, sin darse cuenta de que esa incubadora que ellos 'fabrican' hace que los hijos no quieran alejarse de casa, ya que es un lugar mágico donde todo está bien. Y, además, como ya dije muchas veces, no se fortalecen al aprender a tolerar frustraciones, esperas y malas notas de la mano de una mamá que sostiene su dolor mientras le presta recursos para entender qué pasó, en qué se equivocó, incluso qué puede hacer para hablar con la maestra si le parece que la nota no fue justa, o para pedir otra oportunidad, etcétera.

Dos excepciones

a) Con chicos muy chiquitos debemos intervenir nosotros, ya que no pueden defenderse solos o resolver las cosas por su cuenta. Un niño de seis años probablemente no se anime a decirle a la maestra que no pudo hacer la tarea porque fue al dentista; es mejor que mamá ponga una nota. Los iremos dejando solos a medida que los veamos fuertes y capaces de hacerlo ellos por su cuenta.

b) Cuando lo que ocurrió nos parece incorrecto, poco ético, peligroso, de alguna manera grave y que no podemos pasarlo por alto, vayamos a hablar con la maestra, o con la directora. Si, por ejemplo, un chico llega del colegio con su trabajo roto por la maestra, o contando que ella le dijo "sos tonto si no entendés eso", vayamos al colegio a hablar; **siempre teniendo en cuenta que nuestro chico se queda allí cuando nosotros nos volvemos.** Hagamos lo que hagamos, tiene que ser con mucho respeto. Con el mismo respeto con que nos gusta que nos traten a nosotros y a nuestro hijo, para que nadie tenga ganas (más o menos conscientes) de vengarse de nosotros en él.

Nosotros elegimos la institución escolar: confiamos en ella, o nos retiramos con nuestros hijos. Para ellos es muy difícil aprender u obedecer a sus maestros si en casa papá y mamá los critican. Antes de decidir retirarnos, hagamos lo posible para que el colegio entienda lo que nos preocupa; y también para escuchar el punto de vista de ellos acerca de la situación de nuestro hijo, ¡podríamos llevarnos una sorpresa! Las cosas no siempre son exactamente como las vemos nosotros (o como las ve él). Por suerte muchos colegios están abiertos a trabajar en equipo con los padres en beneficio de los chicos.

Mamá está embarazada

Los chiquitos registran el embarazo de la mamá incluso antes de que ella tenga un atraso. El de un año o dos se pone molesto, llorón y, unos días más tarde, ¡la mamá descubre que está embarazada! (Esto mismo podría ocurrirle por muchas otras razones, el malestar no es un buen 'predictor' de embarazo.)

El hijo menor (o el hijo único), es el que se ve más afectado. Los demás ya tuvieron un hermanito antes y elaboraron esa situación. El menor es el que enfrenta el tema por primera vez. Por ser el más chico tiene menos recursos que sus hermanos mayores para comprender y elaborar situaciones nuevas. Además, es el que necesita más cuidados físicos: que lo cambien, que lo ayuden; y está acostumbrado a una disponibilidad de su mamá que se ve interferida por el embarazo. Aunque ella se sienta bien (lo que no es habitual en los primeros meses), tiene más sueño, necesita estar sola, se produce un repliegue hacia adentro que los hijos menores registran y padecen. Los chicos presienten que 'algo' se interpone entre ellos y su mamá.

Cuando el embarazo coincide con los dos años del hijo menor, se superponen dos temas fuertes: la separación y despegue de la madre a esta edad, y la aceptación de esa panza que crece.

El bebé en la panza sólo molesta y no se lo puede querer, porque no se lo conoce. Por eso, el último mes del embarazo es el más difícil: la mamá está incómoda, duerme mal, le cuesta alzar a su hijito, subir escaleras; y, al mismo tiempo, el hijito siente estas cosas y también ve que su 'hermanito' se va al cine con su mamá, duerme con ella; mientras que de él se ocupan cada vez más el papá o la abuela. Para colmo de males, hasta que no conozca al bebé, no se va a poder encariñar con él, ni se va a dar cuenta de que la mamá va a seguir teniendo tiempo para él. Todos están esperando el día en que mamá se vaya al sanatorio. Esta espera produce mucha ansiedad en los chicos y también en los padres.

¿CÓMO PODEMOS AYUDARLO?

Lo mejor que podemos hacer es poner en circulación un bebote (muñeco) de juguete para que pueda zamarrearlo y jugar con él, descargando sus inquietudes y preocupaciones. Pese a lo que pudiéramos creer, revolear y maltratar al bebé de juguete es la mejor manera para que después no haga lo mismo con su hermanito nuevo.

También es importante que pongamos en palabras sus enojos y preocupaciones y que calmemos sus ansiedades:

- cuando la mamá tiene otro hijo no quiere menos al anterior,
- el corazón crece para querer a los dos,
- tu lugar es tuyo y nadie lo puede ocupar,
- cuando me vaya al sanatorio se va a quedar tu abuela con vos (vas a estar bien atendido),
- tu enojo con el bebé no lo puede dañar: está protegido dentro de mi panza.

Conviene charlar con ellos de lo lindo de crecer y saber caminar, hablar, correr; y, también, del dolor de dejar de ser chiquito. Nos es muy fácil hablar de lo lindo que es ponerse grande, pero muy pocas veces los ayudamos con la otra mitad de la cuestión: asusta crecer, no quieren dejar el lugar al bebé, les encantaba tomar mamadera, usar chupete, estar en brazos de los padres en lugar de caminar, y muchas otras cuestiones en las que **crecer implica despedirse… Y duele, por bueno que sea el estadio siguiente.**

Es natural que les preocupe que la mamá pueda preferir al hermanito nuevo. Desde su punto de vista (inmaduro y subjetivo), si ella hubiera estado suficientemente encantada con él (o con ella), ¡no se le habría ocurrido tener otro!

Conviene aprovechar ese momento para dar información sobre el embarazo, ya que estarán muy interesados en el tema en esa etapa: cómo nacen los bebés, diferencias anatómicas entre varón y mujer, que el bebé está en el útero y sale por un lugar especial (es decir, que no se junta con la comida ni sale por el mismo lugar que la caca), que el hijo es la unión de dos células, una de papá y una de mamá. Que sólo las mujeres pueden tener bebés en la panza. Que las chiquitas, cuando crezcan, van a poder tenerlos. Que cuando sean grandes se van a casar y tener sus propios hijos, etcétera.

Cuando el bebé nuevo tiene entre uno y dos meses ya tiene horarios más parejos, los hermanos se dan cuenta de que su rival no es muy peligroso por ahora, el bebé empieza a reconocer la presencia de sus hermanos y a sonreírles o buscarlos con la mirada (y habitualmente esto los hace morir de amor por él), la mamá duerme mejor, la situación familiar se acomoda y todo vuelve a la normalidad (que no quiere decir la calma).

EL JUEGO

La infancia: tiempo de jugar

En la infancia los chicos no tienen responsabilidades adultas. Saben que los padres nos ocupamos de las cuestiones de supervivencia, alimentación, abrigo, cuidados, etc. Por eso ellos pueden dedicar todo su tiempo y energía a investigar el mundo, aprender, descubrir, inventar, divertirse, hacer amigos, jugar; tranquilos de que estamos ahí cerca, cuidándolos y disponibles para lo que puedan necesitar (aunque mamá o papá en algunos momentos no estén, habrá otro adulto que se ocupa). Y así continúa siendo, aunque no en todas las áreas, en la adolescencia.

La infancia es (o sería bueno que fuera):

- ☺ tiempo de aprender; esto nos distingue de los animales, ya que el período humano de dependencia es mucho más largo, por lo que podemos aprender más durante más tiempo. Los estímulos van llegando (o los va descubriendo) a medida que el chico está listo para procesarlos; muchas veces filtrados por los adultos que están a cargo de la crianza;
- ☺ tiempo de ir separándose de sus padres al ritmo propio de cada chico, no al impuesto por la agenda social o el colegio;
- ☺ tiempo de jugar y vincularse con otros;
- ☺ tiempo de vivir en una "burbuja", seguros, cuidados, sin ocuparse de las cuestiones de supervivencia.

Hoy no es fácil mantener intacta esta 'burbuja', ya que los estímulos invaden la vida de los chicos antes de tiempo. Ellos crecen entonces muy (demasiado) rápido y antes de tiempo, como dice David Elkind en *The Hurried Child*.

¡Cuántas veces vemos como anormales cuestiones que sólo indican que el chico es chiquito!, ¡y necesita un tiempo más antes de poder quedarse en el jardín de infantes, meter la cabeza debajo del agua, quedarse en el cumpleaños del amiguito, disfrutar de la animadora, andar en bici sin rueditas, seguir jugando sin ofenderse aunque le hicieron un gol, aceptar las reglas de los juegos, tocar el perro del vecino!; y tantos otros ejemplos de nuestro apuro por verlos grandes, independientes, seguros.

Además hoy:

- ☺ los papás y mamás necesitan trabajar y dejar a sus hijos desde muy chiquitos en guarderías, donde hay muchos chicos y no tantos adultos (muy distinto a su casa donde estaría mamá para sus dos, tres, cuatro hijos);
- ☺ los juegos reglados llegan antes de que ellos estén listos para entenderlos y disfrutarlos;
- ☺ el deporte (mal entendido) los invita a la competencia cada vez más temprano;
- ☺ no hay tiempo en el colegio para que los chicos aprendan por interés genuino, ¡hay que cumplir los programas!;
- ☺ hay presión también en lo social: 'tienen' que tener muchos amigos, invitar y aceptar muchas invitaciones, animarse a dormir en casa de amigos o ir a un 'piyama party' cada vez desde más chiquitos.

Cuando no dura lo suficiente, uno anhela toda la vida esa infancia perdida y probablemente intenta recuperarla de alguna manera, en alguno o muchos aspectos de la vida. Deseamos que nuestros hijos conserven una actitud juguetona ante la vida, y la desplieguen sin miedo cuando crezcan; y también deseamos que lleguen a grandes contentos de hacerlo, y no con la nostalgia de una infancia que se escapó por vivirla apurados y por no haber podido disfrutárla.

Madurez

Podemos, hasta cierto punto, acelerar la madurez intelectual o motriz, pero no podemos hacer lo mismo con la madurez emocional:

- ☺ **Los chicos tienen que estar seguros de que poseen antes de poder compartir.** Claramente vale para juguetes y obje-

250

tos; pero, antes que eso, para la confianza en sí mismos y la sensación de que valen: antes de compartir a mamá con el hermanito nuevo tienen que estar tranquilos del amor incondicional de su mamá hacia ellos, y de que ella fue plenamente suya el tiempo suficiente; antes de compartir sus caramelos con los primos tienen que confiar que les van a volver a regalar muchos paquetes más; antes de prestar el autito nuevo tienen que estar muy seguros de que es suyo. De a poquito se van sintiendo ricos: de amor, de cuidados, de mimos, de alimentos, de juguetes; allí empieza el verdadero compartir. Si viene un amiguito y nuestro hijo no quiere prestar sus juguetes, invitémoslo a guardar los que no quiere prestar... Al tercer o cuarto juguete que hagamos desaparecer, se va a quedar tranquilo, porque mamá respeta sus deseos; y se va a dar cuenta de que así él tampoco puede jugar con sus juguetes preferidos durante toda la tarde y va a dejar de guardar, ¡incluso hasta puede sacar los que guardó!

☺ **Ellos necesitan largos años de cooperar, antes de poder competir**: al principio es mamá la que coopera y sostiene el juego con su hijo chiquito; a los tres o cuatro años ya pueden compartir un balde o unos legos para construir algo juntos; varios años después, no antes de los nueve, pueden empezar a competir. Muchas personas adultas todavía no lo lograron, porque siguen jugando para ganar, supuestamente, el partido; en el fondo, todavía están tratando de sentirse capaces y valiosos, y el juego o el deporte son ideales para intentarlo (cuando lo logran está todo bien; y, si no, aparecen los revoleos de raquetas o palos de golf, o la trampa, como intentos desesperados de lograrlo). Para ampliar esta idea ver "Reglas de juego".

☺ **Pueden pegarle bien a la raqueta, ¡pero lleva tiempo que estén listos para perder un partido!** A partir de los nueve años ya podrían jugar para ganar o perder; aunque recién en la adolescencia están maduros para hacerlo en torneos y campeonatos con ganadores, perdedores, tablas de puntajes y premios.

251

Cuando los apuramos (a prestar, a entender, a perder, a competir, etc.), se enojan, se frustran, se desaniman, o creen que ellos no sirven (sin darse cuenta de que el error es nuestro).

Buscar (con esfuerzo y entrenamiento) la madurez en un área seguramente va a ser a costa de otra: el tiempo que mi hijito usa para aprender a tocar el violín a los cuatro años, no lo tiene disponible para jugar, divertirse, conocer amigos, descubrir otros aspectos del mundo. Si bien es tentador tratar de que mi hijo se convierta en un gran concertista, bailarín o tenista (y para eso tendría que prepararse desde muy chico), para el buen desarrollo de los chicos buscamos que crezcan armoniosamente en todas las áreas; los ayudamos a desarrollar aquellas más flojas, en lugar de concentrarnos en las fuertes (que, de todos modos, les va a encantar desplegar sin ayuda nuestra). Es decir que no buscamos que se destaquen mucho en ninguna; por lo menos en los primeros años. Como vimos en "Dones y habilidades", todos tendemos a hacer lo que nos sale bien; y nuestra tarea de padres es ayudarlos a hacer las cosas que no les salen tan bien, o acompañarlos y sostener su frustración hasta que lo logren.

JUGAR ES EL 'TRABAJO' DE LOS NIÑOS

Winnicott define el juego como: "Una serie de actividades voluntarias que divierten y se ejecutan sin razón u objetivo específico alguno distinto al de distraerse y pasar un rato agradable". Es vital para el desarrollo físico y emocional de los chicos.

Los juegos no son sólo para divertirse: son indispensables para construir el pensamiento, la individualidad, la autonomía y para la socialización. Por eso decimos que el juego es el trabajo de los chicos.

¿POR QUÉ Y PARA QUÉ JUGAR?

Nuevamente Winnicott. Él hace una lista que hoy sigue vigente en *El niño y el mundo externo*; de todos modos, le hago algunos agregados que amplían conceptos.

Los chicos juegan por placer: el juego es deleitable en sí mismo. Es interesante entender que el bebé empieza a jugar cuando está satisfecho y cómodo, sin hambre, sin sueño; es decir, con sus necesidades básicas cubiertas. La mamá no está disponible (o lo está, y la usa a ella para jugar) y empieza las investigaciones y el juego: observa un rayo de luz, se mete el dedo en la boca, toca algo que encuentra en su camino, hace ruiditos con la boca. A veces el bebé juega también cuando se acaba de despertar, con hambre o con deseo de encontrar a su mamá, y 'juega' (todavía tranquilo) en sus intentos de encontrarla; o juega simplemente porque todavía no tiene ninguna necesidad imperiosa de mamá o de mamadera. Por un ratito logra entretenerse e investigar, hasta que empieza a llorar. A partir de esos dos momentos (cómodo, satisfecho y todavía sin sueño, o al despertar antes de sentir una necesidad concreta) se abren ventanas de juego en la vida de los bebés que se extienden y enriquecen a medida que crecen.

El juego sirve para descarga de agresión: no le puedo pegar a mi hermanito recién nacido. Entonces juego a la mamá con un bebote (muñeco) y lo sacudo, lo reto, lo dejo solo; le hago todo aquello que le haría al bebé y que mi mamá no me deja (por suerte para el bebé y también para mí); o molesto al perro, porque minutos antes mi hermano mayor me estuvo molestando a mí... ¡y con él no me animo a meterme porque es muy grande! O no permito que mi hermanita juegue conmigo, porque hace un ratito invité a un amigo y me dijo que no tenía ganas de venir, y así descargo con ella toda la frustración de no sentirme elegido... haciéndole sentir a ella lo mismo que yo acabo de sentir; o le pego con alma y vida a la pelota de tenis después de pelearme con mi jefe (hasta le puedo poner la cara de mi jefe a la pelota). A través del juego (que a veces se sale de cauce cuando es fuerte lo que tienen que 'resolver'), chicos y grandes elaboramos y descargamos las agresiones inevitables que nos inflige la vida, sin daño real para nadie.

A través del juego adquieren experiencia, aprenden a resolver problemas: cuando Manuel empieza a armar un puente con los ladrillitos y encuentra dificultades para su proyecto, va buscando formas de resolverlas; incluso puede descubrir algún nuevo uso de los ladrillos a partir de allí. Martina (4) quería hacer una torre de Duplos más alta que ella. De a poquito fue descubriendo que sólo si hacía fuerza muy derechito podía evitar que se le desarmara; en otro momento el juego se convirtió en el de hacer fuerza en ángulo en la misma torre de Duplos ¡y ver volar los ladrillos para todos lados!

A través del juego descubren o reinventan el mundo (los más chiquitos incluso creen que lo inventan): por ejemplo hacen distintos intentos con un lápiz: que vuele... no vuela; que ande como un autito... no lo hace; comerlo... es duro y no tiene gusto a nada; como espada... es un poco corta, para cortar... no tiene filo; ¡para marcar el papel y dibujar... es fantástico! En muchos ensayos, fallidos algunos y exitosos otros, descubren o 'inventan'... el lápiz, es decir un mundo que, en realidad, ya estaba ahí.

El juego sirve para aprender a perseverar, tener paciencia, esperar: pero esto ocurre en tareas placenteras, para las que vale la pena esforzarse y dan ganas de aprender (a vestir una muñeca, cuidando de que el pulgar de la manito de la muñeca no lo impida), perseverar (en los intentos de saltar en un solo pie), tener paciencia (hasta terminar el rompecabezas), esperar (a que se seque la crealina antes de pintarla)... En estos aspectos la presencia de mamá, u otro adulto que sostenga la frustración y las ganas de renunciar, los ayuda mucho a seguir intentando.

Con el juego pueden integrar distintos aspectos de la personalidad: amor, odio, tristeza, entusiasmo, alegría, miedo, celos, ofensa, ganas de robar, todos los pensamientos y emociones pueden representarse en el juego sin riesgo alguno para nadie, y así se animan a pensarlos o sentirlos y a integrarlos en sí mismos. Jugando matan y nadie muere, rechazan y nadie se ofende, hacen desaparecer a algún hermano y en la vida real sigue estando... Cuando les pido que se imaginen una familia y la dibujen (dibujar puede ser una forma de jugar), rara vez dibujan la propia: los que tiene hermanos se dibujan como hijos únicos, ¡y los hijos únicos se dibujan llenos de hermanos! No hacen mal a nadie y se sacan las ganas, aunque sea en su imaginación, de tener esa familia que no tienen. Los juegos de policía y ladrón, indios y cowboys, extraterrestres, distintos oficios, diferentes personajes de películas, cuentos o dibujitos animados, representan aspectos de sus personas que están tratando de integrar, entender, aceptar, dominar, y/o resolver (además de divertirse, obviamente).

Con el juego practican el dominio de sí mismos y del mundo externo: lo que se puede hacer y lo que no, lo que se animan a hacer, hacen ensayos sin correr riesgos. Un ejemplo personal: me costó mucho tiempo (y coraje) animarme a tratar de comer con palitos chinos: soy zurda y algo torpe, ¡y no me gusta hacer papelones! Las primeras veces jugaba un ratito y después volvía al tenedor; sólo cuando estuve muy segura de que podía hacerlo, me animé a comer con ellos. Y ahora ejemplos de los chicos: Juan (4) intenta caminar sobre una pared bajita, sin caerse (dominio de sí mismo); Marina (6) hace innumerables intentos de distraer a su mamá para que se le pase el enojo (dominio del mundo externo); María y Ana (9) juegan a ver quién se ríe última, se hacen morisquetas para tentarse, tratando de no reírse (dominio de ellas mismas) y de hacer reír a la otra (dominio del mundo externo). Juan y Pedro (11) se desafían mutuamente: "¿A que no te animás a…?".

El juego es ideal para relacionarse con otros chicos: es fácil hacerse amigos en la playa armando un castillo de arena, o con una pelota. Cuando son chiquitos, alcanza con mamá y papá; después se hace muy interesante jugar también con otros chicos, ir en grupo a investigar a los médanos o trenzarse en una batalla contra los chicos del balneario vecino… Los más chiquitos (uno y dos años) apenas interactúan con sus pares; pero igual les encanta estar junto a otro chico, en juego paralelo, cada uno en lo suyo. Recién a lo largo de los siguientes años irán aprendiendo a compartir y a jugar juntos, ya no simplemente uno al lado del otro.

Con el juego mejora la comunicación: ya que para jugar es necesario hacer acuerdos, tomar decisiones conjuntas, discutir las reglas, armar equipos, etc. Marina (5) quiere jugar a la mamá con su primo José (4), que quiere jugar a los policías. Finalmente acuerdan que José es policía y Marina, su mujer; y logran jugar juntos.

El juego dramático o de representación (a la mamá, a la maestra, al policía, a los bomberos, al doctor) aparece cerca de los tres años: es divertido, los ayuda a aprender 'cosas de grandes' y tiene la importante función de ayudar a elaborar las situaciones de la vida diaria. Cuando son más chiquitos imitan a sus padres: peinan, revuelven, hablan por teléfono, en una copia idéntica de lo que hacen los grandes. De a poco pasan a jugar al papá o a la mamá, a la maestra, al jardinero, a cocinar, o arreglar el auto (ya no es imitación, sino identificación; hacer propio algún aspecto del otro). A través de este juego, ellos pueden (como sus padres) obligar a sus hijos a comer espinaca, retarlos todo el tiempo y mandarlos a la cama; o pueden elegir representar una realidad mejor desde su punto de vistas: 'ser' aquellos padres ideales que les gustaría tener, que no obligan a bañarse, o que lo dejan embarrarse. Habitualmente empiezan a hacerlo espontáneamente; en caso contrario, es bueno que los padres los invitemos a y favorezcamos ese tipo de juego. Es muy divertido jugar con ellos siendo nosotros los hijos, o los alumnos que no se pueden quedar quietos en la clase, o se quieren ir a las hamacas en lugar de quedarse dibujando; o verlos a ellos 'trabajando' de mamá: que suspira, está agotada, o gritonea a sus hijos. No nos asustemos si vemos que la mamá que representan es muy gritona, o el papá pega, o la maestra es una bruja: ellos representan en juego la forma de lo que ven: sin el contenido, sin el fondo amoroso que nos lleva a alejarlos del enchufe de un tirón, o pegarles en la manito para que no toquen el horno caliente. ¡No somos tan malos como ellos nos muestran en su juego! Si estamos atentos a estos despliegues, podremos descubrir muchas de las cosas que pasan por sus cabecitas aunque no las cuenten.

Representan situaciones de la vida diaria para divertirse, para entenderlas; también para apropiarse, por medio de una rica identificación, de distintos aspectos de las personas que los rodean; o para elaborar alguna cuestión importante para ellos, ya que:

El juego es un 'antibiótico' para las 'afecciones' del alma. Jugando los chicos pueden dominar acontecimientos difíciles, sentirse capaces cuando no se sienten así, curarse de heridas de la vida. Juegan al doctor para elaborar una curación dolorosa por una quemadura, o repiten con sus muñecos la situación de la separación de sus padres; son superhéroes fuertes y poderosos, y alcanzan en el juego metas imposibles en la vida real. O, llegados a adolescentes o adultos, escriben poesías de amores fallidos cuando la novia corta el noviazgo (escribir es una de las formas, de los más grandes, de 'jugar' para elaborar). Un ejemplo bien concreto: a fin de 2001, el año del atentado contra las Torres Gemelas, el 11 de septiembre, mis hijos universitarios (21 y 19) quemaron las maquetas (que había hecho mi hija para la facultad de arquitectura durante ese año) representando el atentado, en un juego (macabro, pero necesario para ellos) que les permitía entender y elaborar aquello que les había resultado 'indigerible' cuando había ocurrido, tres meses antes.

En el juego las cosas son como quieren los chicos, a diferencia de la vida real, que puede ser muy frustrante para ellos. Jugando se puede 'comprar' la muñeca que habla y camina, o el auto a control remoto; se puede ser más fuerte que el hermano; o puede no existir la hermanita cuando juega a la familia; puede ser el líder de su banda (imaginaria) o un gran basquetbolista. En el juego todo se puede, nada es imposible, incluso matar sin que nadie muera, o robar sin terminar en la cárcel. Saben que es juego, que no es real, y lo disfrutan igual. Por eso a veces es difícil la transición al mundo real: el "¡vengan a comer!" de mamá, o que papá me lleve a bañar aunque no quiera... ¡en la vida real él es más fuerte que yo!

A través del juego nos adaptamos activamente a la realidad. Los psicólogos infantiles sabemos y comprobamos a diario que el juego sirve para "hacer activamente lo que se sufrió pasivamente", como explica Sigmund Freud en *Más allá del principio de placer*. Les permite acomodar las cosas a la forma y al tamaño en que ellos pueden tolerarlas, hasta estar listos para hacerlo en la vida real.

Los psicólogos evaluamos a los chicos en su capacidad de jugar. Favorecemos las condiciones para que pueda jugar el que no puede hacerlo, y para que pueda jugar a otra cosa aquel que se quedó trabado jugando siempre a lo mismo sin que le sirva para elaborar, si no para 'tapar' lo que no puede o no quiere saber.

Los padres hacen esto mismo sin saberlo muchas veces por día: cuando juegan a lavarle el pelo a la muñeca, cuando juegan a aparecer y desaparecer delante del bebé, cuando juegan al médico con sus chicos, cuando repiten en juego situaciones de la vida real.

Una forma adulta de hacer lo mismo es contar lo que nos pasó: cuando conté mi operación de apéndice la suficiente cantidad de veces, recupero la calma. Pero si algún conocido se opera, cuando lo veo, le vuelvo a contar mi operación; aunque para el otro sería ideal contar la suya, que acaba de ocurrir. Ahí es donde se ve claramente que no es tan fácil terminar de desintoxicarnos de las cosas que nos ocurrieron.

Los chicos juegan. Lo que no alcanzan a elaborar a través del juego, lo sueñan. Cuando el sueño tampoco alcanza, se convierte en pesadilla, que sólo sabemos que soñó cuando la angustia lo despertó (debe de haber muchas pesadillas 'exitosas' que cumplen su función de ayudarlos a elaborar lo vivido; pero no nos enteramos, porque no se despertaron angustiados ni las recuerdan a la mañana siguiente). De todos modos, muchos sueños en los chicos suelen ser simplemente expresión de deseos: sueñan que vuelan, o que les regalaron los botines que tanto querían, o que papá llegó de viaje, etcétera.

En castellano tenemos una sola palabra, juego, para representar dos modalidades muy diferentes: el juego libre (equivale a *play* en inglés), y el juego estructurado (*game* en inglés). Son, en situaciones ideales, dos etapas consecutivas. En el juego libre no hay reglas; salvo las que pone el mismo chiquito, y que pueden cambiar en cuanto se le complique la situación. Los juegos estructurados tienen reglas, requieren de instrumentos específicos, en general son de competencia y suelen tener una meta: ganar.

No perdamos de vista que para llegar al estructurado hay que pasar mucho tiempo en juego libre, y que éste (*play*) no debería desaparecer de nuestras vidas (recordemos que es el modo de jugar del *baby self*).

El deporte es un escalón muy avanzado del juego. Conviene no apurarlos ni quemar etapas. Aquí vale que jueguen (al estilo *play*) fútbol, y pasen a la modalidad competitiva sólo cuando el chico está listo para interesarse por las reglas y, por lo tanto, para respetarlas (ver "Reglas de juego").

¿Y los juguetes?

En el tema juguetes, pocos; y, sobre todo, simples (no sofisticados): un palo sirve de espada, de palo de amasar, de escopeta, de caballo, de bastón; en cambio, un ametralladora sólo puede ser una ametralladora. Los juguetes de las propagandas de la televisión suelen ser complejos y sofisticados, para que los chicos los pidan, jueguen un rato, se cansen y ¡pidan otro! Abramos nuestra mente para permitirles jugar con cacerolas, tuppers, barro, palitos, ranitas del jardín, armar una casita debajo de la mesa del comedor con una sábana, o usar las sillas (sólo si no son una antigüedad valiosa) para armar un tren o un avión. A los adultos nos cuesta aflojarnos en este aspecto; sobre todo con los primeros hijos, ¡y ellos lo pasan tan bien!

No importa que al comienzo no aprovechen el juguete o no sigan las reglas del juego. Ya va a llegar. Puede desesperarnos; pero dejemos que investiguen y hagan experimentaciones. Y sólo cuando se interesen por esas reglas, expliquemos cómo se juega. **Así como el bebé se apropia de los objetos metiéndoselos en la boca, los más grandes investigan lo nuevo con sus viejos y conocidos esquemas antes de animarse a aprender los nuevos.** Lo mismo nos pasa a los adultos cuando llegamos a un lugar nuevo y desconocido: primero notamos las semejanzas con otros que ya conocemos: "Se parece a Brasil", y sólo después logramos darle una identidad propia (en mi ejemplo, Puerto Plata, República Dominicana). Si hubiera conocido antes Puerto Plata, al llegar a Brasil habría dicho: "Se parece a República Dominicana". Del mismo modo, la primera vez que probé un kiwi, le sentí gusto a... banana, durazno, frutas que conocía. Con el tiempo el kiwi fue teniendo sabor a kiwi. El juego de la oca, cuando llega el momento, se juega con dados, y adelantamos tantos puntos como obtuvimos en los dados, y toleramos las 'prendas' (pierde un turno, o vuelve a empezar), y disfrutamos los premios (de oca en oca y tiro [de nuevo] porque me toca). Pero a lo mejor, al principio, lo interesante son esas ocas de plástico para jugar a la familia, o inventar formas y reglas de jugar con ese tablero ¡que no son las que figuran en la tapa!

Un tema altamente discutido y discutible: yo propongo muñecas y armas para todos (varones y mujeres). No grandes cantidades de muñecas para los varones, ni de armas para ninguno; pero sí algunas que les permitan hacer los juegos de representación que necesiten. No necesitamos asustarnos si nuestros varones de tres o cuatro quieren ser la mamá, o si nuestras chiquitas de esa edad juegan a los soldados. Recién a los cinco aparece el interés por las diferencias de sexo y la identificación con el progenitor del mismo sexo. A partir de esa edad, y hasta la adolescencia, varones y chicas habitualmente eligen jugar con los de su mismo sexo.

No desperdiciemos la oportunidad de ofrecernos como juguetes para nuestros chicos. Con 'juguetes' quiero decir: maleables a sus deseos, disponibles, aceptando sus reglas, sin imponer las nuestras (salvo riesgos). Sin anular, favoreciendo, abriendo, preguntando y sosteniendo cuando están por abandonar. Lo hacemos con los más chiquitos sin pensarlo; pero, en cuanto los vemos más grandes, querríamos que jueguen solos, o con otros chicos. El juego con otros chicos no reemplaza el juego con papá y mamá, que 'piensan' y saben cómo ayudarlos a sentirse fuertes, capaces, a seguir intentando. No hay mejor fútbol que con papá: me enseña 'jueguitos', le hago muchos goles, me tira la pelota despacio para que yo me luzca. Pero, para esto, papá tiene que saber ponerse en el lugar de juguete, y no de competidor de su hijo.

Los juegos entre chicos con edades distintas permiten la no-competencia y favorecen que los más grandecitos sigan chicos: jugando con los menores y con una buena excusa para hacerlo. Al pasar tantas horas en el colegio con chicos de la misma edad, se ha ido perdiendo la banda del barrio, que incluía edades y sexos diferentes. Los barrios cerrados pueden ofrecer un ámbito donde vuelvan a surgir estos grupitos desparejos, que hacen mucho bien a todos. Lo vemos también en deportes o actividades no tan competitivas; como puede ser una clase de natación, o de taekwondo, o de equitación, que unen a chicos de distintas edades. Se cuidan, se apoyan, se acompañan; sin decir (como dirían de la hermanita si estuvieran en casa): "¡Mamá, sacala de acá!, ¡está molestando!".

¿Entretenerlos siempre?

Padres e hijos estamos atrapados en una vorágine de 'entretenimientos-programas-cursos-celebraciones' para adultos, para chicos y/o para padres e hijos. La vida es entonces acción, movimiento, diversión organizada, planificada (y la mayor parte del tiempo, en grupo). Parece que ya nadie puede ni sabe quedarse en casa frente a la chimenea leyendo un libro, jugando tranquilamente en la vereda, o haciendo una torta sólo para la familia...

Los grandes no podemos tener un viernes a la noche en casa, o un sábado sin programa, porque nos sentimos aislados del mundo. Y, lamentablemente, lo transmitimos a nuestros hijos; y ellos empiezan a sentir lo mismo.

El doctor Massud Khan, psicoanalista, en un artículo llamado "Estar en barbecho" cuenta que la tierra necesita un tiempo después de la cosecha para descansar, para volver a enriquecerse y nutrirse consigo misma, con lo que tiene adentro. Necesita **tiempo** para ello. El agricultor lo sabe y le concede ese tiempo porque comprende que mejora la cosecha siguiente.

Durante este 'hacer nada' del barbecho humano es que podemos descubrir nuestra originalidad y ser creativos, pues tenemos las mejores ideas y nos conectamos con nosotros mismos. Aburrirse es importante para poder inventar carritos con rulemanes, o para poner un kiosco de revistas viejas en la vereda, o para charlar durante la siesta con la abuela o la bisabuela, que tienen tantas cosas para enseñarnos. De hecho, en las siestas de mi infancia aprendí a coser, a cocinar masitas y scons, a tejer, hasta a encuadernar; y escuché historias fascinantes acerca del modo en que se vivía a principios del siglo XX.

Hoy los chicos, y también las abuelas, tienen agendas ocupadísimas y todo se aprende en cursos, rentables para el que los dicta y prácticos para la mamá, quien está tan ocupada llevando a sus hijos a sus clases y programas que no tiene tiempo de enseñarles a cocinar. La abuela tampoco puede, porque también está ocupada. Y a la bisabuela nadie le hace caso, ¡porque nos cuesta acompañar su ritmo pausado!

Una de las consecuencias que empiezo a ver es que **a los chicos el año se les pasa muy rápido.** Cuando era chica, la semana era larguísima; y el año, interminable. Por eso, la vida prometía ser larga y darme tiempo para todo lo que se me ocurriera hacer. Hoy los chicos dicen lo mismo que los grandes: ¡ya llegaron las vacaciones de invierno! Y, también como los grandes, sienten que las vacaciones de verano pasan en un suspiro y que la vida no les alcanza para todo lo que quieren hacer. Así nos 'comemos' la vida sin darnos cuenta de que la vida nos come a nosotros; y que, aunque la esperanza de vida sea cada vez más larga, de todos modos, con esta manera de vivir, sentimos que no nos alcanza.

Como es cómodo que los chicos vayan a la colonia del barrio, o que siempre tengan una invitación, porque nos da tiempo a nosotros para hacer nuestras cosas, finalmente vamos perdiendo la confianza en su capacidad de entretenerse y en nuestra capacidad de acompañarlos, o de entretenerlos, incluso de ayudarlos a descubrir qué tienen ganas de hacer. Y esto no significa hacer 'con mamá'; puede ser, simplemente, 'junto a mamá': cada uno en lo suyo, disfrutando el estar en barbecho.

Intentemos, si nos animamos, aburrirnos un poco con nuestros hijos los fines de semana o en las vacaciones, para ver qué pasa. Vale la pena.

Floor time (tiempo en el piso)

El concepto le pertenece al doctor Stanley Greenspan. Podríamos llamarlo 'cola en el piso', ya que da una idea más clara de un adulto totalmente entregado al encuentro, sentado con el chico, a su altura, mirándolo e interactuando sin aceptar interrupciones externas.

¿Qué no es *floor time*? No es hacer las tareas escolares con ellos, que nos acompañen al banco, al supermercado o a la ferretería (salvo que sea para comprar madera balsa para armar el avioncito que le pidió a papá); tampoco es que nos ayuden a cocinar o a poner la mesa, salvo que haya sido su deseo hacer pizza para toda la familia.

¿Y qué sí lo es? **Es un rato de total disponibilidad de los padres** (idealmente quince minutos a media hora por día con cada uno de nuestros hijos). No necesita ser literalmente en el piso: es una cuestión de estar ahí, de hacer lo que el chico quiera o le interese, de entrar en su mundo. Es espontáneo y no estructurado por nosotros, cuando nos acercamos no tenemos una intención preconcebida. Lo seguimos en su juego o conversación, tratando de sostener, enriquecer y ampliar lo que está ocurriendo o lo que está comunicando. ¡Y, sobre todo, disfrutando esta manera de estar juntos! Totalmente comprometidos en el encuentro, sin televisión, sin atender el teléfono, sin nada que nos distraiga.

Cuesta mucho al principio. Las primeras veces que lo intentamos los minutos parecen eternos. Cuando ellos dejan de ser bebés, perdemos la costumbre de poner nuestras vidas entre paréntesis y entregarnos a ellos. ¡Y sin embargo toleramos horas de viaje hacia y desde el trabajo, o largas esperas en el consultorio del médico! De a poco empezamos a disfrutar esa intimidad que se alcanza, y ya no podemos vivir sin esos ratitos de encuentro con ellos.

Puede que, las primeras veces, a nuestro hijo le cueste dejarnos ir. Está encantado de tenernos y tiene miedo de que no se repita el encuentro por mucho tiempo. Muy pronto veremos que se acostumbran a que se termine; porque ya saben que mañana lo hacemos de nuevo, y también pasado mañana, y al día siguiente...

¿Por qué vale la pena? Porque el chico siente que importa; se siente seguro y querido, y elegido. Lo ayuda a saber que los padres nos interesamos por su persona. Y, con el correr de los días y de los encuentros de este tipo, los padres desarrollamos una relación más cercana y más cálida con nuestros hijos.

Ya vimos antes la importancia de que los adultos nos ofrezcamos como juguetes para nuestros niños; sin anular, favoreciendo, abriendo, preguntando y sosteniendo cuando están por abandonar. El juego solitario o con amigos no reemplaza este juego-con-otro-adulto; la mirada adulta que enriquece y devuelve interés, valoración, diversión, etcétera.

No es un tiempo acordado con ellos sino con nosotros mismos. De otro modo, ellos lo verían como nuestra obligación; y perdería esta 'magia' que les permite ir confiando (a medida que la experiencia se repite) que, en algún momento del día, tanto mamá como papá se van a acercar a ellos; por lo que pueden esperar tranquilos hasta que llegue ese momento.

Reglas de juego: los chicos aprenden
a perder ganando

Durante los primeros años de vida los chicos intentan construir una imagen sólida de sí mismos. Para ello usan múltiples recursos; uno de los principales es el juego. Ya antes del año el bebé se esconde y está encantado porque la mamá 'no lo encuentra' detrás del almohadón; se siente fuerte, capaz de modificar el entorno y de hacer las cosas a su modo (su sonrisa dice: "¡Te gané!", "¡no me podés encontrar!").

Mientras tienen dos o tres años toleramos, e incluso favorecemos, que nos ganen, lo hacemos automáticamente, sin pensar, porque los vemos chiquitos, indefensos, desvalidos: la chiquita de dos años nos gana la carrera, o nos tira al piso con su empujón; o el varón de tres descubre nuestro escondite, mientras nosotros no descubrimos el suyo. Simplemente patear la pelota es gol de ellos; en cambio mi gol vale sólo si entra en el arco. Todo sirve para que se sientan 'genios'.

Cuando cumplen cuatro o cinco años damos por terminada esa etapa y pretendemos que aprendan y respeten las reglas de juego; que jueguen limpio, que esperen su turno, que no protesten cuando pierden; y los retamos si no cumplen con estas expectativas. Incluso dejamos de jugar si insisten en poner 'sus' reglas o no respetan las nuestras; es decir, las que habitualmente se usan para ese juego.

La realidad es que los chicos **aprenden a perder ganando**; es decir: las experiencias de ganar les van dando una imagen de capaces, hábiles; y, en la medida en que esto se va consolidando dentro de ellos, podrán perder a partir de esa imagen internalizada. De tantas veces que ganó, Manuela puede tolerar perder, con el recuerdo que la sostiene desde adentro de experiencias pasadas.

Esto sólo podemos hacerlo cuando el chiquito juega solo con el adulto. En cuanto hay más de un chico ya no podemos ofrecer esa 'incubadora,' porque no pueden ganar los dos o los tres a la vez.

No necesitamos preocuparnos de que no tenga oportunidades de descubrir lo que es perder, ya que la vida se lo muestra

todo el tiempo y de mil maneras. Son muchas más las veces en que juega con otros o que descubre su fragilidad, su indefensión, su desvalimiento, que aquellas poquitas oportunidades que podemos ofrecerle los padres para que no se desanime y siga intentando, aprendiendo, esforzándose a través de ganarnos un juego a nosotros de cuando en cuando.

El confirmar que, aunque sea alguna vez, puede ser el más capaz, el más hábil, el más rápido, le da fuerzas, no sólo para el juego, sino también para la vida en general. Para ir animándose a intentar todas aquellas cosas que, de entrada, le parecen imposibles; para las cuales se siente muy chiquito, comparado con esas personas grandes que todo lo saben y lo pueden: desde caminar, hablar, andar en bici, leer, dibujar, escribir, hacer cuentas, tejer, cocinar, alcanzar el estante alto, hacer valer sus ideas... Pensemos, por ejemplo, la sensación de impotencia que nos da a las mujeres no tener fuerza suficiente para abrir un frasco de dulce, y podremos vislumbrar lo que les pasa a ellos todos los días, varias veces por día. Bastan algunas experiencias de "puedo ganarle a mi mamá" para que los chicos tengan ganas y confíen en sí mismos, y tengan ánimo para seguir intentando.

Otro punto es **cómo acompañamos los adultos los fracasos inevitables: comprendamos y toleremos su enojo, sostengamos el dolor y transmitamos que a esto se sobrevive; que a nosotros también nos pasó y nos pasa.** Ni siquiera hacen falta palabras. Sólo la presencia tranquilizadora de mamá, o el abrazo consolador de papá, prestan las fuerzas para volver a intentar, ¡o para que el chico no sienta que es el fin del mundo porque perdió a la casita robada! ¡O porque se tropezó al final de la posta, y su equipo salió segundo! Nuestra experiencia personal está implícita en la manera de acompañarlos. También perdimos o fracasamos muchas veces. Sobrevivimos a esas experiencias; y nuestro abrazo sereno les dice, sin palabras, exactamente eso.

Además, los adultos funcionamos permanentemente como modelo: acatamos las reglas de juego, perdemos sin enojarnos ni acusar a nadie, esperamos nuestro turno... y ellos nos ven; están ahí, mirándonos vivir y jugar, y aprenden. De modo que, cuando están preparados, ya tienen el modelo disponible para identificarse. Podemos estar tranquilos porque, **a medida que se van sintiendo capaces ellos mismos, se van interesando por las reglas de juego y por el verdadero juego de competencia.**

Esto vale para los deportes y para todo tipo de juegos reglados: juegos de mesa, cartas, juegos en el jardín, en todas aquellas situaciones que impliquen competir para ganar, desde "¡mirá cómo salto dos escalones de la escalera!", o "¿quién se hamaca más fuerte?", hasta los juegos más complejos, como el ajedrez o un torneo de tenis.

Ellos necesitan primero ganar; y, para ello, hacen lo que sea necesario para lograrlo: hacen trampa o inventan sus propias reglas, o las cambian a medida que necesitan. Jugando con un paciente a las canicas, cada vez que él bochaba una cualquiera, se llevaba las dos canicas; y cada vez que yo lo hacía, las tenía que dejar porque, según él, había bochado una canica mía. Así garantizaba que me ganaba y podía seguir jugando tranquilo.

Lentamente van aprendiendo las reglas. Dejan de hacer trampa cuando ya confían en sus habilidades para jugar y acatar las reglas de juego; y, finalmente, pueden perder con cierta elegancia. (¡Hay muchos adultos que todavía no han alcanzado este nivel!)

Ver que sus padres no se enojan ni se desilusionan porque todavía les cuesta perder les permitirá fortalecerse desde su verdadera identidad, en lugar de acomodarse a lo que se espera de ellos, para no perder la valoración de papá, o por no desilusionar o hacer enojar a mamá.

Muchos padres se enfurecen y gritan a sus hijitos, de cuatro o cinco años, instrucciones frenéticas desde el borde de la cancha de fútbol, cuando ellos no corren la pelota, no ponen garra en el juego, incluso cuando se distraen o aburren, y arman avioncitos con los palitos de helado que encontraron tirados. Si estos mismos padres pudieran esperar (callados, en el borde de la cancha; o anotándolos un año más tarde para jugar en un equipo, mientras siguen jugando con ellos, uno a uno) hasta que sus hijos estén suficientemente maduros como para jugar bien en equipo, una gran mayoría podría lograrlo. Cuando los padres apuran este proceso, muchas veces los chicos se desaniman, dejan de jugar, y dicen "no me gusta el fútbol", o "me aburre el rugby".

Jugando sin jugar: otros usos del tiempo libre

Hay otras formas de jugar que no son estrictamente juegos. Son divertidas en sí mismas y comparten una característica muy interesante: no son competitivas (en un mundo en el que hay un exceso de competitividad en todas las edades); y es fundamental que los chicos tengan oportunidad de hacer muchas actividades no-competitivas.

Los **cuentos** que inventamos o leemos, las **canciones** que les cantamos o les enseñamos, el **cine**, el **teatro**, los **títeres**, los **dibujos** y otras actividades manuales, los **hobbies**, los **rituales**, los **paseos**, son momentos de juego; ya que comparten la definición de cosas hechas por el placer de hacerlas, sin otro objetivo que divertirse.

Cuentos, poesías, libros

Organicemos momentos de lectura en casa. La hora de acostarse es uno de los ideales; ya que con la lectura se relajan (salvo que leamos historias de terror), a diferencia de la televisión, que suele excitarlos más. Como el final de la lectura sería la hora de apagar la luz, sugiero armar una rutina (de ir a la cama) que no termine cuando cerramos el libro (porque nos van a pedir muchos más para no despedirse de nosotros), sino que incluya un ratito de charla, rezar, etc. No nos dejemos atrapar para seguir leyendo hasta estar hartos: un cuento es suficiente si los contamos todos los días, y sólo así podremos sostener el esquema a lo largo del tiempo.

Leer las poesías de gatos de T. S. Elliot es un placer, ¡escucharlas es una maravilla! Lo mismo pasa con la prosa leída. Los chicos pueden prestar atención completa a la historia sin preocuparse por la lectura en sí. Hasta los nueve años (a veces más) los chicos no alcanzan una lectura comprensiva suficientemente fluida que les permita leer, comprender y disfrutar lo que leyeron.

Leerles cuentos o historias más largas, de a un capítulo por día, aún cuando ya sepan leer solos, es una actividad que puede ser disfrutada por todos. Y cuando crecen, y ya pueden leer bien, como le tomaron el 'gustito' a la lectura, siguen haciéndolo solos.

Veamos el valor del contenido de lo leído: para entretener, divertir, desarrollar la imaginación; y, a veces, al mismo tiempo, enseñar, resolver, curar, elaborar. ¡Cuántas veces en mi vida un libro, un cuento o una película me ayudaron a comprender algún tema existencial, o a descubrir algún aspecto mío o de otra persona querida, o a dar forma a algo que me inquietaba!

CANCIONES

Las canciones infantiles son parte de la infancia de todos; la repetición de las mismas canciones una y otra vez les resulta divertida, placentera y segura.

Muchas canciones infantiles remiten a temas importantes para ellos. Igual que los cuentos tradicionales, se transmiten de generación en generación.

Solemos recordar quién nos enseñó cada canción y en qué situaciones la cantábamos.

Aparecen:
- temas que asustan sin asustar (*Aserrín, aserrán...*);
- cuestiones de la vida diaria (*Tengo una muñeca vestida de azul...*);
- para elaborar miedos (*Que llueva, que llueva...*);

- canciones de cuna (para dormir);
- el miedo de noche (*Levantate Juana...*);
- canciones que también son representaciones (*Estaba la pájara pinta...*);
- canciones para curar (*Sana, sana, colita de rana...*);
- despedidas y reencuentros (*Mambrú se fue a la guerra...*);
- canciones circulares (*José se llamaba el padre...*) que repiten una idea y recomienzan;
- canciones que son juegos en sí (*Arre, caballito...*, *Antón pirulero...*, *Martín pescador...*, *Buenos día su señoría...*, etcétera).

Cantar es un excelente recurso en muchas ocasiones: cuando los chicos se aburren (en viajes, por ejemplo), cuando están asustados (vamos al dentista), o nerviosos (falta poco para Navidad), y otros momentos que se nos irán ocurriendo.

SALIDAS Y PASEOS

Cine, teatro, títeres, son actividades disfrutadas por grandes y chicos. No hace falta ir todas las semanas, pero no nos olvidemos de organizar estas salidas de cuando en cuando. El programa dura mucho más de lo que parece: empieza cuando lo planeamos, sigue mientras esperamos que llegue el día, o la hora de salir, después vienen el rato de prepararnos y ponernos 'elegantes' para la ocasión, el viaje de ida, la obra en sí, los comentarios a la vuelta, y los cuentos a la abuela o al primo que no fueron...

Y los paseos: a museos (de arte, interactivo de ciencias, etc.), zoológicos, ferias, campamentos y otras actividades culturales o para disfrutar el aire libre. Hay muchas opciones: desde una vuelta en tranvía, hasta conocer el lugar en la catedral de Buenos Aires donde está enterrado el general José de San Martín, escoltado por dos granaderos muy serios; disfrutando de paso las palomas de Plaza de Mayo y la Casa de Gobierno. Las experiencias directas son muy ricas y estimulantes para los chicos. Es muy distinto dibujar en clase un granadero que verlo parado firme, custodiando la tumba del general San Martín. Hasta cambia la imagen de los chicos cuando estudian historia. Por ejemplo, si fueron a San Telmo y vieron las casas coloniales les será muy fácil entender cómo desde las terrazas se defendían con agua y aceite hirviendo los criollos en las Invasiones Inglesas. Lo mismo ocurre en ciencias naturales, si ya tuvieron contacto con un volcán, o un glaciar, con una oveja, o un ombú ¡y tantos otros! cuando ven esos temas en el colegio. Todavía hoy recuerdo el deslumbramiento que tuve, hace muchos años, en mi primera visita a un mariposario, por ejemplo.

Dibujos y actividades artísticas

Las actividades manuales son muy divertidas cuando organizamos un espacio adecuado para ellas (que no arruinen el sillón porque se volcó el agua de la pintura, por ejemplo). Es cierto que en el jardín de infantes y en el colegio hacen esas actividades. Pero si nos animamos a invertir nuestro tiempo y a ensuciar un poco (y sólo por un rato) algún lugar de la casa, podemos disfrutarlo; y conoceremos facetas de nuestros hijos que no nos habríamos imaginado que existían. Incluso cuando perdemos el miedo, vamos descubriendo oportunidades muy divertidas; como hacer tarjetas de Navidad, o invitaciones de cumpleaños caseras, o escribir cuentos en 'sociedad' con nuestros hijos: ellos hacen los dibujos y nosotros escribimos el texto (que, de todos modos, pensamos entre los dos).

Hobbies

Hobbies y otras actividades 'prácticas': armar aviones de madera balsa o de plástico y pintarlos, coleccionar latitas de bebidas, tocar un instrumento musical, cantar, juntar figuritas para un álbum, o papeles de carta, hacer masitas, hacer nuestros propios huevos de pascua, tejer, bordar, armar una huerta, pescar, etc. son actividades que requieren ayuda adulta al principio, y otras veces también para sostenerse en el tiempo.

Fortalecen la autoestima de los chicos, les permiten diferenciarse de hermanos y amigos/as, y sentirse especiales, capaces y valiosos. Vale la pena que tengan alguno. No es por casualidad que en generaciones pasadas todos los chicos tuvieran hobbies y hoy no... llevan tiempo, y el tiempo escasea. Los chicos hacen muchas cosas y dedican poco tiempo a cada una. Les hace bien tener, aunque sea, una actividad que se prolongue a lo largo del tiempo y a la que dediquen ratos largos.

RITUALES

Son interacciones y juegos deleitables que los adultos pueden hacer con los chicos, y que transmiten un mensaje de aceptación y amor incondicional. Incluyen rimas, canciones, juegos repetitivos. (Ver "Hábitos en la infancia".)

Nos cuenta Becky Bailey en *I Love You Rituals* que "los chicos que se sienten básicamente seguros de ellos mismos y del medio (es decir, los que están bien) disfrutan mucho estos juegos (rituales); los que tienen cantidades mínimas de estrés piden más, porque los juegos apagan la respuesta del cuerpo al estrés. Los que están superados o crónicamente estresados pueden resistirse al principio, y puede que no parezca que lo disfrutan, ¡pero igual sigamos!"... ¡porque los rituales calman y curan!, además de ser muy divertidos.

ACTIVIDADES SOLIDARIAS

Los adultos somos ejemplo para nuestros chicos, y ellos disfrutan mucho las actividades solidarias cuando son chiquitos; y así, cuando crecen, ya forman parte de sus vidas: desde cosas pequeñas (como no tirar papelitos al suelo o abrir poco la canilla para no desperdiciar agua), a otras más grandes (como ayudar a gente necesitada, armar cajas de navidad para quienes no tienen recursos, visitar enfermos o ancianos, cuidar el planeta, los bosques, las ballenas...).

Esquiar, patinar, bailar, andar en bicicleta, nadar, salir a correr, expresión corporal, yoga pueden ser de este tipo. Aunque todas se prestan para la competencia, esta particular forma que propongo pone énfasis en el disfrutar de la actividad: una vuelta en bici en familia, por ejemplo; y no quién da la vuelta a la manzana en menos tiempo.

Cuando, en unos años, los chicos sean más grandes, y tengamos tiempo, ganas de compartir estas actividades y queramos empezar a hacerlo, ¡no les va a interesar!

EL AVANCE DE LA TECNOLOGÍA EN EL TIEMPO LIBRE

Incluye televisión, computadora (mail/chat/Internet), teléfono/mensajes de texto/PDA, Playstation/Gameboy/otros juegos de computadora, ¡y todo lo que están por inventar!

Todos ellos se 'introdujeron' en nuestras casas con, o sin, nuestro permiso. Y pasaron a ocupar buena parte de nuestro tiempo libre y del de los chicos. Por lo menos los adultos de hoy podemos recordar un almuerzo en un restaurante sin interrupciones de teléfono, pero nuestros hijos ya no. Están acostumbrados a que los padres lo hagan (por suerte, algunos todavía se quejan), y cuando crecen lo hacen ellos muy naturalmente.

En mi infancia, la televisión era muy poco interesante para los chicos: pocos canales, en blanco y negro; y empezaba a transmitir a las once de la mañana. Y a la tardecita, a la ahora de los noticieros, había que inventar otra cosa para hacer porque la televisión era para los grandes. Hoy hay más de un televisor por casa, y se ofrecen canales y programación que les interesa a los chicos las veinticuatro horas del día; por lo que podemos encontrar un niñito de tres años desvelado y muy contento mirando dibujitos animados... si tenemos suerte; porque también podría estar viendo una película prohibida para menores.

Los expertos coinciden en que es mejor no prohibir del todo estas actividades porque los chicos se obsesionan con lo prohibido. Nos queda entonces la posibilidad de dosificar la edad de inicio de cada una de ellas, y también el tiempo de uso.

LA 'SEDUCCIÓN' DE LAS EMPRESAS

Lawrence Cohen, en *Playful Parenting*, comenta que las grandes corporaciones, agencias de publicidad y empresas que fabrican juguetes ocupan tiempo y dinero en sintonizar con los chicos, entender sus motivaciones, sus temas; pero que su objetivo es el beneficio económico, no necesariamente el bienestar de nuestros hijos. Dice que las investigaciones descubrieron que los padres gastamos más dinero en nuestros hijos que en nosotros mismos; por lo que las empresas apuntaron hacia ellos. Y que es indispensable que contrarrestemos, de alguna manera, esta influencia que busca convertir a nuestros hijos en consumidores.

¿Cómo lo hacemos? Viendo televisión con ellos, discutiendo juntos esas imágenes, haciendo lo mismo con el Gameboy, la Playstation, Internet, y todos los 'avances tecnológicos' que se les presentan; para desarrollar en ellos un **pensamiento crítico**. Así ellos mismos aprenden a ayudarse unos a otros a pensar. Cohen cuenta cómo un chico más grande le explicaba a su hermanito que lo que él veía en la propaganda de la tele seguramente no tenía nada que ver con el objeto real, que se fijara bien lo que se compraba.

Charlemos con nuestros hijos para que aprendan a reconocer los 'espejitos de colores' que les ofrece la sociedad de consumo en la que vivimos. Y tengamos cuidado de no comprar nosotros nuestros propias 'espejitos' delante de ellos.

Este pensamiento crítico es necesario a cada paso: para no tentarse a consumir como los invita la propaganda, para no ver un programa que no es interesante para ellos aunque otros lo vean, para no 'derrochar' horas y horas con el mismo jueguito de Playstation, para no verse tentados a hacer mal uso del chat o del mail, etcétera.

La computadora en general, Internet, el Facebook, el chat son herramientas de comunicación pero, lamentablemente, se prestan para que chicos con un yo no suficientemente fuerte (especialmente en relación con la intensidad de esos estímulos), y un pensamiento crítico poco desarrollado, se tienten a:

- ☝ ver cosas que superan su capacidad de entendimiento y elaboración, e invitar a otros a hacer lo mismo, o
- ☝ hacer cosas que lastiman a otros, como hablar en nombre de otro chico en el chat, o
- ☝ escribirse cosas muy feas porque, como no se están viendo, no registran el daño que hacen, o
- ☝ subir fotos a Internet de quienes jamás habrían querido que se hagan públicas...

Los chicos son 'monos con navaja' en la computadora. Necesitan mucho acompañamiento y control adulto hasta tener el criterio y la fortaleza como para no equivocarse en su uso. Por eso recomiendo que la computadora esté en un lugar público de la casa, donde los chicos no tengan oportunidad de investigar (o escribir) largo rato sin que la mamá se entere. Hace unos años lo más 'terrible' que se podía hacer en investigaciones (acerca de la sexualidad, por ejemplo) era buscar palabras en el diccionario. Hoy basta poner una palabra en un buscador para que aparezcan escenas tan explícitas que son indigeribles para ellos. Esto significa que se van a sentir mal por haberlo hecho, o que van a necesitar seguir mirando para entender, o que van a invitar a otros chicos a hacer lo mismo. O, si tenemos suerte, que nos van a contar a nosotros lo que vieron; por lo que podremos ayudarlos a entender y ocuparnos de estar más atentos, para que no vuelva a ocurrir. En este caso, los padres tenemos que funcionar como un yo-auxiliar (cuando su yo no tiene la fortaleza suficiente) que los ayude a cuidarse bien, mientras van aprendiendo a tener ese pensamiento crítico y a tomar buenas decisiones.

Aunque la solución de poner un filtro en Internet (que no les permita acceder a páginas no autorizadas) parezca buena, la realidad es que con esos filtros no pueden entrar prácticamente a ninguna parte; por lo que resulta inviable si tenemos chicos en edad escolar, que necesitan Internet como herramienta de investigación.

En relación con estas limitaciones que les pondremos, **no olvidemos**:

- 😊 Comprender primero el deseo del chico; ya que el estímulo que se le ofrece es muy fuerte y tentador y, para poder vencerlo, tenemos que comprender sus ganas y el enojo que le dan nuestras decisiones.
- 😊 Sólo después de que se haya sentido escuchado y comprendido podrán escucharnos y atender las razones de esas delimitaciones.
- 😊 Estas cuestiones no se resuelven con la lógica (las razones de la razón).
- 😊 Se van a enojar con nosotros.
- 😊 No nos van a agradecer (¡por lo menos durante mucho tiempo!).

Elkind comenta que la tendencia de tentar a los chicos como consumidores explica por qué hay cada vez menos juego libre en los EE.UU. y otros países occidentales en estos días; que algunos chicos no saben jugar si no tienen un juguete comprado; y que, al mismo tiempo, los días de colegio tienen cada vez menos tiempo de juego, aún en jardín de infantes, y más preparación académica para convertirse en un miembro productivo de la sociedad. Es serio que ocurra, y es muy preocupante pensar que esta tendencia continúe y los chicos pierdan el juego libre en la infancia. Me recuerda los augurios más terribles de algunas historias de ciencia ficción, como *Un mundo feliz*, de Aldous Huxley.

A tener en cuenta:

☺ No les demos a los más chiquitos nuestros celulares para jugar ni los celulares viejos que ya no sirven. Resistamos la tentación (¡se quedan tan tranquilos y contentos!) para que no seamos nosotros los que lo iniciamos en su uso, por lo menos no tan pronto...

☺ Los chicos hacen lo que ven. Estemos atentos a nuestro uso de televisión, computadora, Internet, Facebook, mail, chat, teléfono, teléfono celular, etc. Veo chiquitas de dos años que 'juegan' a la mamá y hacen 'tareas' mientras 'hablan' con un teléfono celular de juguete, sostenido entre la cabeza y el hombro; ¡es triste! y preocupante que este ocurra.

☺ Tengamos cuidado con lo que vemos nosotros cuando ellos (aparentemente) no están mirando.

Para pensar:

✺ ¿A qué les gusta jugar a nuestros hijos?

✺ ¿Cuánto tiempo están jugando afuera por día?

✺ ¿Y cuánto en actividades no pautadas?

✺ ¿Quién decide lo que ven en televisión y cuánto tiempo pasan frente a la tele?

✺ ¿Piden juguetes que ven en televisión?, ¿los compramos?, ¿por qué sí o por qué no?

✺ ¿Hacen lo que ven en televisión?, ¿los incita a la violencia, o a tratar mal a los padres, hermanos o amigos?, ¿de qué humor salen de la tele y de la computadora?

✺ ¿Cómo se usa la Playstation en casa?, ¿a qué jueguitos eligen jugar?

✺ ¿Y cuánto tiempo pasamos los adultos en la computadora y en la televisión por día?

¿PODRÍAMOS CAMBIAR ALGO DE ESTO?

Si reprogramamos esos tiempos, después de los primeros días (de enojo y pelea con nosotros), los chicos se acostumbran y empiezan a jugar juntos; por lo que se pelean menos. Y disfrutaremos del tiempo que nos queda libre a todos.

<small>Tiempo de computadora (no para tareas escolares) y TV (todo incluido)</small>

Mi sugerencia es:
- 😊 hasta los nueve o diez años: no más de una hora por día
- 😊 a partir de los diez u once años: no más de dos horas por día

Puede ser un poco más en el fin de semana, porque tienen más tiempo libre disponible. En ningún caso puede reemplazar el tiempo de las tareas de la casa o escolares; ni el de juego, solos o con amigos; ni el tiempo en familia.

Algunas recomendaciones útiles:
- 😊 Comer sin televisión y sin juguetes.
- 😊 Irse a dormir sin televisión.
- 😊 No jueguitos electrónicos antes de ir a la cama (los excitan).
- 😊 No televisión ni computadora en el cuarto.
- 😊 Ojo al ejemplo de papá y mamá con la televisión o la computadora.
- 😊 Observemos qué tipo de chicos y de padres muestra la televisión para pensar si queremos que nuestros hijos vean esos programas.
- 😊 Estemos atentos: La TV tiene mucha influencia en nuestras vidas, consciente o subliminalmente.
- 😊 Pongamos límites a su uso.

Encontré esta frase en Internet investigando el tema:
¡Desenchufen… y jueguen!
Y yo agrego: ¡no sólo los chicos!

La televisión, los dibujos animados y los chicos

El proceso de maduración en los chicos se da siempre de la mano de un adulto que sostiene, acompaña, enseña, sirve de modelo, etc. La televisión y, en los más chiquitos especialmente, los dibujos animados, les dan a las madres respiros en esa presencia permanente e incondicional y de un altísimo nivel de demanda que ellos requieren. Siempre y cuando los dibujitos ocupen una parte del día (podría ser, como acabamos de decir, no más de dos horas los fines de semana y una los días de colegio), y sean elegidos de común acuerdo con los padres, pueden resultar aliados de la familia y ayudar al desarrollo emocional de los chicos.

Los primeros años de vida implican permanentes situaciones que pueden resultar angustiantes para los chicos: separarse de los padres para ir al jardín (o porque ellos se van a trabajar), ir al médico, tener un hermanito, las tormentas, etc. Infinitas cuestiones de la vida diaria que requieren elaboración, sumadas a otras internas, como conocer, tolerar e integrar estados emocionales difíciles o dolorosos (miedo, vergüenza, tristeza, inseguridad, culpa, ira, celos, envidia y muchos otros). El juego y los cuentos son los recursos principales que tienen los chicos para comprender y metabolizar las cuestiones de la vida diaria; y en este sentido, la televisión puede ayudar.

Las chicas superpoderosas vencen (y dan la esperanza de poder vencer) la sensación de desprotección y de indefensión. Goku (Dragon Ball Z), al enojarse, se hace muy fuerte y puede defenderse de enemigos más grandes y poderosos que él. Cada chico va identificándose con los personajes de los dibujitos, y tomando lo que puede y lo que necesita en ese momento para seguir creciendo. A los personajes de los dibujitos les pasan cosas humanas y llenas de conflictos y de tensiones, tal como les ocurre a ellos todos los días; y los chicos pueden verlas a una distancia que les permite tolerarlas, y comprenderlas hasta asumirlas como partes de sí mismos.

Pero, a diferencia de los cuentos que les contamos, los chicos están solos cuando ven televisión. Falta la interacción humana.

No hay un adulto que modere las ansiedades, que los calme con su presencia. Y, contrariamente a lo que ocurre con el juego, en ese momento queda inhibida la acción; indispensable para el procesamiento y la elaboración de lo visto (o vivido), y para descargar ansiedades.

La televisión sólo puede ser un **recurso secundario**.

¿Qué los dejamos ver? Creo que vale la pena que los padres se sienten a ver algunos programas para hacer una preselección, y que luego los chicos puedan elegir dentro de esa lista (centrándonos más en elegir que en prohibir). Podemos perder el miedo a un cierto nivel de agresión y de hostilidad. Ellos las tienen dentro de sí mismos; y el camino más corto para una buena integración de estos aspectos es que puedan verlos, jugarlos, representarlos, hasta lograr una adecuada integración en sus personas. La hostilidad elaborada y trabajada sirve para defenderse y tener garra, fuerza vital.

El nivel de maduración de los chicos es importante a la hora de elegir: un chiquito de jardín de infantes que ve a un varón convertirse en mujer, por el sólo hecho de tocar el agua, puede confundirse; ya que todavía no están claramente definidas, a esa edad, las diferencias sexuales. Un chico más grande, que no ha alcanzado el nivel de pensamiento abstracto y ve Los Simpson, no puede entender la ironía y el absurdo; por lo que también puede confundirse. Esto dependerá de cada familia y del momento evolutivo (además de la edad) de cada hijo.

Los amigos

El bebé se interesa en otros chicos y puede jugar con ellos en la medida en que el compañero de juego, más grande, juega con él en una relación que no es pareja. El mayor sostiene, acompaña, organiza. Esto lo hacen los padres, los hermanos o primos mayores, pero no chiquitos de la misma edad. Cuando se juntan dos chiquitos menores de dos años en la plaza, por ejemplo, los adultos estarán muy atentos para impedir que se arranquen el pelo, se saquen los juguetes, se empujen, etc. Difícilmente puedan estar juntos y solos más que algunos minutos sin que se arme algún lío (salvo en el caso de hermanos mellizos o primos muy cercanos que pasan mucho tiempo juntos).

A los dos y tres años juegan 'en paralelo': dos chiquitos se acompañan, contentos de estar juntos; pero cada uno juega con lo suyo: en el arenero cada uno necesita tener su balde, su pala; y hay peleas cuando no es así. Por eso, a estas edades, las madres están permanentemente interviniendo para resolver cuestiones 'territoriales'. Hacia fines de los tres años, con una noción más clara de 'yo' y 'mío' (que implica la aparición del 'vos' y 'tuyo' también) empiezan a poder compartir tiempo y juguetes con sus amigos. De todos modos, los 'amigos' no son elegidos; son aquellos chiquitos que la vida pone en su camino: los primitos, los vecinos, los que van a la misma plaza, los hijos de los amigos de papá y mamá, los compañeritos del jardín de infantes. Empiezan a verse preferencias, se arman dúos que quieren estar siempre juntos. Estos dúos se organizan por intereses: a los dos les gusta el juego bruto, o a ninguno le gusta el juego bruto; adoran el juego de representación, o andar interminablemente en su triciclo. En estas edades los padres eligen más que los chicos con quién juegan ellos.

Tres y cuatro años

En el jardín de infantes (salas de tres y cuatro años) la vida de los chicos sigue girando alrededor de la casa y de papá y mamá; los amigos todavía ocupan poco lugar en sus vidas. Por eso no es tan grave cuando no quieren ir al cumpleaños de otro chico de su sala, o no quieren quedarse en la casa de su amigo si la mamá no lo hace también. Los padres nos desesperamos ("nunca se va a despegar de mí"), nos asustamos ("¿en qué está fallado?" o "¿en qué estoy fallando?"), los amenazamos ("nadie va a venir a tu cumpleaños"), sin darnos cuenta de que ellos todavía están muy bien en casa, jugando, cocinando, mirando tele, yendo al supermercado con mamá, etc.; y que va a llegar el día en que tengamos que decirle a ese mismo chico: "¡Hoy te quedás en casa, basta de programas!". Al hacer fuerza y apurarlos, los asustamos. Se agarran más fuerte de nosotros cuando sienten que los queremos sacar de casa, o sienten que nos desilusionan (cuando no se van). Cada chiquito tiene su ritmo; incluso vemos algunos que se independizan demasiado pronto (porque no registran lo que de verdad les hace bien), y en algún momento retroceden y no quieren ir al colegio, o quedarse en los cumpleaños ¡justo cuando todos los demás se animan! Otros disfrutan invitar o ser invitados y tienen una vida social activa.

Ya vimos que hasta los cinco años (o fines de los cuatro) no se interesan por las diferencias anatómicas y la identidad de género, por lo que juegan indistintamente con amigos varones o mujeres. Incluso cuando juegan a la casita, el varón puede ser la mamá; o la chiquita puede ser el papá, sin que esto signifique problemas de identificación sexual.

Mi recomendación en estas edades es que se organicen invitaciones cortas, no a dormir. Que se queden con las ganas. Les puede costar tanto quedarse en la casa del amigo como irse a casa a la vuelta; y a veces el mismo chiquito al que le costó quedarse a jugar en casa de su amigo, es el que después pide a los gritos que lo dejen quedarse un rato más (¡o a dormir!). El dicho: "Vamos despacio que estamos apurados" es muy adecuado en muchos temas de la infancia, y especialmente indicado en este tema. Tienen toda la vida para hacer amigos y llevar una vida social intensa; pero sólo tienen la primera infancia para pasar horas con mamá o papá, cocinando, arreglando el auto, lavándolo, jugando. Cuando un chico está bien, se interesa (desde casa y desde un vínculo seguro y confiado con sus padres) por el mundo externo, del mismo modo que se interesa por aprender nuevas habilidades sin que tengamos que hacer fuerza para que ocurra.

CINCO AÑOS EN ADELANTE

En preescolar (y, a partir de ese momento durante toda la escolaridad) el grupo empieza a cobrar importancia central en sus vidas. Se hacen amigos, juegan independientes de los padres, tanto en sus casas como en la de los amigos; por lo menos, de a ratos. Disfrutan en juegos de cooperación, de a dos o en grupos pequeños. Se comprometen en sus relaciones con amigos, se sienten sostenidos por ellos, se defienden mutuamente. Pueden tolerar que no se haga lo que ellos quieren todo el tiempo, por lo que se pelean menos.

Empiezan a jugar separados por sexo: en la identificación con el progenitor del mismo sexo caen todos los del otro, con una sola excepción: mamá (para ellos) o papá (para ellas). Los criterios para elegir los amigos son muy diversos: intereses, proximidad, afinidades.

En la mitad de la primaria se agrega con más fuerza la competencia en las relaciones como forma de medirse entre ellos, aunque ya a los cinco y seis los oímos decir: "Mi papá es grande y fuerte y te va a pegar una piña si me molestás", o "mi casa es un castillo" como forma de sentirse más fuertes ante el otro cuando por alguna razón tambalean.

EL MEJOR AMIGO

No siempre aparece un amigo íntimo o un mejor amigo: cuando lo encuentran se sienten fuertes, indestructibles porque están juntos, ya sea porque se sienten idénticos ("nos gusta el helado de dulce de leche", "nos encanta usar vestido y odiamos los pantalones", "escuchamos la misma música"), o porque se complementan ("él es fuerte y me defiende, yo le explico matemática"), o porque uno idealiza al otro (el idealizado está encantado y el que idealiza se siente seguro), o porque se protegen mutuamente; los amigos íntimos lo pasan muy bien.

Estemos atentos cuando alguno de los dos es muy posesivo e impide que el otro tenga otros amigos; o cuando uno manda y el otro se somete o se ve forzado a obedecer para no perder a su 'amigo'; o cuando están tan encandilados uno con el otro que no miran más allá de su relación. Si estas formas de relacionarse perduran en el tiempo, pueden traer dificultades.

También tiene sus ventajas no encontrar un amigo íntimo desde chiquitos: les permite tener amigos más variados y, cuando llega el momento de tener un o una mejor amigo/a, pueden elegirlo con más conocimiento de sí mismos y de los otros.

En general, no he visto causas claras que determinen que los chicos encuentren, o no, amigos íntimos desde chicos; parece más bien una cuestión de suerte.

Hay chicos con más o con menos facilidad para hacer o conservar amigos. Entre los que les cuesta más, he visto algunos más sensibles (todo los lastima y entonces se alejan), o inseguros (que no se animan a acercarse a otros y necesitan muchas pruebas para sentirse 'parte' del grupo); pero también he visto muchos varones y chicas que pasan largos años (sobre todo a ellos se les hacen muy largos) sin encontrar un mejor amigo y no hay nada que lo justifique. Y he visto chicos que tienen un amigo íntimo, y tienen enormes dificultades emocionales. La existencia de un amigo íntimo no garantiza que lo social esté bien, ni su ausencia es en sí indicativa de dificultades. Les da confianza, seguridad; pero que no los tengan, de ningún modo implica que hay algo 'fallado' en ellos.

A lo largo del colegio primario se van organizando grupitos y parejitas de amigos y amigas. Ellos saben que esos grupos coexisten dentro de la clase; incluso quién pertenece a qué grupo.

A veces los padecen, porque querrían pertenecer a uno que no les da cabida, y por ese motivo no pueden mirar para otro lado y encontrar otros que estarían encantados de ser sus amigos.

PAPÁ, MAMÁ Y LOS AMIGOS

Revisemos nuestra historia, y veremos que no siempre tuvimos amigos. Que por épocas estuvimos solos, y que hoy sí los tenemos: la amiga desde jardín de infantes, el primo del alma, el gran amigo de primaria que perdí de vista más adelante, la gran amiga de secundaria, el compañero de facultad o de trabajo, la amiga del curso de preparto, o el buen amigo que conocí en un viaje... Seguimos conociendo gente y haciendo amigos. Quizás el descubrimiento de la adultez es que hay pocos 'mejores amigos' y muchos amigos para diferentes momentos o etapas: la amiga con la que me encanta ir la cine; el amigo con quien hablo de libros; la amiga con la que compartimos los problemas familiares: marido, hijos, incluso padres; el amigo para ir a ver fútbol (pero con ése no puedo hablar de otra cosa); o para hacer deportes...

Con esa revisión en mente, y como en muchos otros temas: **no nos preocupemos más que ellos en el tema**. Es su vida y no la nuestra, sobreinvolucrarnos trae más problemas que soluciones. Y si no podemos evitar preocuparnos, resolvamos nuestras ansiedades con otro adulto antes de acercarnos a nuestro hijo.

Los padres nos tenemos que hacer fuertes y tolerar que ellos pasen etapas más aislados; a veces, con tal de que mamá no se angustie, a lo mejor están solos y no lo cuentan; o se juntan con chicos que no son sus amigos. Incluso pueden invitar a alguno (¡mamá insistió tanto!) aún sabiendo que no deberían hacerlo, porque se dan cuenta de que les va a decir que no, o porque ese chico no se portó bien con ellos en los últimos días. ¡ Ellos saben lo que hacen! Confiemos en su criterio; incluso cuando pasan varios días sin invitar o ser invitados, ellos van a preocuparse por el tema. Nuestra preocupación excesiva (o antes de tiempo) no les permite tomar conciencia de que está pasando algo, porque van a estar defendiéndose de lo que dice mamá y repitiendo: "Tengo amigos", o "No tengo ganas de invitar", o "Todos están de vacaciones".

Más vale solos que mal acompañados es una frase de papá y mamá que les sirve para pasarla bien aun en momentos de mucha soledad. De todos modos, aunque los padres creemos en ella y vale para nuestra vida, nos cuesta mucho hacerles esa recomendación a nuestros chicos. Parece que hubiéramos olvidado lo complejo de la política en el ámbito infantil. Desde ese lugar de sentirse solos y valiosos a pesar de estar solos, es mucho más fácil para ellos recomponer una situación social difícil.

Para el caso de que nuestros chicos pasen por momentos sociales complicados en el colegio, es bueno que tengan grupos alternativos fuera del mismo (clubes, actividades deportivas o artísticas, scouts, parroquias, grupos de protección del ambiente, etc.) en los que puedan mostrar y recibir otra imagen de sí mismos, con chicos que no los ven sufrir y padecer en la clase y los recreos.

Podemos ayudarlos en sus dificultades sociales contándoles historias de nuestros propios problemas de amistades de chicos, o de nuestros hermanos o amigos (historias verdaderas; porque, si les sirven, nos van a preguntar más; y sólo si son reales las recordaremos). Les da confianza y esperanza de que van a lograr resolverlas, como hicimos nosotros.

No critiquemos a sus amigos: encontremos la forma de decir las cosas para que ellos solos se den cuenta de lo que pasa. Cuando los criticamos, nuestros hijos están atrapados entre dos alianzas: con nosotros y con su amigo; y esto no los ayuda a pensar. Pueden hacernos caso a nosotros pero sin aprender; o aferrarse más al amigo para contrarrestar nuestra opinión, pero no van a poder ver la situación como realmente es. Resulta muy distinto decir: "No te juntes con Mariano porque es un egoísta", que decir: "A mí no me gustaría tener que hacer siempre lo que quiere mi amigo". Les lleva más tiempo descubrir las cosas por este camino; pero es su vida, son sus amigos. Con dolor tenemos que dejar que se equivoquen y aprendan a su manera (y no a la nuestra). Salvo, como en muchos otros temas, que nos demos cuenta de que está ocurriendo algo serio, en cuyo caso el sentido común nos alertará para intervenir.

LÍDERES, BANDAS, SEGUIDORES, INDEPENDIENTES

En los grupos de chicos hay, igual que pasa con los adultos, líderes, seguidores (de líderes) y chicos independientes (sumados a algún rechazado y/o algún aislado). Ninguno de los estilos es mejor que otro, pero cada modalidad tiene sus problemas y sus riesgos.

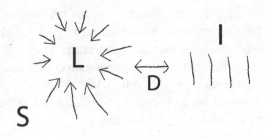

Los chicos líderes (L) tienen un carisma que los hace atractivos a los otros. Son como los colores fluorescentes: atraen las miradas y convocan a los 'seguidores'. A los líderes los invitan mucho: tienen ideas para jugar, resultan buenos organizadores porque los demás los respetan; pero corren riesgo de hacer mal uso de ese poder y de convertirse en líderes negativos. Es fácil que esto suceda, ya que son los otros chicos los que les entregan ese poder; y es tentador... No siempre su yo tiene la fortaleza suficiente para no hacerlo.

Los seguidores (S) son chicos que están cómodos cuando otro organiza el juego. Si tienen adecuada autoestima no corren riesgo de someterse a líderes negativos. En cambio, sí lo corren los chicos que se sienten solos o débiles o que tienen baja autoestima.

Los independientes (I) son aquellos chicos que no tienen pasta de líderes; o la tienen, pero en el grupo que les tocó hay 'demasiados caciques y pocos indios'; hay independientes que juegan bien en grupo pero no quieren un compromiso tan fuerte como para pertenecer a un grupo especial, otros más solitarios (que están bien solos). Es bueno que los independientes se hagan amigos entre ellos, ya que comparten el modo de vincularse; y organizar entre ellos un grupo 'democrático' los protege cuando las bandas con líderes negativos los eligen como 'víctimas'.

Uno de los problemas a resolver se presenta con aquellos chicos que querrían pertenecer a un grupo pero ese grupo los rechaza (es fascinante pertenecer y que otro muera por lo mismo y que no lo dejemos), y no pueden dejar de intentar acercarse porque sólo ese grupo fuerte les da la tranquilidad que necesitan. Son los que llamo dudosos (D). Esto me recuerda aquella propaganda de American Express: "Pertenecer tiene sus privilegios": quieren pertenecer para tener esos privilegios, pero el líder o el resto del grupo no se lo permite, y no pueden mirar hacia otro lado (hacia otro grupo, o los independientes) porque no conciben otra forma de tener amigos que perteneciendo a 'ese' grupo. Por otra parte, su anhelo de entrar les da fuerza y poder a los que sí pertenecen, lo que es una invitación a problemas.

Un líder positivo hace buen uso de su poder. Un líder negativo hará mal uso del mismo; pero para que esto ocurra tiene que haber otros chicos (seguidores) que, tentados de pertenecer, o por miedo de ser echados del grupo, pierdan su criterio y estén dispuestos a seguir a ese líder negativo. Por eso, como padres, debemos ayudar a nuestros chicos a pensar:

- Vale tener ganas de hacer macanas, pero uno decide cuáles hace y se atiene a las consecuencias; ¡muchas ideas son tentadoras!
- Nadie tiene derecho a decirte cosas que te lastimen; y, si lo hacen, tanto podés defenderte como alejarte ¡o no hacer caso!
- No sometas a otro ("si no nos das tu Coca no jugás con nosotros en el recreo"), ni te sometas a otro (haciendo algo que te pide, como dejar afuera del piyama party en tu casa a Marina, porque la líder se peleó con ella esta mañana).
- Preguntate si lo harías si estuvieras solo; y si la respuesta es 'no', no lo hagas.
- Preguntate si lo harías si mamá te estuviera mirando; otra vez, si la respuesta es 'no', no lo hagas.
- Preguntate si te gustaría que te lo hagan a vos; ídem anteriores: José invita a Pedro delante de Juan; Sole dice que no va a lo de Mariana, a la que ya le dijo que sí, porque la llamó Celina y le divierte más ir a su casa.
- Un buen amigo no le hace mal a otro. Si alguien te lo está haciendo, no es tu amigo (por lo menos en este momento), aunque vos quisieras que lo fuera.

Así irán construyendo una ética que más adelante los ayudará a no meterse en bandas que hacen daño a otros, a no molestar a los más débiles y a no dejarse maltratar por otros.

Una autoestima sólida protege a los chicos para que no elijan molestar a otros, no permitan que los moleste nadie, o puedan salir indemnes de alguna situación social complicada. Pero no son de acero inoxidable, puede ocurrir que un grupito se ensañe con algún chico y éste lo pase realmente mal.

Los seguidores a veces sienten que su lugar en el grupo es inseguro; y eso los lleva a someterse, por el riesgo de ser desterrados si no lo hacen. Ellos, sin saberlo, favorecen la situación para que perdure el líder negativo, quien no podría serlo si nadie lo siguiera.

Éstas no son estructuras fijas, pero no es fácil cambiar las cosas cuando ya se instalaron. De todos modos, algunas veces la incorporación de un chico nuevo en el grupo o la salida de otro pueden hacer cambiar ese sutil sistema de fuerzas; tanto para resolver un problema, como para que aparezca el problema en un grupo donde no había dificultades.

A mi hijo lo molestan los compañeros: hostigamiento (*bullying*)

Hablamos de hostigamiento cuando un chico le dice o le hace cosas a otro que lo hacen sentir asustado o incómodo. Podría ser: ponerle sobrenombres ofensivos (motes), decir o escribir cosas desagradables acerca de él, dejarlo fuera de ciertas actividades, no hablarle, amenazarlo, sacarle o dañar sus pertenencias, pegarle o patearlo, obligarlo a hacer algo que no quiere, etcétera.

¿POR QUÉ LO HACE EL QUE HOSTIGA?

Las razones pueden ser muy diversas: porque creen que son más populares al hacerlo; porque se sienten fuertes y con poder para probar o demostrar (su fuerza o su poder) cuando, en el fondo, no se sienten así; para obtener atención o cosas; por celos; porque ellos a su vez son o fueron hostigados, etcétera.

En todos los casos implica debilidad y no fortaleza interna (para disimular esa debilidad ante sí mismo y ante los otros). Necesitan hacer sentir mal al otro: porque no tienen otra manera u otros recursos para sentirse seguros, o porque no tienen confianza en los vínculos humanos. Algunos ni siquiera tienen noción de que está mal lo que hacen y de que dañan al otro.

¿Por qué empieza a molestar a otro?

Puede ser por ninguna razón en particular. Simplemente estaba allí cuando el hostigador necesitó 'ponerle la pata encima a alguien'; o por alguna diferencia (alto, gordo, anteojos, rulos, buen alumno, cualquier tema que lo haga 'distinto'; sea un rasgo positivo o negativo). O simplemente porque el hostigador se da cuenta de que el otro no sabe defenderse o no puede hacerlo.

¿Por qué lo siguen molestando?

Porque no se puede defender, o porque le molesta mucho y el hostigador lo disfruta; porque no puede dejar de hacer caso a lo que el hostigador le dice (matarlo con la indiferencia); o porque no logra alejarse de la situación.

¿Qué tiene que saber el molestado?

Que el que tiene un problema es el hostigador, que no tiene por qué creerle o hacerle caso. Que el hostigador es débil; porque, si no, no estaría ocupándose de tratar de disminuir a otro para verse fuerte él. Que vale defenderse en esos casos, y que sus padres no se van a enojar si se mete en algún problema por ese motivo. Mis tres hermanos varones a veces se divertían molestándome cuando era chica. Yo gritaba mucho y les resultaba muy divertido hacerlo. Resolví el tema cuando aprendí a no reaccionar: les encantaba tirarme a la pileta cuando gritaba y pateaba; pero, si me dejaba llevar, no era tan interesante. ¡Y dejaron de hacerlo!

Es importante que el hostigado se rodee de amigos, y que se protejan mutuamente del hostigador (el hostigador que está solo tiene miedo, no se mete con un grupo).

Tiene que quedar claro que hablar del tema con los adultos a cargo no es ir con cuentos (buchonear), sino pedir ayuda; y que siempre va a haber un adulto que lo escuche y lo ayude sin meterlo en más problemas con el hostigador.

Un hostigador o varios

En caso de que sea un chico solo que molesta a otro (uno a uno), vale la pena revisar la autoestima del agredido; ya que la autoestima sólida les permite no hacer caso de esas provocaciones. Con lo cual deja de ser interesante molestar a ese chico. También veamos sus dificultades para defenderse, para conectarse con y manejar sus enojos, habitual en algunos de los chicos que decimos que son muy buenos; o en los chicos temerosos. Suele darse en los primogénitos, ya que los padres ponemos en nuestro primer hijo un gran entusiasmo educativo, lo que lo priva de una adecuada conexión con la agresión; o en familias donde los padres no tienen una buena conexión con su propia 'agresión sana', indispensable para enfrentar a los compañeros que molestan. Tolerar que nuestros hijos peleen entre hermanos por cuestiones de la vida diaria, como el control remoto de la tele, o por los juguetes, los ayuda a generar recursos para defenderse luego fuera de casa.

Distinta es la situación cuando un grupito se organiza como banda (se patotiza) y molesta a un chico. En ese caso, además de ver su autoestima o la conexión con su agresión sana, habrá que avisar en el colegio para que trabajen con el tema. Mientras, lo ayudamos a no hacer caso y a buscar aliados y amigos en el resto del grupo. Si él no reacciona, habitualmente se aburren y van a molestar a otro que sí lo haga. Ya vimos que los que se agrupan para pelear suelen ser débiles, y esconden su inseguridad en la banda.

Los padres nos preocupamos cuando molestan a nuestro hijo o cuando lo vemos solo, pero a veces no reconocemos otras situaciones igual de serias, cuando nuestro hijo:

a) está en el lugar del líder negativo del grupo,

b) acepta hacer cosas que sabe incorrectas para su cosmovisión o la de su familia, con tal de 'pertenecer' a un grupo,

c) forma parte del grupo que molesta.

De estas situaciones tenemos que ocuparnos, aunque no siempre es fácil darnos cuenta, ya que nuestro hijo no lo pasa necesariamente mal.

El hostigador de hoy puede ser el hostigado de mañana...

Y el hostigado de hoy puede ser el hostigador de mañana...

Un amigo especial: el amigo imaginario

No todos los chicos tienen un amigo imaginario. Suele aparecer entre los tres y cuatro años, cuando empieza el juego de representación.

Puede cumplir muchas funciones distintas en la vida de ellos: les permite tener un amigo 'a su medida': esto a veces significa que es idéntico a él. Otras, tener alguien que lo cuida, o a quien cuidar; que lo acompaña en sus aventuras, que está con él cuando tiene miedo o no se anima a hacer algo; el amigo imaginario está siempre disponible, no se enoja con él, ni lo 'traiciona' con otros amigos, o con primos o abuelos. Es decir que les permite sentirse acompañados.

Con el amigo imaginario el chiquito puede desdoblarse en dos personas distintas. Una de las 'mitades' puede representar aspectos de su persona con las que él no está cómodo, o con las que cree que sus padres no van a estar cómodos. Es muy útil, para dar tiempo a la integración en su persona de estos aspectos 'desprolijos', que existen en todos nosotros y a veces lleva tiempo aceptarlos como propios: el amigo imaginario "rompió la lámpara", "es el que quiere tomar helado", "quiere que la hermanita no venga al paseo", "quiere ir a la casa de la abuela" o "no quiere que papá se vaya de viaje". El amigo imaginario dice, expresa lo que el mismo chico no se anima a decir por miedo al enojo o la desilusión de sus padres.

El amigo imaginario es muy satisfactorio en muchos aspectos, salvo en uno muy importante: no es real. Su reconocimiento, su amistad, su sonrisa, su presencia, son de 'menos calidad' que las de sus amigos 'corporizados'; aunque resulta ideal para ellos cuando son chiquitos o cuando, por alguna razón, no confían, no se animan a acercarse o a pedir (por miedo al rechazo, a la no disponibilidad, a la no permanencia del otro, tanto adulto como niño).

De a poco, en el contacto diario con los otros chicos, descubren que es preferible dedicar toda su energía a amigos de verdad; con los que se puede salir a pasear, a los que se puede abrazar, con los que se puede hablar y tienen una opinión propia. Por estas razones el amigo imaginario se va dejando a medida que los amigos reales van ocupando más espacio en sus vidas.

A veces es el objeto transicional el que va dejando su lugar al amigo imaginario. Cuando el chico va creciendo y el muñeco, el osito, el trapito, empiezan a no resultarle satisfactorios; cuando además creció y maduró lo suficiente como para poder representar e imaginar, aparece el amigo imaginario.

Otras veces, su aparición coincide con el descubrimiento de los chicos de que son una sola persona, con sus cosas buenas y malas: antes no lo sabían. Hasta los tres años el Pedrito que quiere a su mamá era uno, y el Pedrito que la quiere hacer desaparecer era otro; y la mamá acogotable también era distinta de la adorable. Cuando, alrededor de los cuatro años, aparece la constancia objetal y se dan cuenta de que hay una sola mamá y un solo papá y un solo hijo, el amigo imaginario llega para hacerse cargo por un tiempo de esos aspectos 'rechazables' de sus personas, hasta que logren integrarlos (como vimos al comienzo de este tema; ver también "Las dos caras de los seres humanos").

En los chistes de Calvin y Hobbes, Calvin es un chiquito que tiene un tigre de peluche, mezcla de objeto transicional (porque físicamente está allí) y de amigo imaginario. Cuando están solos en la tira cómica, Hobbes se convierte en un tigre que habla, juega, se mete en problemas con Calvin, o lo mete en problemas; incluso se burla de él. De la 'mano' de Hobbes, Calvin se anima a investigar el mundo, se siente más fuerte, menos solo. ¡Y no puede entender que su mamá no le crea cuando le dice que fue Hobbes el que se comió todas las galletitas!

En la película *Chocolate* (2000, con Juliette Binoche), Anouk, la hijita de la protagonista, tiene un amigo imaginario; un canguro que llama Pantouf, con el que juega y conversa. Cuando, al final, la mamá decide afincarse y quedarse en el pueblo, vemos partir a Pantouf: Anouk ya no lo necesita.

Disfrutemos del amigo imaginario: podemos hacerle lugar en la mesa, o en el auto, o en nuestro regazo junto a nuestro hijo, podemos incluso hablar con él (nuestro hijo muy probablemente nos responda en su lugar).

Salvo que se convierta en una obsesión y ocupe todo su tiempo, o que el amigo imaginario le impida acercarse y jugar con otros chicos, no hay razones para preocuparse. Cuando ya no le haga falta, cuando su vida esté llena de amigos reales que le resulten más interesantes y satisfactorios, el amigo imaginario va a desaparecer sin dejar rastros, salvo ese recuerdo que nos hace sonreír a todos.

OTROS TEMAS

¡Mi nene pega, mi nena muerde!

Ésta es una de las grandes preocupaciones de las mamás de chicos chiquitos. Veamos qué ocurre a nivel madurativo.

A los **dos** años (antes también) **predomina el lenguaje de acción: hacen** para expresar lo que sienten. En este sentido, morder, pegar, patear, pellizcar, escupir, empujar (y otros) son el único modo que tienen, a esa edad, para expresar enojo; otras veces, vergüenza, incomodidad, o celos; las emociones negativas en general.

También expresan las emociones positivas con su cuerpo y la acción, con besos, caricias, sentándose en la falda, con abrazos y muchos otros 'actos' de amor. ¡Pero a éstos no los cuestionamos, porque nos encantan!

Como no saben hablar lo suficiente, no pueden poner en palabras lo que sienten: por eso llorar, aislarse, o no comer, por ejemplo, son también acciones que comunican emociones. Pero estas últimas no traen tantos problemas en la plaza o en la casa de la abuela.

Alrededor de los tres años aparece la palabra-acción: insultos, malas palabras, gritos, gestos, malos modos. Ellos van en camino de encontrar la palabra para comunicar su mundo interno: es el momento intermedio e inevitable para llegar a la etapa siguiente. En estas dos primeras etapas las mamás se asustan porque creen que son hábitos que van a perdurar.

¿Cómo hacemos para acompañar el proceso? Desde chiquitos les vamos 'prestando palabras' para expresar lo que sienten y lo que quieren expresar o pedir (aunque parezca que todavía no entienden): **somos nosotros quienes ponemos en palabras eso que dicen con el cuerpo o con el insulto hasta que puedan hacerlo ellos.** En primer lugar les explicamos lo que está mal, lo que no se puede (ya que si a un chiquito de esta edad sólo le valido lo que sintió, automáticamente va a creer que estoy validando lo que hizo; y no es la idea). Primero señalamos con claridad "no se muerde", "no digas malas palabras", etc., y enseguida, antes de que nuestro hijo tenga tiempo de enojarse también con nosotros, 'le prestamos palabras' para que vayan adquiriendo un vocabulario emocional. Esto tiene un beneficio social importante, cuando la mamá del chiquito 'atacado' por nuestro hijo ve que ponemos límites claros, se va a quedar más tranquila.

Y busquemos aquellas situaciones en las que no es indispensable hablar de lo que está mal: cuando ponen caritas, o hacen gestos, incluso cuando por primera vez se animan a empujar al hermanito que los tiene cansados..., en las que podemos dejar pasar la lección de vida y hablar simplemente de lo que sienten.

Algunos ejemplos de los dos tipos: (la que habla es mamá)

- el bebé de un año patea y se resiste a que le cambien los pañales: "Mamá, apurate, esto es aburrido, yo quiero volver a mis juguetes" (a esa edad es inútil destacar lo que está mal, todavía no lo entiende);

- a los dos años muerde a otro chico en el arenero: "No muerdas... vos querías la pala y ella no sabía, ¿se la pedimos?";

- patea a la abuela: "No se hace... estás harto de que los grandes hablen y no jueguen con vos";

- se tira al piso a patalear; hablaremos de lo furioso que está y nos retiraremos para volver al ratito, y seguiremos volviendo hasta que pase de la furia al llanto, porque entonces habrá llegado el momento de conversar. Si se descontrola hasta el punto de dañarse o dañar objetos o personas de su entorno, habrá que sostenerlo para cuidarlo de sí mismo hasta que se calme y llore, o llevarlo al cuarto un rato y volver también varias veces hasta que se le pase;

- dice: "Tonta"; respondemos: "No se habla así a mamá... estás muy enojado porque no te deja tomar Coca";

- pega un portazo: "No lo vuelvas a hacer... qué rabia te da que papá se haya ido a trabajar";

- levanta los hombritos y dice "¿y qué?" (no me importa), hablamos de la rabia que le da que las reglas las pongamos los adultos;

- dice: "Ni pienso" ante una orden; antes de enojarnos veamos si hace caso; muchas veces esos "ni pienso" son amenazas que no cumplen. Quieren a sus padres y quieren hacer caso, aunque les moleste y contesten así.

A los cuatro años ya pueden hablar de lo que sienten y piensan: aparece la palabra para comunicar emociones y estados de ánimo; disminuye la acción y la palabra-acción y empiezan a decir: "Ese balde es mío" en lugar de sacárselo al otro de un tirón, o "¡me da rabia!", o "¡no quiero!". Pero esto no significa que los sistemas anteriores desaparezcan del todo, van cediendo con el paso del tiempo.

A partir de esta edad, cuando el lenguaje de la palabra ya está instalado, resulta más eficaz primero hablar de lo que sienten (así los ayudamos a calmarse); y, luego, de los modos adecuados o no de expresarlo.

Por ejemplo, ante el portazo, hablamos primero de lo mucho que le molestó que el papá tenga que ir a trabajar en vez de quedarse jugando, y luego buscamos juntos la forma de liberar el enojo; aunque la mayoría de las veces basta ser comprendido para que el enojo se diluya.

En esta tercera etapa también hay situaciones en las que no caben estas recomendaciones: cuando la trompada fue demasiado fuerte, cuando el insulto fue intolerable. Allí sólo resta retarlos e imponer alguna consecuencia, y volver a hablar del tema cuando las aguas se hayan calmado para ambas partes. También en situaciones de riesgo los padres tenemos que actuar y dejar las reflexiones para otro momento.

Volviendo a los primeros años: padres que hablan de sus propias emociones, empatizan con sus hijos y los ayudan a entender lo que ellos sienten, impiden la acción sin enojarse, tienen confianza y paciencia para esperar que la etapa de pegar y morder se termine, verán cómo se van cumpliendo las etapas y el problema desaparece.

Vergüenza y timidez

Los chicos tímidos o vergonzosos suelen ser muy sensibles y sentirse inseguros de sí mismos: tienen miedo de fracasar, o de pasar por tontos; de ser criticados, o dejados de lado. Profundamente desearían ser centro, mostrar sus habilidades, decir cosas interesantes; pero no confían en su capacidad de lograrlo, por lo que renuncian a intentarlo. Aquí se instala un círculo vicioso que confirma sus peores temores ya que:

a) necesitan ser vistos, reconocidos, y bien mirados para reasegurarse,

b) temen no lograrlo, por lo que eligen pasar lo más desapercibidos posible,

c) efectivamente no son vistos,

d) quedan igual o más inseguros que antes... lo que los lleva a seguir intentando pasar desapercibidos.

Nuestra tarea de padres es comprenderlos, sin enojarnos; acompañarlos, sin apurarlos o forzarlos. De la mano, o abrazándolos; para que se sientan apoyados cuando intentan llamar por teléfono a un amigo, o saludar a la maestra nueva. Facilitar la interacción con otras personas (explicándole a la abuela que Juan se niega a saludar: "A Juan se le acabaron los besos, por eso no te da; ¿por qué no le das vos un beso?"). Los padres de un chiquito tímido tenemos que dejar nuestra 'autoestima de padres' fuera de las situaciones, ya que va a ser muy difícil que la gente diga "¡qué bien educado que está ese nene!". Y éste no es un problema de buena o mala educación, sino de falta de confianza.

Cuando los padres los forzamos más allá de sus posibilidades, los hacemos más inseguros; ya que piensan: "Si mamá dice que debería poder, yo debería poder; ella sabe", en lugar de darse cuenta de lo que de verdad ocurre: que su timidez despierta ansiedades en mamá, que ella intenta resolver haciendo fuerza, para que el hijo 'se cure' pronto de su timidez o vergüenza.

Se ha visto en las investigaciones que los padres, a veces, favorecemos esta timidez, sin saberlo, cuando los sobreprotegemos por verlos muy sensibles; o con el ejemplo de nuestra propia timidez. Entonces:

a) confiemos en que lo va a lograr,

b) sepamos esperarlo hasta que lo logre (lo que puede llevar muchos meses), y

c) ofrezcamos recursos para hacerlo.

Algunos recursos que se me ocurren como ejemplos: acompañarlos a cumpleaños, o a casa de amigos; invitar (nosotros) a nuestros amigos. Ser modelo y ejemplo de interacciones con otra gente; contar a nuestros hijos historias de nuestra timidez infantil y de cómo la fuimos superando; esto les encanta y los ayuda, no sólo a tener esperanza de resolverlo, sino también a lograrlo. Inventar cuentos de animales o chicos tímidos o con vergüenza que superan su dificultad, sin lecciones de vida ni moralejas, si no que lo logran con la experiencia y en relación con los otros personajes del cuento.

Mamá, ¡tengo miedo!

El miedo es parte del "sistema de alarma" con que cuenta el ser humano. Es uno de los instintos básicos y saludables que nos preparan para sobrevivir indemnes en el mundo que nos rodea.

Provoca una reacción casi instantánea del organismo y éste se prepara (como viene haciendo desde hace miles de años, no sólo el ser humano sino también el animal) para el ataque o para la huida. Se aceleran los latidos del corazón, irrumpe la adrenalina, la respiración se acorta; la persona se paraliza para estar en condiciones de elegir la mejor solución para esa situación.

Aparece alrededor de los dos años de edad (aunque en los años anteriores también hay situaciones que asustan a los bebés), y su no aparición en esa época suele ser señal de problemas.

Como dijimos en capítulos anteriores, durante los primeros años el niño "cuenta" con una mamá compañera simbiótica que lo protege de los peligros, sin que él siquiera tenga que reconocerlos como tales. A los dos años culmina una parte del proceso (que llamamos) de separación-individuación. Él se reconoce separado de la mamá y aparecen los miedos (a los animales, a meter la cabeza debajo del agua, a la oscuridad, a quedarse solo, etc.). Se descubre indefenso y tiene miedo.

A partir de ese momento, y por los años siguientes, los chicos se abocan a la importante tarea de integrar en sí mismos sus sentimientos amorosos y hostiles. De la elaboración de éstos dependerá, en gran parte, el destino de los miedos. A los dos años el chiquito siente que tiene dos mamás, como ya hemos dicho: una "buena", que le da helados y se queda con él; y otra "mala", que se va al cine con papá o no lo deja jugar con la comida. Del mismo modo, él es dos personas diferentes: bueno por momentos, y malo en otros. A esa edad esto no lo complica, ya que no alcanza a darse cuenta de que tanto él como su mamá son personas únicas; que esa mamá que adora es la misma a la que quiere hacer desaparecer cuando está enojado. De a poco irá tomando conciencia de que esta ambivalencia, estas emociones contradictorias están dentro de él y, según lo que ocurra con esto, se irá sintiendo cada vez más fuerte y capaz de defenderse, o se irá debilitando y se instalarán los miedos.

En este proceso de reconocer que la persona que amo es la misma que la que odio tengo dos opciones: hacerme cargo de lo que siento (equivale a tragar), o negar que lo siento y sacarlo hacia afuera (escupir); pero, en este segundo caso, eso que yo no pude reconocer en mí (probablemente el odio) me viene a atacar desde afuera, donde yo lo proyecté al no tolerarlo; entonces no quiero robar, pero tengo miedo de que me roben; no quiero matar a mi papá, pero temo que le pase algo. Quedo así a merced de mis propios sentimientos no aceptados. Paralelamente a esto, al no tolerarlos, quedo también muy empobrecido para enfrentar el mundo:

a) porque gasto mucha energía en el proceso de negar y reprimir lo que siento; y

b) es precisamente la hostilidad bien integrada la que me da la garra y la sensación interna de fortaleza que me permite defenderme de los embates del mundo. Es decir que hay una triple fuente de debilitamiento: 1) porque mi propia hostilidad no tolerada me ataca desde afuera (las personas temerosas probablemente vean al mundo externo como hostil porque está investido por sus propios sentimientos hostiles negados y proyectados hacia afuera); 2) porque, para no integrarla, gasto energía en negar, reprimir y proyectar; y 3) porque, al no tenerla integrada, no la puedo usar para defenderme. Las personas con miedos se sienten débiles e indefensas.

En todo esto tiene enorme importancia lo que los padres hagan con sus propios sentimientos: las complicaciones más habituales son los miedos de los padres (cómo transmitir que los perros no hacen nada si el adulto tiene miedo), la falta de confianza en la posibilidad del hijo de defenderse o cuidarse (es decir, la sobreprotección), o la no aceptación en ellos mismos de sus aspectos agresivos, lo cual complicará este proceso en los hijos.

Coraje no es ausencia de miedo, sino contar con los recursos y la fortaleza interna suficientes para dominarlo.

El miedo no es el problema; la forma en que reaccionamos a él es lo que nos impide progresar (ansiedad, preocupación excesiva, nerviosismo, estrés, paralización).

¿Qué hacemos con los miedos de nuestros hijos?
- 'Prestarles' nuestros recursos, nuestra fortaleza internos.
- No enojarnos ante su aparición; ya que no son racionales ni razonables, y no se resuelven con argumentos lógicos.
- Aprender a tolerar mejor nuestros aspectos hostiles y ambivalentes, y tolerarlos mejor en nuestros hijos.
- Recordar que todo lo que sentimos vale, incluso el miedo.
- Contarles acerca de nuestros miedos en la infancia.
- Promover juegos que les permitan sentirse fuertes.
- Jugar las situaciones temidas para que el chico pueda, a su ritmo, dominarlas (prender y apagar la luz para el miedo a la oscuridad, dejar sola a mamá para el miedo a quedarse solo, prender y apagar la aspiradora para los ruidos fuertes, que papá "juegue" a que tiene miedo al perro, etcétera).
- Contar historias que lo ayuden a elaborar situaciones temidas (muchos cuentos tradicionales hablan de cuestiones muy atemorizantes que terminan resolviéndose).
- Enseñarles defensa personal, judo, u otras técnicas que les permitan sentirse efectivamente fuertes y capaces de defenderse.

- ☝ Saber esperar: muchos miedos se van superando a medida que crecen. No todos los resuelven a la misma edad.
- ☝ En caso de que el sufrimiento sea muy intenso o de que el miedo no les permita tener una vida normal, hacer una consulta psicológica.

Un caso especial: miedo al agua

Hasta los dos años los chicos no conocen el miedo. Al no poder diferenciarse de la persona de su madre, no se dan cuenta de lo que es estar solo y a merced del mundo. Alrededor de los dos años, al tomar conciencia de que no están unidos a su mamá, también notan que les pueden pasar cosas feas y ella puede no estar ahí para ayudarlos.

¿De qué modo vemos esto en el agua? De golpe, no se animan a meter la cabeza debajo del agua, se resisten a enjuagarse el pelo, o a tirar la cabeza para atrás; en la pileta no sueltan a la mamá, aunque estén con salvavidas; o ni siquiera entran al agua.

¿Qué hacemos? Tener la confianza de que es sólo una etapa, y la paciencia para acompañar y ayudarlos en el proceso. Lo van a resolver, aunque seguramente no tan rápido como nos gustaría. Les es muy útil jugar con un muñeco, haciéndole hacer aquello a lo que él no se anima (meterle la cabeza abajo del agua, enjuagarle el pelo, hacerlo nadar en la bañadera, etcétera).

En clase de natación, cuanto más nerviosa se pone la mamá, más tarda el chiquito en avanzar, porque, equivocadamente, puede creer que los nervios de ella tienen que ver con los riesgos de la pileta y no con su impaciencia, o sentir el fastidio de ella como una presión que no puede asimilar. Aceptemos el "baño sauna" de estar cerquita del agua, relajémonos y dejemos que la maestra haga lo que tenga que hacer, no nos preocupemos por lo que ella piensa de nuestro hijito o de nosotras como madres, y seremos recompensadas con un hijito que, pasito a paso, irá logrando perder el miedo al agua.

Dicen que los miedos se curan con "palo y zanahoria". Yo diría con mucha zanahoria: paciencia, charla, juegos, cuentos y un "palito" suave (un empujoncito, en realidad) en el momento en que vemos que están listos; ¡y no cuando nos cansamos de llevarlo a la clase de natación y ni se mete al agua!

Esto que decimos para el agua vale para la mayoría de los miedos de los chicos.

Mentiras y robos

Mentiras y robos son una preocupación habitual en los padres de niños de jardín de infantes, o de chicos un poco más grandes.

Dicen las mamás: "Se trae juguetes de la casa del primo", "dice que no rompió la lámpara, y la tiró delante de mí", "defiende a los gritos la propiedad de un autito que no es suyo", "no quiere devolver la Barbie con la que estaba jugando en lo de la amiga", o "se trae todos los días algo del jardín de infantes".

Dicen los chiquitos: "¡Es mío!", "yo no fui", "¡fue mi hermanita!", "lo encontré tirado", "mamá me da permiso", "la plata me la dio papá" o "la abuela me dio los caramelos".

Las mentiras se relacionan con un criterio de realidad inmaduro. En los robos además influye un concepto de propiedad no claro todavía. Ambos se van construyendo a lo largo de los primeros años; hasta que, alrededor de los cinco, con la aparición de la conciencia moral o superyo (a partir de la internalización de las figuras parentales y de la creciente fortaleza del yo), ya empiezan a poder renunciar a lo que desean, y a reconocer el mundo real; con sus leyes y limitaciones. Esto no significa que, a partir de los cinco, no vuelven a mentir o a robar; pero sí que, antes de esa edad, no tiene sentido sancionar mentiras y robos, ya que los chicos no tienen madurez emocional suficiente para comprender cabalmente el hecho. Esta conceptualización no aparece mágicamente cuando cumplen cinco; pero se va organizando lentamente dentro de ellos a partir de esa edad, aunque puede empezar antes.

En la primera infancia los chicos se rigen por criterios altamente centrados en sí mismos: "Lo que me gusta es mío", "como me gusta y es mío, me lo llevo", "lo que tiene otro, y parece interesante, es mío" (y como tal lo reclama), "lo que me trae problemas, no lo hice yo" (romper cosas, sacar sin permiso, etc.). Y rápidamente encuentran un culpable: "Pedrito (de dos años) hizo los dibujos en la pared del living (monigotes perfectos, imposibles de hacer antes de los tres años)". Podríamos llamar a estas mentiras 'expresiones de deseo': cómo les gustaría que fueran las cosas. Durante esa etapa los rige el principio de placer, y no tienen noción de tiempo; por lo que, además, todo tiene que ser **ya**. No manejan conceptos como ayer, hoy y mañana; y esto los hace parecer, a veces, impacientes; y muchas otras, mentirosos o tontos... Todo es para ellos, 'yo' y 'ya'. Dicen, o prometen, lo que sea necesario con tal de obtener lo que desean ("nunca más le voy a pegar" o "te prometo que me voy a bañar cuando termina el dibujito animado"), pero no tienen la fortaleza yoica suficiente para sostener esas promesas. Éstas también son expresiones de deseo (y no mentiras): lo que les gustaría tener, la fortaleza para hacer de modo que mamá esté contenta con ellos.

Desde los dos hasta los cuatro años, van aprendiendo, con mucho esfuerzo y repeticiones de los adultos, a compartir, a esperar su turno, a tolerar no estar siempre de la mano de mamá o de la maestra jardinera, a no apropiarse de todo lo que les gusta. Dos años enteros de trabajo de los adultos, impidiendo y resistiendo los enojos y pataletas, porque los chiquitos no pueden entender que no se pueden llevar a casa ese Papá Noel que baila. Tampoco tienen noción de dinero; pequeños detalles del mundo adulto que los tienen sin cuidado; a nuestro "No tengo plata", contestan tranquilos "Pedile a papá", o "Sacá del cajero (electrónico)"; como si el cajero nos la regalara...

A los cuatro años, como ya vimos, integran en sí mismos su 'bueno' y su 'malo'; en esa edad todavía no 'roban' (porque no tienen clara la idea de propiedad), ni 'mienten' (porque tampoco tiene adecuado criterio de realidad). Y es vital saberlo, para no agrandar innecesariamente los aspectos para ellos 'malos' de su persona; que, sin este agregado, ya son más que suficientes para ellos. Finalmente, a los cinco empiezan a entender (pero no terminan). Les va a llevar todavía mucho tiempo y fortalecimiento, sumado al ejemplo de padres que no mienten ni roban; y que comprenden sus deseos, pero no les permiten salirse con la suya. A partir de los seis o siete años van alcanzando un criterio de realidad, una noción de propiedad, una fortaleza yoica y una conciencia moral que los protegen contra estos deseos (tan humanos) de mentir y de robar.

Según lo fuerte o intenso del deseo, todavía grandes, luchamos con nuestras ganas de hacer trampa, mentir o robar; incluso nos mentimos a nosotros mismos (muy pocas veces la culpa del choque fue nuestra, por poner un ejemplo habitual). Es decir, que no creamos que esto se resuelve a los cinco años, y listo. Chicos mucho más grandes, amorosos y buenísimos, dirán que no tienen deberes, o que se van a estudiar a la casa del amigo (cuando en realidad se van a jugar), o que encontraron tirado un sacapuntas...

¿De qué manera podemos ayudarlos?

Contando un cuento sobre un perrito, o chiquito que tenía ganas de tener muchas cosas lindas (tipo urraca, que desea todo lo que brilla), para poder repasar los conceptos de dolor ante lo que no se puede, de realidad, de propiedad, de celos o envidia, a una distancia tolerable para ellos. De modo que no lo perciban como 'lección de vida', que es lo que ocurre cuando les hablamos del tema directamente.

Puede ser también jugando a cambiar de roles; y que sea mamá la que quiere todo en el supermercado, o la que se metería unos caramelos en el bolsillo sin que el quiosquero se dé cuenta.

Como en muchos temas, la idea es, en cuentos y juegos, tolerar y no enojarnos con su deseo de tener y de sacar. Que, a lo largo del juego y del cuento, vayan descubriendo los inconvenientes de hacerlo, y las ventajas de no hacerlo (sin discursos o mensajes que los disminuyan a ellos). Y **que en la vida real impidamos que lo hagan, y los llevemos a devolver lo sacado sin humillarlos, y sin consecuencias graves**.

Tanto con mentiras como con robos, tenemos que lograr ser más astutos que ellos. En lugar de discutir si fue, o no, digamos con tran-

quilidad: "Ojalá", o "¡Qué lindo sería!", "Qué lindo habría sido"...
que fuera tuyo, o que no lo hubieras hecho, o que papá te dejara no
bañarte, o que no lo hubieras roto... A esto lo llamé en otro lugar
potencial simple; el maravilloso tiempo de verbo potencial nos permite soñar y desear, sin que nadie se enoje con nosotros:

- "te encantaría que esos patines fueran tuyos";
- "querrías tomarte un helado ahora mismo";
- "le sacarías a mamá los caramelos de la cartera".

El potencial simple me permite mostrarles que entiendo el
deseo de tener o de hacer, ¡y que no se puede!

En síntesis: no enojarnos, no juzgar ni adjetivar: mentiroso,
ladrón, malo. **Comprender el deseo. Impedir cuando se puede;
y ayudar a devolver o a arreglar, si no pudimos impedir.**

A partir de los cinco o seis años los ayuda tener un poco de dinero de bolsillo (desde su punto de vista, nosotros compramos lo
que queremos). Les sirve para tener esperanza de poder poseer lo
que quieren, y los ayuda mucho a entender el valor del mismo.

Estemos atentos cuando mentiras y robos duran más que lo esperable; ya que pueden denunciar una sensación de carencia afectiva
en chicos que no encuentran otra forma de expresión más adecuada. Hace muchos años aprendí una frase fuerte y clara, que expresa
este concepto: "Un niño que roba es un niño robado". Siente que le
falta algo (que no le dieron o le quitaron) que considera que tiene
derecho a tener. Muy probablemente no sean cosas materiales, sino
afecto, reconocimiento, límites, atención, o tiempo de sus padres.

Cuando Winnicott habla de los jóvenes delincuentes dice
que ellos primero intentan que los delimiten en su casa; cuando
fracasan, lo intentan en el colegio; y cuando tampoco allí se
sienten sostenidos, salen a la calle, buscando que alguien los
detenga. Finalmente la cárcel termina siendo el lugar donde se
sienten sostenidos; donde hay alguien que les impide, activamente, 'portarse mal'.

Es decir, que delinquir es para un chico un acto de esperanza
de encontrar adultos que lo cuiden.

En la sala de espera

Esperando para conversar con un pediatra tuve la oportunidad de observar un rato a un grupo de madres con sus hijos chiquitos. En general, estaban acompañadas por más de un hijo, y lo pasaban mal. Chicos probablemente bien educados y que en su casa no daban problemas, parecían transformados: se trepaban a los sillones, se peleaban con otros por el control remoto del televisor, tironeaban de los libritos, tocaban lo que no tenían que tocar. Era agotador; pero no para mí, sino para sus mamás.

Esto me llevó a preguntarme qué pasaba, ya que tengo el mismo recuerdo de la sala de espera cuando mis hijos eran chicos. Evidentemente es un lugar pequeño, donde no hay mucho que hacer; la idea de ver al médico puede poner nerviosos a los chicos; la excitación es contagiosa; las mamás se sienten observadas, y eso complica el trato con los hijos propios; se juntan por un rato distintos estilos educativos que chocan...

Pero mi cuestión principal es: las madres, ¿somos masoquistas, nos gusta sufrir?, ¿o somos quizá demasiado optimista (y creemos que esta vez va a ser distinto)?, ¿nos sentimos culpables de dejarlos en casa?, ¿o no toleramos ver sus caras enojadas, o desilusionadas?

Sabemos que se van a portar mal, pero seguimos yendo con dos o tres cada vez; y los retamos, les gritamos, los zamarreamos. El médico les cura la otitis, y nosotras les arruinamos la autoestima. Creo que pedimos demasiado de nosotras mismas. Obviamente estoy pensando en los casos en que se podría dejar a los otros chicos en casa; o llevar el bebé al médico cuando los hermanos están en el colegio. Salir con los hijos de a uno nos da la oportunidad de encuentros personales que pueden ser muy fructíferos. Los que se quedan aprenden que, en otra ocasión, les tocará a ellos; y lo viven sin problemas.

Esto también se aplicaría para muchas otras actividades: ir al banco, al supermercado, a la librería o a la mercería. Llevar un chico al dentista o a la maestra particular pueden ser actividades placenteras si las mamás sabemos cuidarnos, y, finalmente, los chicos estarán encantados (aunque en el momento de quedarse pongan carita fea) al ver la sonrisa de mamá cuando llega a casa.

A veces también vemos familias enteras en la calle haciendo cosas que sólo interesaban a alguno de sus integrantes. Vale la pena que los padres sepan ahorrar energía 'dividiendo' de a ratos la familia; para que papá salga con alguno a la ferretería y los dos lo disfruten, y se queden los otros con mamá en casa; o mamá vaya sola a la costurera; o con un solo chico al dentista, y se quede por un rato el papá a cargo del resto y, quizá, de la comida o de los baños. Quién va y quién se queda es una decisión adulta. Los chicos (si les preguntamos) van a prometer que se van a portar bien, que no van a pedir nada, ¡y de verdad lo creen! Con tal de no perderse algo, son capaces de ir a hacer cosas aburridísimas o de enunciar promesas incumplibles.

Salir a la calle puede ser una actividad placentera o una pesadilla para todos. Hagamos lo posible para que predominen las experiencias del primer tipo.

Cuestiones de seguridad

Los chicos chiquitos **necesitan** sentirse seguros, cuidados, sostenidos. Es vital que piensen que el mundo es un lugar seguro. Que los autos no atropellan chicos, que los policías son buenos y que los jueces hacen justicia y ponen a los ladrones en la cárcel. Cuando esto ocurre, se va generando en ellos una confianza que les permitirá salir al mundo sin pensar que algo terrible está esperándolos en cada esquina.

Mientras tanto, los padres dan la mano para cruzar la calle, enseñan a cerrar los seguros del auto, a no hablar con ni aceptar regalos de personas desconocidas, a cuidar su intimidad corporal, y muchas otras cuestiones que hacen a la seguridad psicofísica. Y así los ayudan a internalizar buenos cuidados; es decir, imágenes parentales protectoras. A medida que crecen, estos padres ya internalizados, los siguen cuidando desde adentro. Entonces empiezan a cruzar la calle solos, 'de la mano' del recuerdo de todas las veces que lo hizo con mamá, y tomando todos aquellos recaudos que ella tomaba. Padres protectores internalizados aumentan la fortaleza del yo de esa personita en formación; e incluso les permiten enfrentar mejor y sobreponerse a episodios traumáticos de la vida diaria. La prudencia se enseña especialmente con el modelo de padres prudentes que van explicando los 'porqués' de las medidas sin asustar.

Estemos atentos, de todos modos, a ser prudentes y cuidadosos, no miedosos.

Los padres prudentes enseñan a sus hijos a cuidarse bien. Los padres temerosos, en cambio, hacen que sus hijos vean el mundo como un lugar peligroso.

¿Qué hacemos cuando pasan, o les pasan, cosas terribles?

Es cierto que el mundo es cada vez más peligroso y violento. Es importante en este tema nuevamente el modelo que les ofrezca su casa; aunque aquí cabe una salvedad: nuestros hijos tienen que aprender a vivir y defenderse en este mundo; y por eso es indispensable ayudarlos a conocer y encauzar adecuadamente su hostilidad y otras emociones 'negativas'. En el esfuerzo porque sean 'buenos', sin querer podemos forzarlos a reprimir o a negar sentimientos o pensamientos que, bien trabajados, les permiten defender su espacio vital; empezando por su cuerpo y la familia, y siguiendo por el mundo externo.

Nuestros hijos pueden ser víctimas de situaciones que requieran elaboración posterior. Tanto porque les pasaron a ellos (perderse en la playa, robos, secuestros, etc.), como por haber sido testigos presenciales de hechos que les resultaron traumáticos (agresiones físicas entre sus padres, accidentes en la calle, un tornado, lo que ven en televisión; como la guerra o el ataque a las torres gemelas, incluso alguna película). En el caso de que esto les ocurra, varía mucho lo que podemos hacer según la edad del chico. Cuando corresponda, es conveniente hacer la denuncia policial. Para que el chico sepa que están buscando a su agresor y que lo van a castigar por lo que hizo; y que incluso van a intentar recuperar lo que le robaron, por ejemplo.

Con los más chiquitos conviene jugar la situación nuevamente, cambiando los papeles; para que él pueda "hacer activamente lo que sufrió pasivamente". Ser por momentos el ladrón (en otros, el papá que lo corre al ladrón; o el policía que lo lleva preso), les permite elaborar la situación; y nos permite a los padres enterarnos de todo lo que sintió y vivió.

A partir de los ocho o nueve años les cuesta o les da vergüenza hacer esto. Y, en cambio, les es más fácil hacer dibujos o inventar historias en las que hacen pasar al agresor por toda clase de cosas horribles, como tiros, cuchilladas, prenderles fuego, hasta descargar la enorme impotencia y la sensación de violación que esas situaciones les produjeron.

A Francisca (8) le robaron la bicicleta; la tiraron a ella al piso y se la sacaron. Juntas dibujamos al ladrón, e inventamos toda clase de atrocidades para hacerle al dibujo. No contenta con eso, decidió cortar el ladrón dibujado en pedacitos, prenderle fuego y tirarlo al inodoro. Con esto no recuperó la bicicleta, ¡pero salió del consultorio muy aliviada! Había podido descargar el miedo, la rabia y la impotencia que había sentido en ese momento.

Llegando a la adolescencia, basta con hablar y repasar, todas las veces que ellos quieran, el tema; qué hicieron, qué hubieran podido hacer, cómo aprender de este episodio para el futuro. A esta edad, en que la sensación de omnipotencia está muy presente, es vital recordarles que los ladrones tienen códigos diferentes, por ejemplo le dan distinto valor a la vida; y que, justamente por eso, no pueden pelear con ellos. Aunque el ladrón sea menor que él, está dispuesto a usar la navaja que tiene en el bolsillo. Y el asaltado no tiene navaja, o no sabe usarla; y, aunque supiera, no está en sus códigos lastimar físicamente a nadie.

Los adultos también elaboramos las situaciones traumáticas padecidas cuando las contamos una y otra vez a nuestros allegados. Un día descubrimos que hace tiempo que no hablamos del tema; que incluso ni lo recordamos. Esto es lo que ocurre cuando termina el proceso de elaboración. Lo hacemos sin pensarlo; y, muchas veces, sin saber por qué lo hacemos, o lo bien que nos hace contarlo.

Muchos chicos empiezan solos a jugar o a dibujar; pero otros pueden necesitar nuestra ayuda para hacerlo. A veces vemos, en los sueños, intentos de elaborar situaciones vividas. Las pesadillas (por las que se despiertan angustiados) pueden ser un intento de elaboración que fracasó. Fue excesiva la angustia, y se despertaron; pero en ellas vemos también un proceso de elaboración en marcha. Juegos, dibujos, cuentos, sueños, desaparecerán o dejarán de interesarles cuando ya no sean necesarios.

Padres que puedan sostener esta elaboración, sin angustiarse más que los hijos, irán transmitiendo fortaleza, confianza y buenos recursos.

Información, cuidado y respeto de nuestros cuerpos

Desde el nacimiento damos información sexual a los bebés, no con palabras, sino con nuestra actitud hacia su cuerpo: cuando los bañamos, vestimos, alimentamos o acariciamos. También la damos a través de lo que les mostramos como pareja de padres (entre nosotros): amor, respeto, ternura, cuidados mutuos, sostén, interés por el otro, miradas, caricias, etcétera.

Tres tareas de los papás:

1) dar suficiente información como para que los chicos no sigan investigando y logren cierta calma con el tema;

2) cuidarlos y enseñarles a cuidarse, para evitar 'descubrimientos' anticipados o situaciones de abuso;

3) formarlos en nuestros valores en relación con el tema.

313

Antes de informar preguntemos qué saben: "¿Cómo son los varones?", "¿y las nenas?", "¿qué te imaginás?". Ellos suelen tener ideas bastante disparatadas, que vale la pena conocer y corregir; así eliminaremos falsos conceptos.

El ideal sería tener una conversación cada varios meses, o por año; presentando algún libro con grado creciente de complejidad.

Hasta los tres años basta con estar atentos a no darles información negativa sobre sexualidad (del tipo "no te toques, chancho"). A partir de esa edad, comienza la educación sexual positiva. Los chiquitos de jardín de infantes no sienten vergüenza o impresión cuando explicamos estos temas; y esto lo hace más fácil para nosotros también.

Entre los cuatro y los cinco años aparece el interés por las diferencias entre varón y mujer, los deseos de identificación con su mismo sexo, la rivalidad con el progenitor del mismo sexo. Empiezan a jugar varones con varones, y nenas con nenas; y se acentúan las investigaciones relacionadas con la sexualidad.

Las ganas de saber llevan a veces a juegos sexualizados (doctor, papá y mamá, mostrarse las colas, comparar sus órganos sexuales). Es deseable que permanezcan en un nivel virtual (de juego), lo menos concreto posible; por lo que tenemos que estar atentos, vigilantes (en el sentido de vigilia; despiertos, no controladores y desconfiados), cuidando para evitar que los juegos se salgan de cauce.

Alrededor de los seis empieza la latencia. Este interés por la sexualidad entra en reposo, y los chicos se dedican centralmente a las tareas de desarrollo correspondientes a esa etapa (seis a once): los amigos, el deporte y el aprendizaje escolar. Para que el interés por la sexualidad pueda entrar en reposo, tienen que haberlo entendido y elaborado. De todos modos, seguiremos ampliando la información, para que conozcan los cambios y sus implicancias cuando llegue la pubertad.

Algunos temas:
- Diferencias anatómicas entre los sexos, internas y externas.
- Diferencias al crecer: varón/hombre, niña/mujer.
- Embarazo y parto natural, cesárea, adopción.

- ☝ Erección. Eyaculación.
- ☝ Menstruación.
- ☝ Óvulo y espermatozoide.
- ☝ Por dónde entra el espermatozoide de papá. Cómo entra.
- ☝ Ellos también van a crecer y se van a casar; y van a dormir con su pareja, y van a tener hijos; pero no por ahora y no con papá o mamá.

En todos los temas hablamos de lo normal, dejando otros (travestis, masturbación, homosexualidad, sexo oral, pornografía, o términos como: hotel alojamiento, paja, trolo, pete, etc.) para cuando ellos pregunten. Incluso en ese caso según la edad, la capacidad de comprensión del chico, podríamos considerar dejar el tema para más adelante y explicarle a nuestro hijo: "prefiero que hablemos de esto cuando seas más grande".

De acuerdo con las edades, iremos incorporando el vocabulario específico: no es necesario que un chiquito de tres años conozca palabras como espermatozoide; alcanza con decir semilla o célula. Lo mismo pasa con los demás términos. Usemos aquellos que nos quedan cómodos, y vayamos agregando vocabulario a medida que crecen.

El juego y la investigación de los órganos sexuales forma parte del desarrollo normal de los preescolares. Los más chiquitos (al año, incluso antes) descubren, por casualidad, que, cuando se tocan los órganos sexuales, les hace una cosquillita que les gusta. Esto no les ocurre a todos. A esa edad basta con distraerlos, sin asustarse ni retarlos. Probablemente vuelvan a hacerlo entre los cuatro y los cinco años, cuando aparece el interés por las diferencias anatómicas. Es una de las maneras que encuentran para pedir que les den más información acerca de estos temas. Muchas madres de chicos más grandes me dicen: "No le conté nada porque nunca me preguntó, y me dijeron que le explique cuando pregunte". Lo que estas mamás no comprenden es que hay muchas formas de preguntar; y tenemos que estar atentos a las otras también: tocarse, juegos sexuales, investigaciones en el cuerpo de otros, etcétera.

Sepamos que la excitación que puedan sentir los chicos al tocarse es similar a las cosquillas; y no tiene contenido erótico ni fantasías. Les falta una madurez que sólo se alcanza a partir de la pubertad; por lo que no necesitamos alarmarnos con las autoestimulaciones de los chicos (mal llamadas masturbación), salvo que ocupen mucho tiempo o despierten ansiedad excesiva.

En caso de que los veamos tocándose:
- 😊 **no retarlos,**
- 😊 acariciarlos (así notan que es más interesante el mimo de mamá que el automimo), obviamente no en los genitales,
- 😊 distraerlos, ocupar sus manos,
- 😊 pedirles que lo hagan en privado.

Éstas son las medidas más adecuadas. En algunos casos conviene empezar a usar la ducha (la bañadera pone a su alcance sus órganos sexuales y los de sus compañeros de baño), hasta que el tema pase al olvido.

También a partir de los dos o tres años (a esa edad su mirada empieza a cambiar al vernos sin ropa), conviene que los adultos no se muestren desnudos delante de los chicos. Los cuerpos son muy diferentes y pueden tanto asustarse, como despertar a estados de excitación inadecuados; y, sobre todo, innecesarios. Así vamos enseñando el pudor (aparece alrededor de los siete u ocho años). Esto no es necesario en otras culturas en las que el desnudo es algo habitual y por lo tanto poco excitante, por eso pongo el énfasis en que dejemos de mostrarnos sin ropa cuando cambie la forma de mirarnos de nuestro hijo, ya que aunque nuestro hijito se críe en una familia sanamente 'nudista', va a un jardín de infantes o a un colegio y ve televisión en este país en el que el desnudo despierta risitas, vergüenza, sonrojos...

Tomaremos algunos puntos importantes para que nuestros chicos vayan aprendiendo a cuidar, respetar y hacer respetar sus cuerpos.

Cuidar la intimidad de los adultos: desde chiquitos nuestros hijos tienen que ir aprendiendo a golpear la puerta del cuarto de los padres, si está cerrada; a no entrar al baño sin pedir permiso (cuando hay alguien dentro). Esto servirá como modelo para cuidar su propia intimidad; ya que les mostramos que todos tenemos derecho de permitir, o no, el acceso.

Enseñarles:

☺ que pueden decir **que no a las cosas que no les gustan**: "No me hagas cosquillas tan fuerte", "basta de lucha", "no tengo ganas", "no me gusta", y que nosotros respetaremos esos **no** en la medida en que sea posible (no podemos acceder a "no me quiero vacunar", o "no quiero ir al colegio");

☺ a reconocer el miedo, la incomodidad;

☺ a pedir ayuda;

☺ que respetar a los mayores no significa obedecerlos ciegamente;

☺ que con papá y mamá se puede hablar de TODO; y que si ellos no pueden escuchar o no escuchan, tienen que insistir con otras personas (tíos, maestros, abuelos, etc.) hasta que se sientan atendidos en su dificultad;

☺ que el cuerpo tiene zonas **privadas**, que tapa la ropa interior.

Hay zonas privadas del cuerpo de mamá o papá que no se miran ni se tocan: las que tapa la ropa interior.

Del mismo modo, sólo papá o mamá pueden tocar las partes 'privadas' de los chicos, cuando los bañan; o una persona autorizada por ellos; o el médico delante de mamá o papá, cuando los revisa. Es una pauta muy clara, que ayuda a prevenir juegos sexuales inadecuados o abuso.

Prestemos especial atención cuando nuestros hijos manejen temas, vocabulario o juegos que no corresponden a su edad.

Muchos temas, que hace veinte años descubríamos en la adolescencia o al llegar a adultos, hoy están en boca de los chicos, por la carga que implica la sobreestimulación visual a la que se ven sometidos; tanto en la televisión, como en revistas y computadoras (Internet); y también en los carteles de la calle.

Buenos cuidados y vigilancia son la mejor ecuación para que la información no llegue antes de que su yo en formación esté preparado para procesarla.

Estemos atentos a lo que ven en televisión. Pongamos la televisión y la computadora en lugares públicos de la casa, donde circule gente; si son chiquitos, codifiquemos el ingreso a Internet, o pongamos filtros para que sólo puedan entrar a determinadas páginas preacordadas.

Enfermedades, internaciones, vacunas, visita al médico

A los chicos les cuesta mucho entender, cuando están enfermos, que mamá no pueda evitar el dolor, el sufrimiento, la inyección, el análisis de sangre...

Piensan: "Mi mamá, que tanto me quiere, no impide que me hagan estas cosas terribles; y, además, me pone en manos de estos médicos/torturadores". A la mamá también le es difícil de sobrellevar esta situación.

En todos los casos, los ayuda jugar, para elaborar situaciones vividas, o anticipar jugando las situaciones por vivir. Si lo llevamos a vacunar, podemos darle, un rato antes, una inyección sin aguja; para que, jugando, entienda de qué se trata lo que va a ocurrir. Cuando no se puede anticipar la situación, hay que jugar varias veces a aquello que ya ocurrió, dándole remedios feos al oso, o a mamá, o poniéndole inyecciones al perro...

El concepto es ir, siempre jugando, desde:
- mamá cura al oso/muñeca (distancia máxima),
- pasando por: Pedro cura al oso/muñeca,

👋 luego: Pedro cura a mamá,

👋 para llegar a: mamá cura a Pedro (distancia mínima).

Habitualmente, cuando se deja 'curar' en juego por su mamá, también acepta ser atendido por el profesional; sea médico, dentista, enfermera, kinesiólogo, etcétera.

Cuentos, juegos y títeres son herramientas útiles para entender, elaborar y poder hablar de lo que les preocupa sin tanta angustia, a una distancia tolerable. También contarles de otras personas que pasaron por situaciones iguales o parecidas.

En caso de internaciones para intervenciones quirúrgicas: visitar el sanatorio alguna vez antes de internarse, llevar sus juguetes preferidos y un oso o un muñeco para jugar al doctor; también una valijita de médico con instrumental.

Explicarle lo que le van a hacer; y, si es posible y hay tiempo, también jugar. Todo en palabras fáciles y sólo lo que va a ver o sentir; sin detalles, pero sin mentiras.

Es importante que le quede claro que el hospital o el sanatorio son los lugares mejores y más seguros para curarse de esa enfermedad. También, que los doctores son los mejores y trabajan ahí; y que es el único lugar donde todo el tiempo hay doctores y enfermeras que lo pueden ayudar si le duele algo o está molesto. ¡Aunque comprendemos que él preferiría quedarse en casa! (En casos de intervenciones quirúrgicas resulta muy saludable que el chiquito tenga algunas entrevistas [horas de juego] con una psicóloga para que pueda procesar sus preocupaciones y ansiedades).

Cuando vuelva a casa, le va a llevar unos días volver a la normalidad. Puede tener miedos o pedir mimos, tener pesadillas, despertarse angustiado, no dejar ir a la mamá… entonces, sigamos jugando al doctor. No perdamos la calma porque, así como hay que eliminar la anestesia (que resulta tóxica para el organismo), también hay que eliminar las experiencias que fueron tóxicas para la capacidad de comprensión del chiquito, y eso va a ir ocurriendo con el correr de los días.

También le damos la tranquilidad (siempre que sea la verdad) de que no va a volver a internarse: "Ya te sacaron el apéndice", "ya

319

te cerraron la hernia", "ya estás bien, y podés tomar los remedios en casa".

En caso de que pudiera volver a internarse, o de que no estuviera curado, no es necesario ser totalmente realista y explicar cada detalle futuro. Sin mentir, sólo decimos aquello que sabemos que va a ocurrir: "Por ahora no te vas a volver a internar", "esta parte del tratamiento ya pasó, tenemos que ver al doctor para ver cómo sigue". Ellos están más tranquilos con los planes a corto plazo, sin falsas promesas. Lo más importante es que sigamos resultando creíbles y confiables para ellos.

Dado que los chicos tienden a creer que todo lo que pasa tiene que ver con ellos (su inmadurez emocional los hace egocéntricos), debemos dejar bien claro que no fue un castigo, ni fue por algo que hizo mal, ni fue su culpa, sino mala suerte, y que no le va a volver a pasar (obviamente, sólo si ésa es la verdad).

Para enfermedades crónicas, conviene armar un libro casero con textos y dibujos, donde vayan juntos (mamá y/o papá y el chico) poniendo lo que saben, y lo que el chico siente acerca de lo que le pasa. Volver a leerlo una y mil veces le irá permitiendo entender, aprender y aprehender aquellos conceptos que los padres le cuentan. Al mismo tiempo, alivia tanto a padres como a hijos de una buena parte de las preguntas que el chico necesita hacer para elaborar. A veces le cuesta preguntarle a los padres (o volver a preguntar muchas veces lo mismo hasta terminar de metabolizarlo), porque se da cuenta de que a ellos les produce ansiedad, o incomodidad.

Cuando un hermano está enfermo

Cuando uno de nuestros hijos se enferma o tiene problemas suelen surgir en los hermanos sentimientos que los asustan: de responsabilidad ("¿yo lo provoqué?"); culpa ("siento alivio porque no me pasa a mí", "le deseé algo horrible y ocurrió"); angustia (por lo que registran del ambiente y no se les dice); enojo ("mis papás sólo se ocupan de él", "todos les traen regalos"); o miedo ("¿será contagioso?").

320

Los chicos, a partir de los cinco o seis años, suelen reaccionar portándose hiperbien y no dando problemas; o (menos veces, los que no están fuertes emocionalmente) trayendo problemas para que también los miren.

Los más chiquitos no tienen recursos suficientes para 'ayudar' portándose bien; por lo que probablemente den más trabajo que antes como modo de lograr que alguien los mire, aunque sólo sea para retarlos.

Es importante:

☺ No esconder información, tampoco darles demasiada, sino algo de información. Como para que, cuando notan la ansiedad o la preocupación de los adultos, sepan lo suficiente y puedan entender lo que ven o lo que pasa a su alrededor. Contar aquellas cosas que puedan ver, en palabras comprensibles para ellos. Tengamos mucho cuidado con lo que hablamos con otras personas cuando ellos están presentes (aunque parezca que no escuchan).

☺ Hablar de lo que pueden estar sintiendo: miedo, tristeza, enojo (con él mismo, con el hermano, con los padres), culpa, responsabilidad, celos (todos se ocupan, preguntan, hacen regalos al enfermo, parece que es mejor estar enfermo), confusión, rechazo, ambivalencia, vergüenza, soledad y abandono; dejar bien claro que vale sentirlas, que nosotros sentimos a veces cosas parecidas. Hablar de lo que todos sentimos (o podríamos sentir), alivia y refuerza los vínculos entre los miembros de la familia. En cambio, reprimir y negar sentimientos consume cantidades de energía, que después no están disponibles para la vida.

☺ En el caso de que la enfermedad sea muy seria o nos requiera mucho tiempo de atención, pedir ayuda de amigos, vecinos y parientes; buscando un 'ángel custodio' para cada hijo, de modo que cada uno tenga atención especial y sus necesidades atendidas.

☺ Asegurarles que todos van a estar bien cuidados. Que hay

mucha gente grande que se ocupa, no sólo del hermano enfermo, sino de ellos también.

☺ Reforzar el concepto de que el sanatorio es el mejor lugar para curarse. Hay doctores y enfermeras que saben mucho y cuidan muy bien.

QUÉ DECIR

Contar todos lo mismo, lo mínimo indispensable, sólo lo que los chicos pueden ver.

Ellos no conocen el futuro ni oyeron hablar de otros casos parecidos; por eso no se angustian tanto como los grandes, salvo que nosotros transmitamos nuestra angustia.

Lentamente van viendo y sacando sus conclusiones, de a poco, a medida que están preparados para ello. Preocuparse si hacen de cuenta siempre que no pasa nada.

¡Ojo al teléfono! No olvidemos que los hijos oyen lo que decimos a otros adultos; y creemos que no les contamos pero, en realidad, lo hacemos todo el tiempo. Además, en casos serios, suena mucho el teléfono en casa, viene mucha gente de visita que les 'roba' todavía más a sus padres, ya de por sí ausentes a causa de la enfermedad del hermano.

Todo esto vale también cuando la persona enferma no es uno de nuestros hijos sino uno de los padres, un tío, abuelo, primo, u otra persona cercana al entorno familiar.

Protestar es lo más sano que puede hacer un chiquito que está enfermo o que está pasándolo mal o se siente solo porque su hermano/a está enfermo/a.

Cómo hablar de la muerte con los chicos

Con los avances de la modernidad: antibióticos y otras medicaciones cada vez mejores, y la existencia de hospitales y sanatorios (y de terapia intensiva), la muerte ha dejado de ser parte de la vida diaria para todos nosotros; y, por lo tanto, también para los chicos.

Recuerdo las historias de mi abuela, contadas en las largas siestas de mi infancia, cuando yo le preguntaba acerca de "cuando ella era chiquita". Así supe que fueron trece hermanos, que sólo siete llegaron a adultos; incluso su hermana favorita murió de tuberculosis a los dieciocho años; alguno murió en el parto; otros, en epidemias de tifus o escarlatina. Y los chicos estaban ahí, para verlo. Del mismo modo, la abuela viejita iba envejeciendo junto a ellos y moría en su cama, y no en el sanatorio.

No discuto (y agradezco) los avances de la medicina, ya que ha salvado vidas y mejorado la calidad de la misma para todos nosotros. Pero uno de los precios que estamos pagando es que podemos hacer de cuenta que la muerte no existe; o, por lo menos, podemos distraernos tanto del tema que ya no sabemos ni cómo abordarlo con los chicos.

Pensamos en no hablarles más de la bisabuela; total, ¡hace mucho que no la veían! O les contamos que "se fue al cielo", o que "Dios se la llevó" como toda explicación (que no terminan de entender).

O salimos corriendo a buscar otro canario, u otro hámster. Y los chiquitos lo miran medio desconcertados, pero no tienen recursos para decirnos: "¡Qué disparate!, ¡éste no es el mío!".

O rápidamente, al día siguiente de la muerte del perro, vamos a buscar otro cachorro. ¿Realmente es para que los chicos no sufran, o, en realidad, para evitar un tema que no nos animamos a abordar?

Una de las dificultades que se presenta es que, cuando tenemos una muerte cercana, nosotros también estamos afectados: tristes, enojados, dolidos. Y tenemos que resolver nuestro duelo a la par del de nuestros hijos.

Cuando estamos de duelo, queremos estar solos, pensar en la persona que no está, tratar de entender lo que pasó, revisar incluso nuestra propia muerte futura o la de nuestras personas queridas.

Los chicos más grandes (a partir de los seis años) 'se dan cuenta' de esto (aunque no conscientemente), y nos dejan un tiempo para que hagamos nuestro proceso. Cuando nos ven recuperados, comienzan su duelo, hacen preguntas, se ponen tristes, extrañan.

En cambio, los más chiquitos (hasta los cuatro o cinco años) registran la retirada emocional de sus padres y no la toleran, por lo que no dejan pregunta por hacer: ¿quién le da de comer?, ¿con quién está?, no lo veo en el cielo, ¿en cuál estrella está?, ¿cómo no se cae?, ¿cómo subió?, ¡yo quiero que venga! Nos meten el dedo en la llaga todo el tiempo, y no nos queda más remedio que atender su proceso de duelo al mismo tiempo que el nuestro. Esto, en el mejor de los casos; ya que otras veces eligen portarse mal para atraer la atención de mamá, o para que su cara fea sea comprensible para él ("está enojada porque me porto mal" es conocido para él y lo angustia menos que "está triste porque se murió mi abuelo"; o: "Está triste y no entiendo por qué y temo que sea por mi culpa").

Indudablemente, es más fácil explicar la muerte si creemos en una vida después de la vida. Pero, aunque no seamos creyentes, el que no está sigue con nosotros en el recuerdo, en las cosas que compartimos, o que nos enseñó. Es decir, que sigue acompañándonos 'desde adentro de nosotros', aunque al principio es tan fuerte la ausencia que cuesta darse cuenta de esto.

Aun en el caso en que podamos decir que el abuelito está en el cielo, no les es fácil comprender el cielo y el cementerio, ¡y a nosotros a veces tampoco!

Elizabeth Kübler Ross, médica que se especializó en este tema, nos ofrece una imagen fascinante para explicarles a los chicos la muerte: la compara con el proceso de transformación de la oruga en mariposa. Nuestro cuerpo es el capullo donde vivimos esta vida. Llegado el momento de la muerte, ese capullo ya no sirve; la mariposa sale y levanta vuelo. Lo que va a la tierra es ese cuerpo, esa envoltura vacía; el alma o espíritu que va al cielo es la mariposa.

¿Qué podríamos decirles?

Que las personas mueren cuando llegan a viejitos, y ya 'cumplieron' su ciclo de vida (tuvieron un hijo, plantaron un árbol y escribieron un libro, dice el dicho). Hablamos de enfermedades terminales o accidentes fatales sólo cuando sea necesario porque ése es el caso. Que ese cuerpo ya no podía vivir, que su corazón se detuvo.

¿Qué cuentan los no creyentes?

Que, a partir de ahora, va a estar en nosotros, en el recuerdo y en el modo en el que su corta o larga existencia nos cambió la vida.

¿Qué pueden agregar los creyentes?

Que ese cuerpo (como el capullo) ya no les sirve, y es lo que enterramos. En cambio el alma, o el espíritu (como la mariposa) va al cielo junto a Dios y, desde allí, nos acompaña, nos cuida.

Ante preguntas concretas, respuestas concretas: ya no necesita comer o abrigarse; está bien, acompañado de otras personas que murieron antes (bisabuelos, tatarabuelos) que los quieren y los esperaban allá.

Es importante hablar y recordar a la persona que murió, aunque nos cueste y lloremos al principio. Es en la repetición de las ideas que los chiquitos van entendiendo lo que pasó. Esto no significa hablar del tema sin parar ni presionar a los chicos, sino tomar el tema con naturalidad y no desperdiciar las oportunidades que nos ofrece la vida diaria para recordar al que no está y contestar sus preguntas, sin evitarlas.

Es esperable que se enojen, o que tengan miedo de que nos pase algo a nosotros, o a ellos mismos. Por eso la explicación básica tiene que ver con el ciclo de vida cumplido y con la vejez.

Un punto a tener en cuenta son las etapas del duelo: enojo, negación, regateo, tristeza y aceptación son cinco etapas, de las que habló también Elizabeth Kübler Ross, que se van dando, desprolija pero inevitablemente en nosotros y, también, en los chicos. No nos asustemos, porque las cuatro primeras conducen a la aceptación, aunque no es un proceso lineal, sino que está lleno de avances y retrocesos. Sí hay que preocuparse cuando un chico queda varado durante mucho tiempo en una de las etapas: si no puede salir del enojo, o de negar la pérdida, o de la tristeza.

Hablemos de lo que sentimos. A ellos no les sirve que digamos que está todo bien, cuando no lo está. Los confunde y dejan de preguntar; y se quedan solos con sus preguntas y su dolor.

Ante la muerte de alguien muy próximo y muy querido es importante que los chiquitos tengan permiso y se animen a sentir y mostrar su enojo con la persona que no está; y con las otras, que no pudieron curarla o evitar su muerte (los chicos creen que los grandes podemos hacer todo y que, si no lo hacemos, es porque no queremos).

Además, que sepan:

☺ que los doctores hicieron lo mejor que pudieron y que la medicina no fue suficiente;

☺ que la persona fallecida se habría quedado si hubiera podido, pero su cuerpo ya no 'funcionaba';

☺ que los acompaña desde otro lugar (si son creyentes), aunque ellos no se den cuenta; que vive para siempre en su recuerdo y en todas las cosas que les enseñó;

☺ que no se la llevó Jesús porque era buena (mucha gente dice eso), ya que pueden elegir no serlo para que Jesús no los lleve. Tampoco pintemos el cielo como un lugar más maravilloso que la tierra, ¡porque van a preferir irse!;

☺ que ella está bien; y que ellos pueden, de a poquito, animarse a sonreír, disfrutar, ser felices, aunque no esté; incluso que es lo que ella desearía;

☺ que ellos no hicieron nada para que la muerte ocurra (no fue su culpa; los chicos suelen creer que todo es su culpa), y tampoco pueden hacer nada para que vuelva;

☺ que nadie tuvo la culpa; fue mala suerte, destino…, que algún día vamos a entender; no por qué sucedió, sino para qué nos sirvió esa experiencia, qué aprendimos de ella.

En el caso de una enfermedad terminal o de un accidente de una persona joven, cuando claramente no se cumplió el ciclo de vida, conviene aclararles que es muy raro que eso pase, y que las otras personas que ellos quieren no se van a morir hasta que sean viejitas; y ellos tampoco. Tratemos de no usar palabras como "siempre", "nunca", o "te juro" cuando no son verdad. Pero no vale la pena alertarlos y asustarlos por muertes posibles, que quizás no se repitan en personas cercanas por bastante tiempo. Es importante que confíen en que las personas que los quieren y cuidan van a permanecer junto a ellos. Ya habrá tiempo de hablar, si se diera la improbable situación de que se repitiera una muerte tan cerca de ellos.

En caso de que haya sido una persona muy cercana y querida, les hace bien armar con nosotros un álbum o libro de fotos y recuerdos, con anécdotas, cuentos, todas aquellas cosas que va a ser bueno que tengan cuando crezcan. Los familiares y amigos que la conocieron y la quisieron pueden agregar comentarios o historias que los chicos van a atesorar por el resto de sus vidas.

La separación de los padres

Voy a hablar del tema teniendo en mente hijos a partir de los dos o tres años. Es muy difícil considerar los problemas de todas las edades a la vez; por lo cual, de los más chiquitos me ocuparé en otro apartado. De todos modos, muchas de las cuestiones que veremos se aplican para todas las edades.

¿Qué pueden sentir los chicos?

Enojo: con los dos padres, por lo que está pasando; con el padre, que se va de casa; con la madre, que lo deja ir, o no lo impide; con el progenitor que está 'bien' (porque es el que quiso tomar la decisión) porque hace sufrir al otro; con los amigos, que no pasan por la misma situación; con el mundo; hasta con Dios... O por cosas más simples como, por ejemplo, que papá se llevó la tele, o que los sábados no puedo hacer programa porque tengo que visitar a papá.

Tristeza: ante la situación que se vive en la casa. Extraña a uno de sus padres, o los programas en familia, o la despreocupación de otras épocas, o la sonrisa de mamá. Lo complicado es que todos, padres e hijos, están en proceso de duelo por la pérdida o suspensión de un proyecto compartido, por lo que les cuesta a los padres acompañar el duelo de los chicos (a esto se suma que muchas veces sienten culpa por lo que les 'hacen' a sus hijos).

Soledad: no ven bien a sus padres, ni con capacidad de sostenerlos; además, si se pelean con mamá, no pueden recurrir a papá para que los consuele; y lo mismo pasa en casa de papá.

Culpa: al ser egocéntrico el pensamiento de los chicos, creen que todo tiene relación con ellos, incluso la separación: "Ellos se separaron porque se peleaban mucho por cosas mías". A veces aparece también la culpa a causa del alivio ante la nueva situación; porque están todos más tranquilos, o sacan beneficios especiales. Por ello es muy importante que la vida siga siendo lo más normal posible, sin que aparezcan Papá Noel o Mamá Noel (en intentos de aliviar sus propias culpas respecto de los hijos, o de atraerlos hacia sí porque no están seguros de que, simplemente, por ser papá y mamá son indispensables para ellos); que haya la menor cantidad de beneficios secundarios que confundan a los chicos. Una cuestión es el beneficio primario y real de que estamos todos en paz y aliviados, y otra es estar contentos por la separación; porque papá me hace muchos regalos, o porque todas las noches duermo con mi mamá.

Alivio: cuando la separación efectivamente permite vivir en un clima de mayor armonía. En general los momentos anteriores a la separación son de mucho miedo, enojo y tristeza, y al poquito tiempo aparece este alivio, al ver que papá tiene mejor cara y ratos cortos para compartir, pero está conmigo más que antes y mejor; o que mamá también está más tranquila y más disponible.

Miedo: a lo desconocido, a la inseguridad económica, a que la culpa haya sido de ellos: mis papás se separaron porque el otro día yo volqué el Nesquik y mamá se enojó con papá porque él me gritó. También pueden sentir miedo de que alguno de sus padres no esté bien, o no los pueda cuidar bien.

Inseguridad: se sienten desprotegidos hasta que comprueban que papá puede funcionar como mamá, y cocinar y mimar y aliviar angustias; o que mamá puede funcionar como papá, y protegerlos de los ladrones, arreglar la computadora, o cambiar la goma del auto.

Desvalorización: una familia con padres separados a veces es vivida por los chicos como 'de segunda'.

Confusión: el tema es nuevo y desconocido, les despierta muchas emociones que no entienden, o que prefieren no entender; y, por eso, permanecen confusos. En ese caso es un mecanismo de defensa que los protege, hasta que puedan tomarse un tiempo para entender lo que está pasando. Otros pueden negar el tema, hacer de cuenta que no pasa nada, no contarle a nadie. Quizá también estén necesitando un tiempo para procesarlo.

Responsabilidad: pueden hacerse cargo de intentar arreglar las cosas entre sus padres; ya sea portándose bien, o haciendo maniobras para lograrlo.

¿CUÁNDO HABLAMOS DE LA SEPARACIÓN?

Cuando ya sepamos que va a ocurrir a la brevedad (quince días antes, por ejemplo). No vale la pena angustiarlos antes de tiempo. Si vinieran a preguntar si nos vamos a separar (porque ven cosas que los hacen sospechar), podemos responder que los padres efectivamente tenemos algunos problemas, que por ahora no nos vamos a separar, que se queden tranquilos que si llegara ese momento ellos serían los primeros en enterarse. Es importante aceptar que algo está pasando si ellos lo ven. Negar la situación los confunde, y confirmarla antes de tiempo los angustia innecesariamente.

No hay dos separaciones iguales, pero voy a hablar de las cuestiones que he visto y que han facilitado el tema para muchos chicos.

En primer lugar hablar sólo de lo que les es útil a los hijos saber; y no en función de lo que los padres queremos contarles por enojo o por culpa.

Con el correr de los años ellos irán conociendo los motivos y las razones reales de la separación, que no siempre coinciden con el motivo concreto que llevó a tomar la decisión y que, cuando estamos enojados o muy dolidos, nos dan ganas de contarles a los chicos, para que "conozcan de verdad a su padre (o madre)". Ellos también, con el tiempo, nos conocerán. Pero a su manera, y a medida que vayan pudiendo; no a través de una versión subjetiva contada en un momento de mucho dolor.

En lo posible, hablar de una separación temporaria; porque, cuando finalmente se confirma como definitiva, los chicos ya saben lo que es vivir con los padres separados, y el impacto es menor si pueden hacer el proceso por etapas.

Otros temas que tienen que quedar claros

Los padres se separan porque necesitan, uno o los dos, un tiempo para pensar, separados uno del otro. Esto incluye forzosamente a los hijos, pero el padre que se va de casa no quiere separarse de ellos. Ésa es una dolorosa pero inevitable consecuencia de la necesidad de ese tiempo (de los padres) para pensar por separado.

La separación es de la pareja conyugal: la pareja de padres sigue funcionando para tomar las decisiones que atañen a los hijos y para cuidarlos. Hay que explicarles que hay distintos tipos de amor, que el amor de los padres a los hijos dura para siempre (que uno no se divorcia de los hijos).

También es importante aclararles que así como no tuvieron nada que ver con los motivos de la separación, tampoco hay nada que ellos puedan hacer que pueda volver a unir a los padres. Éstos son problemas de adultos que resuelven los adultos.

Darles el espacio para protestar, preguntar, llorar, explicando que estamos haciendo lo mejor que podemos, que sabemos que les causamos mucho dolor. No pretender convencerlos de que es lo mejor para todos. Lo diremos alguna vez, pero son ellos lo que tienen que ver las ventajas. Los padres les contamos y nos ocupamos de sostener su dolor y de responder lo más claramente posible a sus preguntas, en la medida en que éstas sean en relación con ellos y su vida; pero no las que tienen que ver con los problemas entre los padres, que son cuestiones de los adultos. En realidad, seguramente están esperando que contestemos justamente esto: "No es tu problema", para poder irse tranquilamente a jugar y dejar que los grandes se ocupen de los temas de los grandes.

Aún cuando los hijos sean ya grandes, siguen siendo hijos de ambos padres, y sigue sin tener mucho sentido (más que para convencerlos de que yo soy buena y el otro, en cambio, es malo; por lo que tiene que estar de mi lado y contra él) hablar de cuestiones que no tienen que ver con ellos. Para hablar de esos temas tenemos amigos, hermanos, sacerdotes, psicólogos, y muchos otros adultos que nos pueden escuchar y consolar sin salir lastimados. Recordemos que ese progenitor del que hablamos mal es el que se los va a llevar el sábado todo el día; y para el chiquito es terrible ver que mamá dice que papá es mala persona, pero igual me prepara la mochila para que me vaya con él. Del mismo modo, papá me llena la cabeza con que mamá es una loca gritona, ¡y el domingo a la noche me lleva de vuelta con ella!

Explicarles lo más ampliamente posible los arreglos de vida y de visita que hemos acordado para ellos. Si son muy chiquitos, incluso es conveniente hacer un horario semanal (para pegar en la heladera de las dos casas), que ellos pueden consultar a cada rato para ver y saber cuándo viene papá, por ejemplo.

¿Qué hacemos?

Mantengamos las cosas lo más parecidas posible a antes de la separación; por lo menos por un tiempo, hasta que se acostumbren a esta nueva etapa, casa, colegio, nivel de vida. Sé que esto no es fácil en la mayoría de los casos, pero es muy difícil procesar varios duelos a la vez: la separación de mis padres, la mudanza, que nunca haya plata para nada, mamá (que estaba siempre en casa) que sale a trabajar diez horas por día. **Mantener la mayor estabilidad posible es una inversión a futuro, ya que el proceso de aceptación será así más fácil.**

Organizar las cosas de modo que no haya huecos en los cuidados: papá pensó que me buscaba mamá y ella creyó que lo hacía papá, ¡y me quedé en la casa de mi amigo hasta las diez de la noche!

Días de visita

Nuevamente no hay recetas. Sepamos que **uno de los grandes precios que pagan los hijos de padres separados es la falta de tiempo; ya que agregan a su agenda, de por sí cargada, las visitas al otro progenitor.** Es por eso que protestan a veces cuando tienen que salir a casa de papá (y no necesariamente porque mamá les llenó la cabeza, como suelen pensar los papás). El arreglo que he visto más operativo es una visita corta a papá durante la semana (salida a comer y vuelta a casa); otra más larga: ir a comer y dormir a casa de papá, de modo que tengan la oportunidad alguna vez en la semana de compartir el desayuno y la llevada al colegio; y un día entero (veinticuatro horas) del fin de semana, que me parece conveniente turnar; ya que son distintos los programas que se hacen los sábados y los domingos, de viernes a la noche a sábado o de sábado a la noche a domingo. Evidentemente, con la plasticidad suficiente para que los chicos no dejen de pasar un fin de semana entero con papá pescando en Chascomús, o una ida a Mar del Plata con todos los primos y abuelos de la familia materna. Recordemos al rey Salomón, quien resuelve darle el bebé a la mujer que prefirió que lo tuviera la otra, con tal de que el chiquito viviera (o esté bien, en nuestro caso); y pensemos cada vez qué es mejor para nuestros hijos. Esta frecuencia de encuentros con el papá es la mínima que recomiendo. Habrá situaciones particulares en las que no se pueda cumplir, y otras en las que los papás vean mucho más seguido a los hijos, llevándolos al colegio, yendo algún día a buscarlos para almorzar, llevándolos a alguna actividad extraescolar, etcétera.

Puntualidad

El tema de la puntualidad en las salidas y llegadas se lleva el premio en la cantidad de peleas que provocan entre los padres y, mirado desde afuera, ¡ES ABSURDO! Para los chicos es importante que los padres sean puntuales, ya que esta etapa les produce la suficiente inseguridad como para agregarle ingredientes innecesarios; ¡pero el enojo del otro progenitor es igual de innecesario y contraproducente!

Pareciera que sentimos que el otro lo hace a propósito para molestarme a mí (en ese caso estaríamos igual de egocéntricos que nuestros hijos chiquitos creyendo que todo lo que pasa tiene que ver conmigo). **Intentemos los dos, en beneficio de ellos, ser lo más puntuales posible para curar la confiabilidad que ha sido herida en ellos por la separación.** Cuando en *El Principito*, de Antoine de Saint-Exupéry, el zorro le explica al Principito cómo domesticarlo, una de las cosas que le pide es que llegue siempre a la misma hora: "Si vienes por ejemplo a las cuatro de la tarde, comenzaré a ser feliz desde las tres... Pero si vienes a cualquier hora, nunca sabré a qué hora preparar mi corazón... Los ritos son necesarios".

Los temas administrativos quedan a cargo de los padres

La pérdida de ropa es otro de los temas 'elegidos' para generar discusiones entre los padres, estas pequeñas cosas pueden mejorar o arruinar mucho la calidad de vida de los chicos (papá se olvidó de darme la plata para el almuerzo, mamá no me puso, o no me recordó poner, la ropa de gimnasia, y en el colegio me retaron). Es tarea adulta preparar o acompañar a preparar la mochila para que lleven todo lo necesario y no se olviden nada en la otra casa; al principio, y hasta que se acostumbren, en todas las edades, para luego ir acompañándolos a hacerse responsables solos. Pero esto lleva tiempo, sobre todo en situaciones de crisis.

Cambios de días de visita, plata para libros, permisos y muchas otras cuestiones administrativas son temas de adultos. Los chicos no pueden ser emisarios ni hacerse cargo de estas cosas. Por ejemplo, Manuela (8) necesita palo de hockey: son papá y mamá los que resuelven si lo compran nuevo o usado, o si lo piden prestado; Manuela no puede ser testigo del enojo de papá, quien siente que la mamá lo está esquilmando; ni de la furia de la mamá, quien se identifica con su hija y siente que Manuela no puede esperar ni un día para tener su palo de hockey.

Aquí mencioné las cosas que, muchas veces, he visto que hacen sufrir a los chicos, y que son evitables con un poco de organización y de consideración. El dolor y el enojo nos pueden cegar a los padres hasta tal punto que, por castigar al otro adulto, terminamos haciendo lo mismo con nuestros hijos.

Evitemos que nuestros hijos tomen partido. Esto se hace simplemente no llenándoles la cabeza con palabras (tampoco gestos ni caras) en contra del otro progenitor. Ellos necesitan a papá tanto como a mamá, saber que los quieren, que son buenos y merecedores de su amor. Ya harán su propia evaluación de su relación con cada uno de sus padres, sin la opinión del otro. Aunque el otro progenitor no haga lo mismo, de todos modos sigamos haciendo esto. Los chicos un día harán su balance y sabrán y agradecerán a aquel que fue suficientemente adulto para no involucrarlo en batallas que no les competían.

La elaboración de todos los temas lleva tiempo: para enojarse, para entristecerse, para aceptar, para entender las nuevas reglas de juego; incluso cosas lindas, como mudarse o cambiar el auto o el nacimiento de un bebé, requieren acomodaciones que no siempre son fáciles.

Pensando en la separación, divorcio y nuevas parejas mi recomendación principal es dar tiempo a los procesos y a la acomodación de todos los miembros de la familia. La vida es larga y los hijos merecen nuestros cuidados en este sentido. Además, es en beneficio de los padres; ya que, si podemos esperar la aceptación y elaboración sana, se facilitan las relaciones aún dentro de la pareja (y se complican en caso contrario). En este caso, gastar tiempo es invertirlo.

En primer lugar, la nueva pareja sólo debería aparecer cuando la separación definitiva de los padres ha sido comprendida y elaborada por los chicos.

En segundo lugar, presentemos sólo a aquella persona con quien realmente creemos que estamos en el camino de armar una pareja estable. Aunque nos quede cómodo, a los chicos no les hace bien conocer varios personajes que pasan por la vida de sus padres y después desaparecen sin dejar rastros.

Tomémonos tiempo para presentar a la persona y para que todos se vayan acostumbrando a su presencia gradualmente (hablo de varios meses). Como ya mencioné 'Vamos despacio, que estamos apurados' es el concepto que debería conducirnos. La armonía de la nueva pareja se verá influida por la relación de cada uno con los hijos del otro, por lo que vale la pena esta inversión.

Hagámoslo de a poco. Quizá primero en un encuentro con otra gente, sin presión para ellos o para la nueva pareja. Después, en programas cortos o paseos compartidos, para ir conociéndose; y en los que los cuidados sigan siendo ofrecidos por el progenitor.

A los chiquitos les cuesta; a los adolescentes, más todavía. Es su propia época de tener novia/o, y de salir; por lo que no les divierte nada darse cuenta de que sus papás también lo hacen.

Y alegrémonos de que nuestros hijos protesten y se quejen. Implica que nos quieren, que no quieren compartirnos. Eso no significa que renunciemos a todo por ellos, pero entendamos que no les resulta fácil.

En todos los casos, cuando sean novios, o cuando ya sean pareja estable y convivan, es muy importante que los chicos conserven por lo menos un encuentro semanal a solas con su progenitor (pueden ser todos los hermanos juntos), sin cónyuges ni hijos ajenos.

Los tuyos, los míos, los nuestros

Cuando se establece la nueva pareja es importante preservar los espacios de cada uno con sus propios hijos.

Que los hijos de uno y otro se encuentren al principio lo menos posible, dando lugar y tiempo a que se establezcan relaciones con ese adulto-no-papá o no-mamá. A los chicos les cuesta ver, por ejemplo, que su papá tiene cierta intimidad y convive con otros chicos mientras él o ella están con su mamá. O les cuesta compartir a su mamá con esos chicos que invaden su casa con motivo de visitar a su padre.

Esto que propongo es bastante fácil en las separaciones, pero muy complicado cuando alguno de los dos es viudo; en cuyo caso habrá que cuidar especialmente a los chicos que comparten a su papá o mamá con otro adulto que no tiene hijos. Nuevamente busquemos ratos de exclusividad con nuestros hijos propios. No necesitan ser largos, pero sí regulares: que ellos sepan que esto va a ocurrir todas las semanas.

A los 'nuestros' los otros chicos suelen quererlos, salvo que lleguen demasiado pronto como para que puedan aceptarlos; o que haya tratos muy injustos o situaciones de mucha pelea. Los nuevos hermanitos son bebés, y los bebés suelen ser adorables.

En todos los casos cabe mi recomendación habitual: siempre escucharlos y aceptar lo que los chicos sienten, sin tratar de convencerlos para que sientan de otra manera; y hacer lo que nos parezca que es bueno después de haberlos escuchado, lo que no necesariamente es lo que ellos esperan.

Otras cuestiones y problemas comunes en la separación

La separación con chicos chiquitos

Los más chiquitos no tienen adecuadas nociones de tiempo y de espacio, no pueden hablar para preguntar lo que no entienden; por lo que las explicaciones serán acompañadas de cuentos, dibujos, calendarios, cosas que les permitan concretar eso que papá y mamá explicaron.

Como todas las separaciones son diferentes, no siempre los libros que compramos acerca del tema, sirven en nuestra situación en particular. Por lo que resulta muy útil hacer nuestro 'libro' en un cuaderno de hojas lisas, con dibujos y un texto muy simple, que represente la historia de la familia (desde que los padres se conocieron, se casaron, o se fueron a vivir juntos, empezaron a pensar en tener hijos que sean un poco como cada uno de ellos, concibieron esos hijos, con dibujos o fotos de mamá embarazada, de la familia toda junta, un relato no muy corto ni muy largo de la familia cuando estaba toda junta, en su casa). Puede incluir alguna mudanza o algunas vacaciones especialmente divertidas, pero sin tantos detalles que se pierda la idea general de familia; de modo que a ese chiquito le quede bien claro que fue concebido en el amor de una pareja/familia que lo esperaba y lo recibió de a dos (o de a tres o cuatro si no es el mayor). Después, en una hoja dibujamos su casa y, por ejemplo, el departamento de papá, unidos por un camino donde hay un auto. Para que tenga una idea de lo que significa otra casa; y vea un camino que tanto puede llevarlos a ellos a ver a papá, como traer a papá a verlos a ellos.

Es muy importante hacer este libro, porque los más chiquitos, al poco tiempo, ya no se acuerdan de que papá vivió con ellos. Hacer el libro es divertido para todos y a los chiquitos les permite mirarlo cuantas veces les haga falta, hasta entender lo que pasa y cómo son las cosas ahora.

El calendario los ayuda a entender los tiempos: significa hacer un horario semanal para poner en las dos casas. Que incluya las visitas a, o de papá, las idas a dormir a su casa, y también otras actividades de todos; para que no sea sólo el calendario de la separación: los días de gimnasia de mamá, el día en que ellos llevan uniforme de gimnasia al colegio, el día en que hacemos pool, la misa del domingo, el fútbol de Pedrito, la psicóloga de Mariana, etc. Cuando el más chiquito pregunta por su papá, vamos a ese horario y le mostramos; y muy rápido él aprende a mirar, cuando quiere saber cuánto falta. Obviamente en ese horario figuran las visitas estipuladas, lo que no significa que papá no pueda verlos también en otros momentos.

Cuanto más chiquitos (bebés), más importante es la presencia (más permanente) de la figura principal de apego; y visitas cortas, pero muy frecuentes (casi, o todos los días) del otro progenitor. A partir del año, empieza el proceso gradual de acostumbrarse a la otra casa; que puede llevar unos cuantos meses. Entre el año y los dos años les cuesta evocar a mamá (a la mamá 'de adentro', recordarla, para que les sirva de consuelo y les dé confianza y esperanza de que volverán a verla) cuando no está presente. No pueden preguntar a papá por mamá (porque no saben hablar), y sus nociones de tiempo y espacio son muy rudimentarias; por lo que sólo muy despacito se pueden ir acostumbrando a otra casa, a otra cuna, sobre todo en ausencia de mamá. Cuando un chiquito se va de vacaciones, cambia el lugar; pero mamá permanece. Y esto le permite acomodarse más rápido y con menos sufrimiento. De todos modos, es más difícil si es hijo único que si tiene hermanos mayores, que lo acompañan a la casa de papá.

A partir de allí, y hasta los doce o trece años (de los chicos), la situación se acomoda; se acostumbran al ritmo de visitas, a llamar a papá y contar con él cuando lo necesitan. En general, la etapa de los hijos, desde los seis hasta los doce, es tranquila; y cuando los padres están separados, también suele serlo.

Cuando llega la adolescencia, les empieza a pesar tanta visita obligatoria que les dificulta el estudio o las salidas. Además, en esta etapa, los chicos reevalúan su situación personal y familiar; por lo que pueden reeditarse o surgir conflictos o alianzas que compliquen las relaciones.

¡Papá es Papá Noel y mamá es una bruja mandona!

Ésta es una queja común de las mamás después de separadas: a mamá le tocan los días de semana, las tareas escolares, estudiar el dictado semanal, el baño diario, la sacada de piojos, la batalla diaria para que vean menos tele, o estén menos en la computadora. Mamá no compra regalos extra; con ella no salen a comer afuera ni se acuestan tarde. Con algunos papás la situación es muy distinta: papá les compra todo lo que le piden, van a McDonald's todo el tiempo, no se bañan, se acuestan tarde, ven lo que quieren en televisión, etcétera.

La realidad de la separación es que papá tiene que aprender a funcionar como mamá, y sería bueno que las cosas ocurrieran de la misma manera en las dos casas. Pero... también mamá tiene que aprender a ser de a ratos como papá (los hombres son más 'juguetones' que las mujeres). Porque, si no, en casa de mamá no queda adulto con quien jugar; y sólo queda mamá dando órdenes, organizando, ahorrando, inculcando responsabilidades.

Es uno de los temas en que es muy fácil funcionar en cinchada. Cuanto más papá es ¡viva la pepa!, más mamá se pone bruja. Y cuanto más bruja se pone mamá, más se tienta el papá de hacer ¡viva la pepa!

Las mamás también podemos ir a McDonald's, o permitir que no se bañen un día; podemos dejarlos saltar en nuestra cama, o acostarse un rato más tarde si hay partido en la tele. Y los papás pueden ocuparse de que las tareas estén hechas el día en que duermen con él; y de que se pongan ropa interior limpia a la mañana siguiente. Es un reparto más equitativo que beneficia a los hijos, ¡que son de los dos!

CON EL PAPÁ SE PORTAN PERFECTO Y A MÍ ME VUELVEN LOCA

Éste no es un problema exclusivo de la separación sino que suele suceder cuando estamos casados, y se complica en la separación al no estar papá en casa para 'poner orden'.

Ocurre principalmente porque, al ser la mamá la figura de apego principal de los chicos, ellos cuentan con su amor incondicional; y entonces, no necesitan portarse bien con ella, ya que están muy seguros del amor de mamá. En cambio, hay que ganarse el amor de papá.

En segundo lugar, la autoridad de mamá se agota durante el día. A la décima o centésima orden, indicación, reto o recomendación, los chicos se cansan de hacer caso. La autoridad de papá está menos 'gastada'; y, por lo tanto, es más eficaz.

En tercer lugar, los papás son más grandes, más fuertes, tienen voz más grave. Sus retos asustan más que los de mamá; por lo que los chicos hacen caso más rápido.

Como mamá, ni por todo el oro del mundo cambio ese 'volverme loca'; porque implica presencia, garantía de amor, un vínculo especial, intenso y maravilloso. Es un precio que pagué con gusto por ser mamá.

Y sí, la mayoría de las veces... ¡a los hombres les es más fácil que los chicos les hagan caso!

De todos modos, los casos serios de 'me vuelven loca' ocurren cuando, al separarse, la mamá descubre que no tiene (ni tenía antes) autoridad con sus hijos. Pero esto no se notaba; porque, cuando llegaba el papá, ponía orden. O mamá amenazaba: "Vas a ver cuando venga tu padre"; o lo llamaban por teléfono. Después de la separación, empieza a notarse algo que ya estaba instalado.

Padres y madres somos distintos. Más allá de las diferencias originadas en el género masculino o femenino, llevamos al matrimonio un estilo de vida que aprendimos con nuestros propios padres, y que está muy arraigado dentro de nosotros, por lo que funciona en 'piloto automático', sin que nuestra voluntad intervenga. Cuando vivimos juntos, nos complementamos en algunos temas. En otros, nos neutralizamos. En otros, nos peleamos cada día de nuestra convivencia: papá enseña modales en la mesa y a mamá le gusta conversar y no le preocupa cómo o cuánto comen los chicos. Mamá es fanática de la limpieza y del orden; y a papá se le 'caen' el saco, el portafolio, las llaves en distintos lugares de la casa. A papá le importan mucho las notas del colegio; y mamá, mientras los chicos aprueben, está tranquila. Y como éstos, muchos ejemplos más.

Al separarse, ya no se neutralizan ni se complementan. Y cada uno conserva su estilo de educar, y sus prioridades. Es importante tenerlo en cuenta; especialmente con los más chiquitos, que no pueden decir "con papá vale decir malas palabras y con mamá, no". Y también porque aquellas cosas que uno dejaba en manos del otro, no va a tener más remedio que tomarlas en manos propias: es genial priorizar la comunicación en la mesa, pero los chicos tienen que llegar a la adolescencia con modales razonables para comer. Y el desorden se le puede venir encima a un papá que ya no tiene una mujer que levanta lo que él y sus hijos dejan tirado.

Los chicos se acostumbran a las distintas reglas, del mismo modo que ocurre con la casa de los abuelos. Podemos tener el problema cuando crecen, porque pueden preferir vivir con el progenitor más relajado, que exija menos (con el riesgo de que cuide menos); por lo que ambos padres tienen que acordar reglas mínimas de cuidado y vigilancia, que sean comunes a las dos casas.

Uno de los grandes precios que pagamos en la separación es que dejamos de tener opinión e influencia en una parte importante de la vida de nuestros chicos. Si estando casados no podemos pretender que nuestro cónyuge haga las cosas como queremos nosotros, menos factible aún va a serlo al separarnos. Diálogo, sentido común, pensar en lo que es bueno para los hijos es la fórmula para acercar posiciones.

¡ME VOY A VIVIR CON PAPÁ!

Cuando los chicos tienen padre y madre en casa, pueden pelearse o enojarse con uno y estar tranquilos, porque el otro no está enojado con ellos. Al separarse los padres, esto se complica: Teresita está furiosa con su mamá porque no la deja ir a lo de la amiga, porque todavía no estudió la tabla del cuatro; y papá no está para defenderla, ni para consolarla en su furia, ni para garantizar que con esa furia no va a dañar a mamá. En esos casos puede aparecer la frase: "Me voy a vivir con papá". ¿Quieren irse? En lo manifiesto, sí; profundamente los asusta estar tan enojados con mamá; y, al querer irse con papá, la están cuidando de su enojo; por lo que yo recomendaría contestar: "Te dan muchas ganas de irte, estás furiosa conmigo, comprendo tu enojo y no me lastima: papá y yo sabemos lo que es bueno para vos; y eso es estudiar la tabla ahora, porque mañana tenés examen; llamalo a papá y contale; y cuando se te vaya la rabia, vení a estudiar". Me recuerda el enojo de los más chiquitos, que nos amenazan con irse de casa cuando se enojan. Es muy tentador dejarlos ir, porque obviamente no van a pasar de la puerta; pero esa respuesta les daría mucha inseguridad (ellos no saben [que nosotros sabemos] que no se van a ir). En cambio, les hace mucho bien que respondamos: "Estás furioso conmigo y no me querés ni ver, pero no me lastima tu enojo, y te voy a seguir cuidando; no te voy a dejar ir".

Una mamá que no tiene miedo a su hijo, que no se ofende con sus ataques ni con sus amenazas le ofrece un puerto seguro donde se anime a convertirse en persona, a 'ser'.

Estoy hablando de este tema en la infancia, en situaciones normales, con un hijo sano que está enojado, y con una mamá que está bien y en condiciones de cuidarlo. En la adolescencia intervienen otras variables, que no vienen al caso en este libro; por lo que la respuesta podría ser diferente.

La separación, antes y hoy

Hoy muchos hombres participan de la crianza de sus hijos. Ya no se contentan con el papel de proveedores. Incluso les da miedo sentirse los únicos proveedores de la familia; y buscan que sus mujeres trabajen, para compartir esa responsabilidad. En generaciones anteriores, esto implicaba que las mamás teníamos dos trabajos: el cien por ciento de la casa y los hijos y, además, el trabajo fuera de casa. Hoy, tanto hombres como mujeres, están tirando más parejo. Al bañar, alimentar y cuidar a sus bebés y a los chicos más grandes, los hombres descubrieron lo que las mujeres ya sabíamos: lo maravilloso de la experiencia de estar muy presentes junto a nuestros hijos que crecen; y no se lo quieren perder.

A algunas mujeres les cuesta hacerles un lugar; pero en las parejas bien constituidas los dos se sienten respaldados, y pueden disfrutar de los hijos y compartir las responsabilidades y tareas. Pero esta nueva manera de vivir y compartir las tareas y la pater/ maternidad determina un cambio importante en la separación de los padres. Tanto los papás como sus hijos pierden más que antes; ya que papá funcionaba un poco como mamá, incluso aunque la mamá no trabajara fuera de casa.

De todos modos, en la separación vemos hoy todo tipo de situaciones: en un extremo, padres muy presentes, incluso más que antes de separarse; en el otro, padres que desaparecen y no asumen responsabilidades de ningún tipo… y toda la gama intermedia.

A veces los padres plantean que querrían que sus hijos pasaran la mitad del tiempo con ellos, y la otra mitad con la madre. A pesar de que la teoría de tener dos casas parece inteligente, para los chicos es muy difícil acomodarse a estar con mamá una semana y la siguiente con papá; o tres días y medio con cada uno, que es lo mismo. Me imagino una casa tan 'ideal' como imposible, en la que los chicos estén en la parte central de la casa; la mamá, de un lado; y el papá, del otro. De modo que, cuando toca estar con uno o con otro progenitor, a los chicos les cambia muy poquito la vida: tienen su cama, sus juguetes, su teléfono y computadora. Pero mi casa imaginaria sólo es un lindo sueño, que se complica en cuanto los padres quieren tener una vida más allá de ser mamá y papá; lo que en general ocurre bastante pronto.

Cuando los chicos son chiquitos, es importante que permanezcan más tiempo con la figura principal de apego, que habitualmente es la mamá; lo cual convierte en inviable el proyecto de tenencia compartida por igual. Y cuando crecen, es difícil de sostener para todos. Es muy incómodo. Cada semana se tienen que 'mudar', con uniforme, libros, música, etc.; lo que necesitan suele estar en la otra casa, los amigos no los encuentran, extrañan a mamá, o a papá...

Los padres (que seguirán siendo pareja de padres aunque se divorcien) juntos tienen que resolver cómo ofrecerles a sus chicos plena disponibilidad y presencia de los dos en su infancia; cómo asegurar que los chicos se sepan cuidados y atendidos por ellos, más allá de las visitas preacordadas. Esto se logra tendiendo 'puentes de presencia': con visitas cortas entre semana, con un día entero del fin de semana con cada progenitor, con almuerzos los días de clase, con llevadas al colegio a la mañana, con llamadas telefónicas, acompañándolos al fútbol, al hockey, yendo a verlos a sus actos escolares u otras actividades, estando atentos a cuestiones de la vida diaria (como pruebas, peleas con amigos, etc.). Hay muchas maneras en que los papás pueden asegurar su presencia constante y protectora a sus hijos.

Los vínculos se construyen en presencia. Los papás están reconociendo este hecho y quieren estar más presentes en las vidas de sus hijos; pero esto no puede ser a costa de alejarlos de su figura principal de apego muchos días seguidos.

Ante la separación, he visto mujeres celosas de que sus hijos armen un vínculo cercano con los papás (en realidad, inseguras); y otras que están muy cansadas de llevar todo el peso de la responsabilidad del día a día con los hijos.

La realidad de hoy es que cada vez más mujeres separadas se

ven obligadas a trabajar muchas horas para mantener a sus hijos; mientras siguen ocupándose de la casa, de las tareas, de médicos, psicólogos, clases extraescolares, dentistas... Les queda muy poco tiempo para 'estar' realmente con sus hijos. Por lo que es muy bienvenida la ayuda de los papás en estas tareas; de modo que ella pueda estar un poco más en casa con los otros chicos, aunque uno tenga una actividad extra escolar o turno con el ortodoncista. Como madre que trabajaba (aun no estando separada), recuerdo como difíciles los años de ortodoncia de mi hijo mayor. Era lejos de casa, teníamos que esperar un buen rato para que lo atendieran, se nos iba la tarde entera, sus hermanas habían quedado en casa, ¡y el último momento que habíamos compartido era el desayuno!

Madres que trabajan

En un chiste de Maitena hablan una joven y su abuela: "Pero, mamina, ustedes eran muñecas, no opinaban, no trabajaban, no tenían responsabilidades, ni sabían lo que era una terapia. Andaban por ahí llenas de celulitis, horneando masitas, visitando amigas, y poniéndoles encajes a los camisones, ¿en qué mundo vivían?". La abuela contesta: "En el paraíso...".

Las cosas cambiaron mucho en los últimos cincuenta años, y hoy cada vez más madres de chicos chiquitos se ven obligadas a trabajar y a dejar a sus hijos al cuidado de otras personas: guardería, abuela, empleada doméstica.

Muchas llegan a verme con una enorme sensación de culpa por hacerlo. Una madre que se siente culpable se equivoca a la hora de educar y poner límites, o pretende que sus hijos crezcan demasiado rápido, o vive enojada con su situación y le da vueltas sin resolverlo.

LO QUE SABEMOS...

Los bebés necesitan a sus madres (o figura principal de apego, podría ser el papá), no es lo mismo la guardería, o la abuela, o la empleada en casa...

345

Durante el **primer año de vida**: la mamá es indispensable, el bebé no comprende ni le podemos explicar su ausencia (de muchas horas seguidas), por lo que la padece sin poder defenderse, reclamar ni preguntar. Para salir de la simbiosis normal y tener un vínculo seguro hay que haber tenido a mamá. Antes de poder compartirla tienen que haberla poseído.

Durante el **segundo año**: ya podemos explicarles y empiezan a entender; mamá puede ausentarse algunas horas por día y dejarlos al cuidado de alguien en su casa o en casa de la abuela (muy conocida para él). Cuando van al jardín maternal en esta etapa se enferman mucho, se la pasan en tareas administrativas (ponerse el delantal, ir en fila al baño, no hacen casi nada solos por lo que la maestra tarda mucho hasta que los acomoda a todos) y lo disfrutan poco, todavía están para jugar con o en presencia de un adulto, no con otros chicos. Todavía les hace bien tener a mamá u otro adulto muy conocido, cerca para poder ir alejándose ellos y volver cada vez que la necesitan o quieren.

Entre el **tercer y cuarto años**: llega la constancia objetal (pueden pensar en su mamá y evocarla cuando están lejos por lo que ya están listos para ir al jardín de infantes). Pueden entender que la mamá ausente está en algún otro lugar, y que volverá. Ése es el momento ideal para que la madre empiece a trabajar, aunque probablemente ya tenga otro bebé que recién empieza con estas etapas...

Que las madres (de bebés y chicos muy chiquitos) estén muchas horas seguidas fuera de casa afecta a los hijos en diversas áreas. Ellos, para no sufrir, pueden organizar defensas no saludables: se acorazan, se hacen rígidos (en lugar de flexibles), se arreglan solos (independencia prematura), dejan de interesarse por el otro (alejamiento emocional), les cuesta tener adecuada confianza básica y apego seguro, se hacen cuidadores compulsivos de otros y se pierden a sí mismos, se aferran a cualquier adulto que se acerca, tienen miedos, obsesiones, se enferman, les duele la cabeza, lloran mucho, se portan mal, se aíslan, duermen demasiado, se despiertan mucho de noche, etcétera.

Los chicos se acostumbran a todo... a un costo.

Y cuando, más adelante (consolidada nuestra posición), tenemos tiempo para ellos, ya no están interesados ni nos necesitan. Resolvieron sus dificultades de otras maneras y (con suerte) con otras personas.

De todos modos, las madres que trabajan pueden establecer con sus bebés un vínculo sano de amor y confianza. Veremos cómo podemos hacer pequeños cambios en nuestra rutina que les hacen a ellos una enorme diferencia.

¿Podemos ser mamá/mujer maravilla... o no?

Elijamos conscientemente el precio que vamos a pagar, no nos dejemos llevar por las circunstancias. El precio no puede ser dejar de tener una vida propia, más allá de los hijos, pero tampoco tenerla a costa de ellos.

Las madres recibimos un legado cultural: lo que hacemos, ¿es por imitación, es lo que se espera, es un mandato? Revisemos nuestras creencias, los mitos familiares, para poder alcanzar un criterio propio.

Después de nueve meses de embarazo y muchos meses más de simbiosis con nuestro hijo cuesta dejar, delegar, compartir responsabilidades, nadie lo hace como nosotras... pero entonces estallamos. Pensémoslo en relación con el cuidado del bebé pero también con ese trabajo que dejamos para tener nuestro hijo y que pareciera que nadie puede hacer más que nosotras.

Donald Winnicott dice que los padres tenemos que permanecer vivos para nuestros hijos y yo agrego: también sanos y de buen humor, con capacidad de disfrutar de la vida. ¡Si no nuestros hijos no van a querer crecer!

Las mujeres decimos que sí mientras los temas entran físicamente en nuestra vida, y abusamos de nosotras mismas. Los hombres lo suelen tener más claro, tienen mayor capacidad para decir que no. Nosotras también tenemos derecho a una vida y a una identidad, y se lo debemos a nuestros hijos, porque... ¿qué queremos enseñar a nuestras hijas acerca de ser mujer?, ¿y a nuestros hijos varones?

Es preocupante que los padres y madres estén tan ocupados en los primeros y fascinantes años de las vidas de sus hijos que no puedan disfrutarlos. Y el tiempo no vuelve atrás.

Mucha gente dice que quiere pasar más tiempo con su familia, pero a veces resulta más fácil el trabajo, donde se sienten seguros, competentes.

La nueva sociedad conyugal busca que ambos padres sean responsables de ganar el sustento y de la crianza de los hijos, haciendo sacrificios en sus carreras laborales.

Muchas mujeres querrían quedarse en casa y no pueden. **El estrés de balancear casa y trabajo no es de la mujer sola sino de la pareja.** Sin embargo, hoy siguen siendo (en la mayoría de los casos) las mujeres las que están tironeadas entre las necesidades familiares y la ambición personal; entre el amor y la preocupación por sus hijos, y la necesidad de ganar dinero y tener acceso a experiencias y oportunidades de todo tipo.

Culpa/responsabilidad

La primera tarea de la mamá es resolver en su interior la culpa que siente al tener que trabajar, de dónde viene, a qué se debe, para tenerla comprendida y elaborada a la hora de estar con los chicos, de manera que no determine su conducta con ellos.

Revisemos a nuestra madre internalizada, que siempre estuvo cuando volvíamos del colegio y hoy nos mira con cara de reprobación (desde afuera o desde adentro de nosotros).

Cuando nos sentimos culpables:

- ☺ tratamos de dar vuelta el juego y que la culpa la tenga otro... "¡No me avisaste con tiempo!" (del acto), o "¡Ustedes me vuelven loca!" (no soy yo, son ustedes);
- ☺ no podemos tolerar que nuestros hijos nos muestren que nos extrañaron: "No es para tanto" (y los dejamos solos con su soledad);

- no podemos tolerar que se enojen con nosotros: "Lo hago por su bien" (y los hacemos sentir malos, o negar y reprimir su ira);
- los hacemos dudar de sí mismos: "Yo estaría agradecida" (al no aceptar lo que sienten);
- les pedimos ayuda excesiva para que 'no se note' que faltamos en casa, pero los obligamos a crecer antes de tiempo.

En cambio tengamos en cuenta que:
- somos responsables de haber decidido trabajar;
- es bueno que hagamos lo posible para sostener, reparar, aliviar, mantener el vínculo;
- somos adultas; si nos hacemos cargo y responsables dejaremos de sentir (tanta) culpa.

Cuando mamá (o papá) vuelve de trabajar los chicos por un rato no le hacen caso, ¡están ofendidos! Tengamos paciencia hasta que se les pase.

"El tiempo que perdiste por tu rosa hace que tu rosa sea tan importante... Eres responsable para siempre de lo que has domesticado... Eres responsable de tu rosa", le dijo el zorro al Principito.

Nuestros hijos nos van a reclamar por aquello que hicimos (mal) a propósito, no por lo que no tuvimos más remedio que hacer.

¡Y nos van a dar muchas oportunidades! (Pero no abusemos...)

DECISIONES EN PAREJA

Es central que ambos padres revisen si la razón (por la que la madre trabaja) es valedera para ellos, que la mamá vea si lo es para ella misma, ya que su propia crítica será el juez más exigente.
- ¿Es (realmente) indispensable para la economía familiar?,
- ¿para la salud mental de la mamá?, o ¿para su identidad?,
- ¿para no perder el lugar 'en el mercado'?

En caso contrario... es cuestión de cambiar el modo de vida y tendrán paz. Hoy hablamos del caso en que sí es necesario y de cómo hacer para suavizar el efecto...

MEDIDA DEL TIEMPO

El tiempo de los chicos es muy largo, no es el nuestro. Recuerdo los días de clase cuando era chica: ¡no se terminaban nunca!

Ante nuestra ausencia, los más chiquitos al principio protestan, al cabo de un tiempo se desesperan y finalmente se alejan (desapego: "¿Y qué?, "no me importa").

Entonces:
- ☺ vayamos alargando de a poco los períodos de separación,
- ☺ busquemos cuidadores sensibles, cálidos, conectados, que no cambien,
- ☺ que la relación entre chicos y cuidadores sea 3/1 o 4/1,
- ☺ tomemos el tiempo necesario para la adaptación,
- ☺ estemos confiablemente presentes antes y después del período de ausencia,
- ☺ que este proceso comience en lo posible después del momento de máxima ansiedad de separación (7 a 9 meses).

ACORTANDO LA AUSENCIA/ PUENTES DE PRESENCIA
(QUE ACORTAN LA SEMANA O LAS HORAS SIN MAMÁ O PAPÁ)

> "Los ritos son necesarios",
> dice el zorro al Principito.

Veamos a través de qué variables se pueden suavizar los efectos de la ausencia, tendiendo 'puentes de presencia' con ellos. Todas estas cuestiones valen hoy también para el papá. El nuevo modelo familiar que se va instalando, en el que papá y mamá trabajan y se ocupan a la par de la casa y de los hijos, implica que los dos cumplen alternativamente los roles de padre y madre de la familia 'tradicional'.

Que papá y mamá procuren:

- 😊 llegar un día fijo un poco más tarde al trabajo y/o llegar a casa más temprano, les da respiro a los chicos en la sensación de que el día es eterno y los padres se van a la mañana y vuelven de noche;
- 😊 trabajar pocas horas es un ideal (no siempre factible);
- 😊 ofrecer a los chicos un encuentro personal con total disponibilidad de unos diez a veinte minutos con cada hijo todos los días, les da a ellos la confianza de que pueden esperar porque mamá tiene sus ratitos disponibles para ellos (*Floor time* de S. Greenspan / *Play time* de L. Cohen); por ejemplo, a la hora de acostarse, yendo cama por cama; a la hora del baño; durante el viaje a las actividades extraescolares; también entrar a sus cuartos alguna vez cada día para charlar e interesarse por lo que están haciendo; con los más chiquitos no va a quedar opción, porque van a reclamar ese tipo de atención, pero los más grandes se acostumbran a que mamá no esté, por eso es tarea de la mamá acercarse todos los días un ratito; da placer ver la sonrisa de los chicos cuando mamá deja que responda el contestador o le dice a su mamá: "Estoy ocupada, te llamo más tarde";
- 😊 que las tareas familiares administrativas sean agradables, no a las corridas (baños, tareas, etcétera.);
- 😊 llevar trabajo a casa y hacerlo sólo cuando los chicos ya están acostados, o viendo tele o haciendo tarea, ellos **necesitan** saber que son primera prioridad para sus padres;
- 😊 hablar por teléfono, leer mails, etc. cuando los chicos estén en la cama;
- 😊 arreglar visitas o salidas a pasear con abuelos o tías en horarios en que los padres no están (¡animarse a pedir ayuda!);
- 😊 elegir (en lo posible) turno tarde en el jardín de infantes, para que la tarde no se les haga muy larga a los chicos y para que puedan acostarse un rato más tarde y aprovechar la presencia de los padres al no tener que levantarse muy temprano;

- postergar otras actividades (los adultos) para otro momento de la vida;
- organizar momentos libres para mamá, otros para papá y otros para los dos juntos.

Para la rutina diaria:
- Despertarlos todas las mañanas para compartir el desayuno.
- Compartir con ellos la comida de la noche (aunque sea sólo acompañarlos a comer).
- Llevarlos al colegio a la mañana.
- Buscarlos para almorzar un día semanal fijo (en nuestro horario de almuerzo).
- Llamarlos por teléfono todos los días en el mismo horario.
- Poner un calendario semanal en un lugar visible con los horarios de todos incluyendo fin de semana (en que estamos juntos) que todos puedan consultar.
- Que sepan que pueden llamarnos si necesitan.

¿CANTIDAD VS. CALIDAD?

Es preferible la buena calidad… pero hasta cierto punto, hay un mínimo de tiempo por debajo del cual los chicos sufren mucho. Los chiquitos necesitan poco tiempo muchas veces por día; los más grandes, en cambio, pocas veces más tiempo.

Como ya vimos antes, el reencuentro puede llevar tiempo, a los chicos les duele nuestra ausencia, se acorazan para no sufrir, y les puede llevar un rato desarmar esas defensas. No nos enojemos, ni nos ofendamos, sigamos disponibles hasta que terminen de confiar que llegamos y nos quedamos.

Es importante que nos involucremos mucho cuando estamos en casa (a veces no lo hacemos para no sentirnos mal cuando los dejamos), así quedan reservas de mamá disponible adentro de ellos (como una copa llena de amor recibido). Me sirvió mucho hacer el esfuerzo cada día de entrar a casa dejando mentalmente el cansancio y los problemas afuera. Mis hijos merecían tener la mejor mamá posible, y tenía que lograrlo en el limitado tiempo del que disponíamos (mamá de buena calidad). Son nuestros hijos, nosotros los cuidamos a ellos (y no ellos a nosotros, tal como a veces parece que quisiéramos o necesitáramos).

Revisemos nuestras exigencias y autoexigencias: hijos, casa, cuerpo, marido, amigas, todo perfecto no se puede. Elegir y renunciar... Postergar...

Un punto especial son las licencias por maternidad, los tres meses que se dan por ley son muy poco tiempo no sólo para el bebé sino también para la mamá, pedir otros tres o seis o nueve ¡o más! meses de licencia puede ser una excelente alternativa; es una 'inversión' que vale la pena, para el bebé, para la mamá y también para los hermanos mayores, quienes así, cuando la familia crece, por un buen tiempo también tienen más mamá disponible.

La experiencia (según Oscar Wilde es el nombre que le damos a nuestros errores) nos conducirá para encontrar nuestro camino, no el de nuestras madres, tampoco el contrario, ni el que la cultura nos indica. Iremos de un extremo al otro, desde estar ancladas en casa amamantando con cierta sensación de ahogo, a trabajar en exceso y tener ganas de estar más en casa. Y finalmente encontraremos nuestro equilibrio personal.

En un abrir y cerrar de ojos (aunque cueste creer que es así) los chicos habrán crecido y tendremos tiempo de hacer vida social, cultural, deportes, gimnasia, aprender idiomas y todas aquellas actividades que nos quedaron pendientes durante la infancia y la adolescencia de nuestros hijos.

Cuando los padres viajan

Este apartado está pensado para los viajes de la figura principal de apego, que suele ser la mamá; por lo que me centro en ejemplos en relación con ella, aunque también podría serlo el papá, en cuyo caso caben las mismas recomendaciones. Obviamente está pensado también para cuando viajan los dos padres.

Aunque pueda parecer lo contrario, los bebés sufren más la ausencia de la madre o figura de apego principal que los chicos más grandes, sólo que no pueden demostrarlo, ya que no tienen vías adecuadas de expresión o de elaboración.

Hasta los seis meses de edad mi recomendación es llevarlos. Los bebés incomodan muy poco y, en cambio, les hace mucho mal 'perder' a su mamá. Ya desde la panza reconocían ese ritmo de latidos, esa manera de moverse, ese estilo particular; a partir del nacimiento agregarán otros datos: el olor de mamá, su voz, su forma de alzarlo, o de alimentarlo, su sabiduría para saber lo que le pasa y calmarlo. Cuando de golpe la pierde por un rato un poco más largo que lo habitual, no tiene forma de saber que va a volver, de preguntar por ella; ni tiene una idea de tiempo que le permita saber que sí va a hacerlo.

Entre los seis meses y el año y medio también habría que llevarlos, pero es incómodo hacerlo (requieren permanente atención y vigilancia, se mueven mucho, son más ruidosos, ya no duermen tanto, etc.); por lo que sugiero tratar de evitar los viajes de la madre o figura de apego principal del bebé en esa etapa.

En caso de que sea indispensable, es bueno que lo vaya dejando ratos más largos cada vez al cuidado de la persona que se quedará con él desde unos días antes, para que no sea tan brusco el cambio (aunque a las madres las tiente estar el doble con él cuando están por irse, a fin de dejar 'reservas de mamá'), y que se hagan la menor cantidad posible de cambios en el ambiente: que se quede en su casa, en su cuna y, aunque suene tonto, que se le hable de su mamá: "Mamá se tuvo que ir a trabajar, falta poco para que vuelva", "mamá tuvo que ir a cuidar a la abuela que está muy enferma", "¿cuándo viene mamá?", "¡dale, mamá, vení pronto que Juana te extraña!", "¡apurate, mamá!", "¿cuánto falta?".

Entre los tres y los cuatro años ya sobrellevan bien los viajes de los padres; aunque ya a partir del año y medio o dos, cuando entienden lo que les decimos, podemos hacer muchas cosas que les permitan comprender y tolerar bien su ausencia.

Los chiquitos tienen dificultades para entender las cuestiones de tiempo (¿cuándo vuelve?, ¿cuánto falta?, ¿qué es dos días?, ¿y una semana?) y de espacio (¿dónde está?). Además, los más chiquitos no pueden evocar a su mamá con facilidad. Estas 'falencias' se pueden suplir con:

- 🖐 llamados telefónicos, en lo posible todos los días y a la misma hora, así se acostumbran a que ése es el horario de 'estar' con mamá o papá,
- 🖐 dejarlos en su casa con hermanos y con todo lo más igual posible a su vida habitual, bajo el cuidado de una persona muy cercana,
- 🖐 que la persona que queda en casa hable de la mamá o papá ausentes,
- 🖐 jugar con un avión, o tren o auto en el que 'están' sus padres, de modo que él pueda, jugando, llevarlos y traerlos a voluntad (a diferencia de los reales, que todavía no vienen),
- 🖐 dejar en una caja una carta por día con un mensaje corto y una sorpresa chiquita, de modo que vayan viendo cómo desaparecen los sobres y puedan entender el paso de los días. Se ocupará un adulto de mantener esta caja fuera del alcance de los chicos y de bajarla cada mañana para que saquen una carta.

A partir de los tres o cuatro años, habiendo alcanzado la constancia objetal (que nos permite saber que los seres humanos y los objetos existen más allá de que los veamos), con alguna noción de tiempo y espacio, y con mayor capacidad de elaborar situaciones a través del juego y de la palabra, les resultarán más fáciles los viajes de los padres. Igual conviene seguir haciendo las mismas cosas que cuando eran más chiquitos (llamados, cartas, etc.). Yo dejé de escribir cartas cuando mi hija menor entró en la adolescencia, ¡y protestaron un montón! Ellos decían que era por las golosinas, pero creo que profundamente les gustaba que su mamá se tomara ese trabajo para compensar, de algún modo, su ausencia.

De todas maneras, esto significa que están listos para que nos vayamos unos pocos días. Muy rápidamente crecerán y podremos hacer viajes más prolongados; y para nuestro dolor, se mostrarán encantados de tener unos días de 'recreo de mamá'.

Un comentario más: a las madres nos cuesta irnos, y eso lo sabemos y lo reconocemos todas, pero... muchas veces también nos cuesta volver. Es un descanso darse una ducha sin que nadie nos golpee la puerta, o despertarnos cuando no tenemos más sueño. Sean los días que sean, resultan pocos y, al ratito de llegar, nos queremos escapar de nuevo. ¡Ánimo! Se combinan nuestra falta de costumbre de estar en casa con las ganas que tenían nuestros chicos de vernos, y el resultado es explosivo; pero dura un rato, en seguida nos volvemos a acostumbrar y a disfrutar la maternidad.

Cuando viaja sólo el papá, las cosas son más fáciles. De todos modos, es bueno que mantenga contacto telefónico con los chicos. Ellos no siempre quieren hablar, pero les encanta comprobar que papá sí quiere hablar con ellos, que los extraña, que quiere saber cómo les fue en la prueba o si se divirtieron en el piyama party. Esto ayuda a que la ofensa sea menor cuando él vuelve.

Para ir terminando...

Un cuento judío que retoma Jean Grasso Fitzpatrick en *Cuentos para leer en familia*, lo llama "Hacer feliz a todo el mundo", y dice:

Un padre y su hijo iban guiando a un camello a través del desierto. El sol apretaba y caminaban lentamente por la arena hasta que se encontraron con un viajante.

—¿Por qué caminan ustedes dos si tienen un camello que los puede llevar? —preguntó.

El hombre mayor se subió, pues, al camello y el hijo lo siguió a pie. Ambos continuaron así su camino a lo largo de muchas millas y bajo un sol tórrido, hasta que se cruzaron con otro hombre.

—¿Como es posible que un padre trate así a su hijo? —preguntó el hombre.

—¡Mire los pies del chico! Están llenos de cortes y ampollas. ¿Cómo puede obligar a su hijo a andar?

El padre se sintió muy avergonzado. Se bajó del camello y ayudó a su hijo a subirse. Ambos siguieron su ruta bajo el sol abrasador, hasta que tropezaron con otro hombre que exclamó:

—¡Menuda vergüenza! Hete aquí un hombre mayor caminando bajo este sol de justicia mientras que su hijo, joven y sano, se pasea cómodamente sentado en el lomo del camello.

Cuando el hombre mayor escuchó esto, se subió nuevamente al camello, detrás de su hijo, y juntos siguieron su camino bajo el sol achicharrante. Pero no tardaron en cruzarse con un cuarto hombre.

—¡Menuda crueldad! —gritó el hombre—. ¡Obligar a este pobre camello a llevar a dos personas en un día tan caluroso! ¡Qué manera más cruel de tratar a un animal!

Padre e hijo rápidamente se bajaron y alzaron el camello sobre sus hombros.

—Probablemente venga alguien ahora que nos dirá que es de tontos llevar así a nuestro camello —dijo el padre con un suspiro—, pero no hay nada más que hacer. Hagamos lo que hagamos, no podemos hacer feliz a todo el mundo.

Cada persona es distinta: cada padre, cada madre, cada hijo. Cada uno de nosotros tiene que descubrir **su** forma de atravesar el desierto. Nunca lograremos hacer feliz a todo el mundo, y por el camino de intentarlo perderemos el contacto con aquello que nos puede hacer felices a nosotros y a nuestros hijos. Si bien en este libro hago muchas recomendaciones prácticas (y en eso me parezco a los viajeros que cruzan a padre e hijo por el camino), **espero que les sea útil, y les pido que no lo tomen al pie de la letra.** Les deseo que puedan, leyendo este libro, descubrir **su** forma personal, o familiar, de hacer las cosas, de modo que no digan "Maritchu dice" sino "yo aprendí… descubrí… se me ocurrió a partir de lo que leí".

Me hubiera gustado saber muchas de estas cosas cuando mis hijos eran chiquitos, o cuando empezaba a trabajar. Por eso no quiero dejar pasar la oportunidad de presentar estas ideas, para que otros tengan algunos recursos más al elegir su camino personal de paternidad. Que será único y propio. Y que incluirá la síntesis de lo vivido y lo aprendido por cada progenitor.

Nos despedimos cantando...

Beautiful Boy, de John Lennon

Close your eyes,
have no fear,
the monster's gone,
he's on the run and your daddy's here,
beautiful,
beautiful, beautiful,
beautiful boy.
Before you go to sleep,
say a little prayer,
every day in every way,
it's getting better and better,
beautiful,
beautiful, beautiful,
beautiful boy.
Out on the ocean, sailing away,
I can hardly wait,
to see you to come of age,
but I guess we'll both,
just have to be patient.
Yes, it's a long way to go,
but in the meantime,
before you cross the street,
take my hand,
life is just what happens to you,
while you're busy making other
    plans,
beautiful,
beautiful, beautiful,
beautiful boy.
Darling,
darling, darling,
darling Sean.

Cierra tus ojos,
no tengas miedo,
el monstruo se fue,
se escapó y tu papá está aquí,
hermoso,
hermoso, hermoso,
hermoso niño.
Antes de ir a dormir
reza una pequeña oración,
cada día y en todos los aspectos
todo estará mejor y mejor,
hermoso,
hermoso, hermoso,
hermoso niño.
Navegando en el océano
me cuesta esperar
a que crezcas,
pero me imagino que ambos
tendremos que tener paciencia.
Sí, es un largo camino,
pero mientras tanto,
antes de cruzar la calle
toma mi mano,
la vida es aquello que te ocurre
mientras estás ocupado haciendo
    otros planes.
hermoso,
hermoso, hermoso,
hermoso niño.
Amado,
amado, amado,
amado Sean.

Nos despedimos cantando...

Beautiful Boy de John Lennon

Bibliografía para padres

Aberastury, Arminda: *El niño y sus juegos*, Buenos Aires, Paidós, 1971.

Bailey, Becky: *Edúquelos con amor*, Naucalpan de Juárez-México, Prentice Hall, 2001.

——: *I Love You Rituals*, Nueva York, Harper Collins, 2000.

Beck, Lester: *Educación sexual para preadolescentes*, Buenos Aires, Lumen-Hormé, 1990.

Bettelheim, Bruno: *No hay padres perfectos*, Barcelona, Grijalbo-Mondadori, 1988.

——: *Psicoanálisis de los cuentos de hadas*, Barcelona, Grijalbo, 1988.

Brazelton, T. Berry: *Cómo entender a su hijo*, Bogotá, Grupo Editorial Norma, 1997.

Brazelton, T. Berry y Greenspan, Stanley: *The Irreducible Needs of Children*, Cambridge-MA, Perseus, 2001.

Brett, Annie: *Annie Stories: a Special Kind of Storytelling*, Nueva York, Workman Publishing, 1987.

Brooks, Robert y Goldstein, Sam: *Cómo fortalecer el carácter de los niños*, Madrid, Edaf, 2003.

Calmels, Juan: *Juegos de crianza*, Buenos Aires, Biblos, 2004.

Cohen, Lawrence: *Playful Parenting*, Nueva York, Ballentine Books, 2002.

Coloroso, Bárbara: *Padres respetuosos, hijos responsables*, Buenos Aires, Javier Vergara Editor, 2000.

Corkille Briggs: *El niño feliz (Your Child's Self-esteem)*, Barcelona, Gedisa, 1996.

Dolto, Françoise: *Cómo educar a nuestros hijos*, Buenos Aires, Paidós, 1998.

Elkind, David: *A Sympathetic Understanding of the Child*, Allyn and Bacon, 1994.

——: *The Hurried Child*, Addison Weslwy, 1988.

Faber, Adele, Mazlish, Elaine: *Cómo hablar para que sus hijos escuchen y cómo escuchar para que sus hijos le hablen*, Barcelona, Ediciones Medici, 1997.

Gottman, John y DeClaire, Joan: *Los mejores padres*, Buenos Aires, Javier Vergara Editor, 1997.

Grasso Fitzpatrick, Jean: *Cuentos para leer en familia*, Buenos Aires, Paidós, 1999.

Gray, John: *Los niños vienen del cielo*, Barcelona, Plaza y Janés, 2001.

Green, Christopher: *¡Socorro! un angelito en casa*, Buenos Aires, Atlántida, 1996.

Greenspan, Stanley: *Building Healthy Minds*, Cambridge-MA, Perseus, 1999.

————: *Playground Politics*, Cambridge-MA, Perseus, 1993.

Greenspan, Stanley y Thorndike Greenspan, Nancy: *Las primeras emociones*, Buenos Aires, Paidós, 1997.

Gutman, Laura: *La maternidad y el encuentro con la propia sombra*, Buenos Aires, Del Nuevo Extremo, 2003.

Hegeler, Sten: *Educación sexual infantil*, Buenos Aires, Lumen-Hormé, 1993.

Hoffmann, Miguel: *Los árboles no crecen tirando de las hojas*, Buenos Aires, Del Nuevo Extremo, 2002.

Kindlon, Dan y Thompson, Michael: *Educando a Caín*, Buenos Aires, Atlántida, 2000.

Korckzak, Janusz: *Loving Every Child*, Chapel Hill-Carolina del Norte, Algonkin Books, 2007.

Lerner, Harriet: *The Mother Dance*, Quill, Harper Collins, 2001.

Lyford-Pike, Alexander: *Ternura y firmeza con los hijos*, Alfaomega, 1999.

Lyford-Pike, Alexander y otros: *Hijos con personalidad... raíces y alas*, Universidad Católica de Chile-Alfaomega, 2007.

Rosfelter, Pascale: *El oso y el lobo*, Buenos Aires, Ediciones de la Flor, 2001.

Satir, Virginia: *Peoplemaking*, Buenos Aires, Del Nuevo Extremo, 2006.

Schapiro, Lawrence: *El lenguaje secreto de los niños*, Barcelona, Ediciones Urano, 2004.

Stern, Daniel: *Diario de un bebé*, Buenos Aires, Paidós, 1999.

————: *El nacimiento de una madre*, Buenos Aires, Paidós, 1999.

Thompson, Michael, O'Neill Grace, Catherine, Cohen, Lawrence: *Mejores amigos, peores enemigos*, Buenos Aires, Planeta, 2003.

Tod, Ruth: *Positive Parenting for a Peaceful World*, Londres, Gaia Books, 2005.

Von Frans, Marie-Louise: *Érase una vez*, Barcelona, Luciérnaga, 1993.

Winnicott, Donald: *Conozca a su niño*, Buenos Aires, Paidós, 1991.

————: *El niño y el mundo externo*, Buenos Aires, Lumen, 1993.

————: *Los bebés y sus madres*, Buenos Aires, Paidós, 1988.

Wolf, Anthony: *It's Not Fair...*, Nueva York, Noonday, 1999.

Ziegler, Robert: *Homemade Books to Help Kids Cope*, Washington DC, Magination Press, 1999.

Índice